EBS

전기공사
기사·산업기사 필기
전 력 공 학

SD에듀
㈜시대고시기획

전기공사기사·산업기사 필기
전력공학

Always with you

사람의 인연은 길에서 우연하게 만나거나 함께 살아가는 것만을 의미하지는 않습니다.
책을 펴내는 출판사와 그 책을 읽는 독자의 만남도 소중한 인연입니다.
SD에듀는 항상 독자의 마음을 헤아리기 위해 노력하고 있습니다.
늘 독자와 함께하겠습니다.

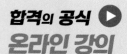

보다 깊이 있는 학습을 원하는 수험생들을 위한
SD에듀의 동영상 강의가 준비되어 있습니다.
www.sdedu.co.kr ➜ 회원가입(로그인) ➜ 강의 살펴보기

본 교재는 전기공사(산업)기사 자격증 취득을 위한 1차 필기시험 대비 수험서로서 쉽고 빠른 자격증 취득을 돕기 위해 기본이론과 중요이론, 그리고 기사, 산업기사 과년도 기출문제를 모두 장별로 분류하고 수록하였으며 이에 해설과 풀이를 통해 본 교재를 가지고 공부하시는 분들이 다른 유형의 문제도 풀 수 있도록 하였습니다.

현재 기출문제는 예전과 달리 동일한 문제가 반복적으로 출제되는 게 아니라 조금씩 변화를 주며 출제되고 있는 상황이라 이에 맞게 내용에 충실하게 교재를 준비하였습니다.

본 교재는 중요부분의 이론은 내용설명을 충실히 하였고, 가끔 출제는 되나 그 내용이 중요하지 않은 부분은 간단하게 암기할 수 있도록 만들었습니다.

끝으로 본 교재로 필기시험을 준비하시는 수험생 여러분들에게 깊은 감사를 드리며 전원 합격하시기를 기원하겠습니다.

오 · 탈자 및 오답이 발견될 경우 연락을 주시면 수정하여 보다 나은 수험서가 되도록 노력하겠습니다.

편저자 씀

개 요

전기는 생산, 수송, 사용에 이르기까지의 모든 설비를 전기특성에 적합하게 시공되어야 안전하다. 이에 따라 전력시설물을 안전하게 시공하고 검사하기 위한 전문인력을 양성할 목적으로 자격제도를 제정하였다.

수행직무 및 진로

공사비의 적산, 공사공정계획의 수립, 시공과정에서 전기의 적정 여부 관리 등 주로 기술적인 직무를 수행한다. 또한, 공사현장 대리인으로서 시공자를 대리하여 현장관리를 하는 동시에 발주자에 대해서는 시공자를 대신하여 업무를 수행한다.

시험일정

구 분	필기원서접수 (인터넷)	필기시험	필기합격 (예정자) 발표	실기원서접수 (인터넷)	실기시험	최종 합격자 발표일
제1회	1.23 ~ 1.26	2.15 ~ 3.7	3.13	3.26 ~ 3.29	4.27 ~ 5.12	1차 : 5.29 / 2차 : 6.18
제2회	4.16 ~ 4.19	5.9 ~ 5.28	6.5	6.25 ~ 6.28	7.28 ~ 8.14	1차 : 8.28 / 2차 : 9.10
제3회	6.18 ~ 6.21	7.5 ~ 7.27	8.7	9.10 ~ 9.13	10.19 ~ 11.8	1차 : 11.20 / 2차 : 12.11

※ 상기 시험일정은 시행처의 사정에 따라 변경될 수 있으니, www.q-net.or.kr에서 확인하시기 바랍니다.

시험요강

❶ 시행처 : 한국산업인력공단(www.q-net.or.kr)
❷ 관련 학과 : 대학의 전기공학, 전기시스템공학, 전기제어공학 등 전기 관련 학과
❸ 시험과목
　㉠ 필기 : 전기응용 및 공사재료(산업기사 제외), 전력공학, 전기기기, 회로이론 및 제어공학(산업기사 제외), 전기설비기술기준
　㉡ 실기 : 전기설비 견적 및 시공
❹ 검정방법
　㉠ 필기 : 객관식 4지 택일형, 과목당 20문항(과목당 30분)
　㉡ 실기 : 필답형(기사 2시간 30분, 산업기사 2시간)
❺ 합격기준
　㉠ 필기 : 100점을 만점으로 하여 과목당 40점 이상, 전 과목 평균 60점 이상
　㉡ 실기 : 100점을 만점으로 하여 60점 이상

출제기준

필기과목명	주요항목	세부항목
전력공학	1. 발·변전 일반	1. 수력발전
		2. 화력발전
		3. 원자력발전
		4. 신재생에너지발전
		5. 변전방식 및 변전설비
		6. 소내전원설비 및 보호계전방식
	2. 송·배전선로의 전기적 특성	1. 선로정수
		2. 전력원선도
		3. 코로나 현상
		4. 단거리 송전선로의 특성
		5. 중거리 송전선로의 특성
		6. 장거리 송전선로의 특성
		7. 분포정전용량의 영향
		8. 가공전선로 및 지중전선로
	3. 송·배전방식과 그 설비 및 운용	1. 송전방식
		2. 배전방식
		3. 중성점접지방식
		4. 전력계통의 구성 및 운용
		5. 고장계산과 대책
	4. 계통보호방식 및 설비	1. 이상전압과 그 방호
		2. 전력계통의 운용과 보호
		3. 전력계통의 안정도
		4. 차단보호방식
	5. 옥내배선	1. 저압 옥내배선
		2. 고압 옥내배선
		3. 수전설비
		4. 동력설비
	6. 배전반 및 제어기기의 종류와 특성	1. 배전반의 종류와 배전반 운용
		2. 전력제어와 그 특성
		3. 보호계전기 및 보호계전방식
		4. 조상설비
		5. 전압조정
		6. 원격조작 및 원격제어
	7. 개폐기류의 종류와 특성	1. 개폐기
		2. 차단기
		3. 퓨 즈
		4. 기타 개폐장치

구성과 특징

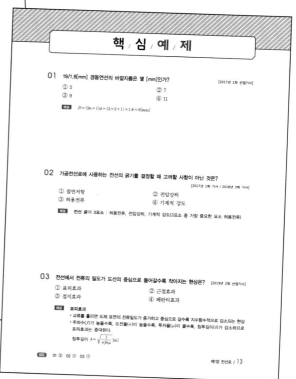

핵심이론

철저한 출제기준 분석에 따른 전기공사기사 · 산업기사 합격을 위한 필수적인 핵심이론을 수록하였습니다. 시험과 관계없이 두꺼운 기본서의 복잡한 이론은 이제 그만! 시험에 꼭 나오는 이론을 중심으로 효과적으로 공부하십시오.

핵심예제

최근 7개년 기출문제와 해설을 단원별로 정리하였습니다. 핵심을 꿰뚫는 상세한 해설을 수록하여 효율적인 학습이 가능하도록 하였습니다.

최근 기출복원문제

가장 최근에 시행된 기출문제를 실제 시험과 같은 형식으로 복원하여 자신의 실력을 최종적으로 점검할 수 있도록 하였습니다.

정답 및 해설

가장 최근에 복원된 기출문제의 명쾌하고 상세한 해설을 수록하여 놓친 부분을 다시 한 번 확인할 수 있도록 하였습니다.

전기공사기사 · 산업기사 기본서 시리즈

전기공사

기사 · 산업기사 필기

SERIES 2

전력공학

전기공사
기사 · 산업기사
필기   SERIES ②

전력공학

합격의 공식
온라인 강의

잠깐!

혼자 공부하기 힘드시다면 방법이 있습니다.
SD에듀의 동영상강의를 이용하시면 됩니다.
www.sdedu.co.kr → 회원가입(로그인) → 강의 살펴보기

전력계통도 개요

(1) 전력계통

전기를 생산하고 이것을 수용가에게 공급하는 일련의 설비

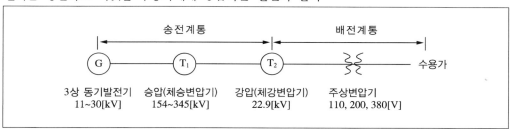

(2) 발전소

열에너지 또는 기계적에너지를 전기적에너지로 변환하여 전력을 생산하는 곳

(3) 변전소

구외에서 전송된 전기를 변압기 또는 정류기를 통하여 변성한 다음 다시 구외로 전송하는 곳(50[kV] 이상의 전압을 변성하는 곳)

(4) 개폐소

발전소, 변전소, 수용가 이외의 장소로 50[kV] 이상의 전압을 개폐하는 곳

(5) 전선로

전선 또는 이를 지지하거나 보장하는 전기설비

전선로

1. 가공전선로의 구성 : 전선, 애자, 지지물, 지선

(1) 전 선

① 저 항

㉠ 절연물 : 절연저항이 클수록 좋다.

㉡ 도체 : 전기저항이 작을수록 좋다.

㉢ 선로정수 저항 $R = \rho \dfrac{l}{A}$

$R[\Omega]$: 저항, $l[\text{m}]$: 길이, $A[\text{m}^2]$: 단면적, $\rho[\Omega \cdot \text{mm}^2/\text{m}]$: 고유저항

② 단면적 계산 및 접속

㉠ 단선 : 심선이 1가닥인 전선 → 직경$[\text{mm}]$

- 단면적 계산 : $A = \pi r^2 = \pi \left(\dfrac{D}{2} \right)^2 = \dfrac{\pi}{4} D^2 [\text{mm}^2]$

- 접속 시 주의사항
  - 전선의 세기
  - 전선의 저항
  - 전선의 절연 효력

- 가는 단선 : 트위스트 접속(꼬아, 쥐꼬리 접속), 굵은 단선 : 브리타니아 접속

㉡ 연선 : 심선 여러 가닥을 꼬아서 만든 전선 → 공칭단면적$[\text{mm}^2]$

- 구 조

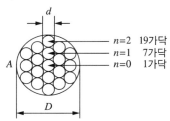

여기서, A : 연선의 단면적
D : 연선의 직경
d : 소선의 직경
n : 층수

- 규격표기법 : $n/d =$ 소선 가닥수/소선 직경
- 소선 가닥수 : $N = 3n(n+1)+1$

- 연선의 직경 : $D = (1 + 2n)d[\text{mm}]$

- 연선의 단면적 : $A = a \cdot N = \dfrac{\pi}{4}d^2 \cdot N[\text{mm}^2]$

- 연선의 접속

  표피효과 : 중심은 전류밀도가 적고, 표피 쪽은 전하밀도가 크다(전선이 굵을수록, 주파수가 높을수록, 도전율이 클수록, 투자율이 클수록 커진다).

층수(n)	소선 가닥수	절단선	접속선
$n = 1$	7	1	6
$n = 2$	19	7	12
$n = 3$	37	19	18
$n = 4$	61	37	24

③ 전선의 구비조건

　㉠ 도전율이 클 것

　㉡ 비중(밀도)이 작을 것

　㉢ 기계적 강도가 클 것

　㉣ 부식성이 작을 것

　㉤ 내구성이 클 것

　㉥ 가선공사가 용이할 것(연선 사용)

　㉦ 경제적일 것(값이 쌀 것)

　　※ 옥내배선의 굵기 결정 3요소 : 허용전류, 전압강하, 기계적 강도

④ 전선의 종류 및 용도

　㉠ 연동선

　　• 모든 전선의 기준

　　• 용도 : 옥내 배선, 지중전선로

　　• 약 호

　　　- IV : 600[V] 비닐절연전선

　　　- HIV : 내열용 비닐절연전선

　　　- RB : 600[V] 고무절연전선

　　　- FL : 1,000[V] 형광방전등용전선

　　　- GV : 접지용 비닐절연전선

　㉡ 경동선

　　• 옥외전선의 기준

　　• 용도 : 인입선 및 저압 가공전선로

　　• 약 호

    – DV : 인입용 비닐절연전선 → 인입선

    – OW : 옥외용 비닐절연전선 → 저압 가공전선로

  ⓒ 쌍금속선

    • 동복강선

    • 알루미늄 복강선

  ⓔ 합성연선

    • 약호 및 명칭

      – 약호 : ACSR

      – 명칭 : 강심알루미늄연선

    • 구 조

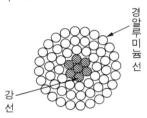

경알루미늄선

강선

    • 용도 : 22.9[kV] 배전선로 전압선 및 중성선, 송전선로 전압선 및 가공지선

    • 접속 : 슬리브 접속

    • 댐퍼 : 전선로의 진동을 흡수하여 단선사고 방지

구 분	전선직경	비 중	기계적 강도	도전율	외 상
경동선	1	1	1	크다.	어렵다.
ACSR	1.4~1.6	0.8	1.5~2.0	작다.	쉽다.

명 칭	약 호
옥외용 비닐 절연전선	OW
인입용 비닐 절연전선	DV
형광방전등용 비닐전선	FL
비닐 절연 네온전선	NV
6/10[kV] 고압 인하용 가교 폴리에틸렌 절연전선	PDC
6/10[kV] 고압 인하용 가교 EP 고무 절연전선	PDP
450/750[V] 일반용 단심 비닐 절연전선	NR
450/750[V] 일반용 유연성 단심 비닐 절연전선	NF
300/500[V] 기기 배선용 단심 비닐 절연전선(70[℃])	NRI
300/500[V] 기기 배선용 유연성 단심 비닐 절연전선(70[℃])	NFI
300/500[V] 기기 배선용 단심 비닐 절연전선(90[℃])	NRI
300/500[V] 기기 배선용 유연성 단심 비닐 절연전선(90[℃])	NFI
750[V] 내열성 고무 절연전선(110[℃])	HR
300/500[V] 내열 실리콘 고무 절연전선(180[℃])	HRS

(2) 애 자

① 설치목적
  ㉠ 전선로를 지지한다.
  ㉡ 전선로와 지지물과의 절연간격을 유지한다.

② 구비조건
  ㉠ 충분한 절연내력을 가질 것
  ㉡ 충분한 절연저항을 가질 것
  ㉢ 기계적 강도가 클 것
  ㉣ 누설전류가 적을 것
  ㉤ 온도의 급변에 잘 견디고 습기를 흡수하지 말 것
  ㉥ 경제적일 것(값이 쌀 것)

③ 애자의 종류 및 용도
  ㉠ 종 류
    • 송전선로 : 핀애자, 현수애자, 장간애자, 내무애자
    • 배전선로 : 핀애자, 현수애자, 라인 포스트애자, 인류애자
  ㉡ 핀애자

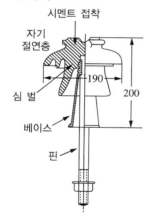

    • 사용전압 : 30[kV] 이하
    • 용도 : 인입선 및 저압 가공전선로 지지, 6.6[kV], 22.9[kV] 배전선로 직선주지지
    ※ 직선주 : 10° 미만

ⓒ 현수애자

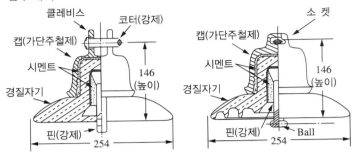

- 크기 : 자기 부분의 지름(고압 191[mm], 특고압 254[mm])
- 용도 : 배전선로 및 송전선로
- 전압별 애자 개수

전압[kV]	22.9	66	154	345	765
애자 수	2~3	4~6	9~11	19~23	약 40

- 애자련의 전압 분담

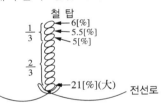

- 전압분담 최소 : 지지물로부터 $\frac{1}{3}$

- 전압분담 최대 : 전선로에 가까운 애자

ⓔ 장간애자 : 경간이 큰 개소

ⓜ 내무애자 : 절연내력이 저하되기 쉬운 장소(해안지역, 먼지가 많은 공장지역)

   ※ 해안가 지방에 많이 쓰이는 나전선 : 동선

④ 애자련의 보호 : 이상전압으로부터 애자 열적 파괴 방지, 애자련의 전압분담 균등화

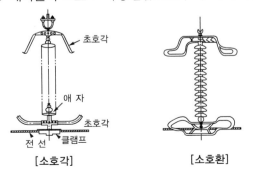

[소호각]   [소호환]

       ⓐ 아킹혼 : 소호각(초호각)

       ⓑ 아킹링 : 소호환(초호환)

⑤ 애자의 절연내력시험(절연파괴시험) : 섬락(Flash Over)현상

       ⓐ 공기 중 : 건조섬락시험 80[kV]

       ⓑ 유 중 : 유중파괴시험 150[kV]

⑥ 애자련 효율(연능률, 연효율)

$$\eta = \frac{V_n}{n\,V_1} \times 100\,[\%]$$

⑦ 경제적인 전선의 굵기 선정 : 켈빈 법칙

   건설 후에 전선의 단위길이를 기준으로 해서 여기서 1년간에 잃게 되는 손실전력량의 금액과 건설 시 구입한 단위길이의 전선비에 대한 이자와 상각비를 가산한 연경비가 같게 하는 굵기가 가장 경제적인 전선의 굵기로 된다.

⑧ 안전전류 : 최고허용온도 시 도체에 흐르는 전류

   최고허용온도 = 측정한 온도 = 주위온도 + 증가된 온도

   (단시간 허용온도 100[℃], 연속 허용온도 90[℃])

(3) 지지물의 종류 및 합성하중, 이도계산, 실제길이 계산

① 지지물의 강도계산

    ⓐ 전주의 종류 : 목주, 콘크리트주, 강판주 → 원형

    ⓑ 지지물 : 완제품은 작고, 조립품은 크다.

    ⓒ 지지물의 종류 : 목주, 콘크리트주, 철주, 철탑

      ※ 철탑의 종류

종 류		특 징	
철 탑	A형(직선형)	전선로 각도가 3° 이하인 경우 시설한다.	
	각도형	B형	경각도형 3° 초과 ~ 20° 이하
		C형	경각도형 20° 초과
	D형(인류형)(억류 지지철탑)	분기·인류 개소가 있을 때 시설한다.	
	E형(내장형)	장경간, 경간차가 큰 곳에 시설, 철탑의 크기가 커진다.	
	보강형	직선형 철탑 강도 보강 5기마다 시설한다.	

        (여기서 장경간이라고 하는 것은 표준경간에 250[m]를 더한 경간을 말한다)

ㄹ 합성하중
- 수직하중(W_1) : 전선자중(W_i), 빙설의 하중(W_c)
- 수평하중(W_2) : 풍압하중(W_p)
  - 전선로 쪽 : 수평 종하중
  - 전선로와 직각 : 수평 횡하중
- 합성하중
  - 고온계 합성하중

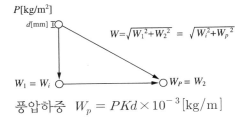

$$W = \sqrt{W_1^2 + W_2^2} = \sqrt{W_i^2 + W_p^2}$$

풍압하중 $W_p = PKd \times 10^{-3} [\text{kg/m}]$

  - 저온계 합성하중

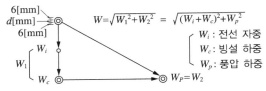

$$W = \sqrt{W_1^2 + W_2^2} = \sqrt{(W_i + W_c)^2 + W_p^2}$$

W_i : 전선 자중
W_c : 빙설 하중
W_p : 풍압 하중

풍압하중 $W_p = PK(d + 12) \times 10^{-3} [\text{kg/m}]$

- 부하계수 $= \dfrac{\text{합성하중}}{\text{전선자중}}$

  - 고온계 $= \dfrac{\sqrt{W_i^2 + W_p^2}}{W_i}$

  - 저온계 $= \dfrac{\sqrt{(W_i + W_c)^2 + W_p^2}}{W_i}$

② 이도계산 : 전선이 늘어진 정도 → 지지물의 대소관계 결정
고저차가 없고 지지점의 높이가 같은 경우

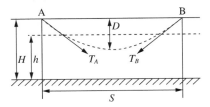

㉠ 이도$(D) = \dfrac{WS^2}{8T}$[m]

여기서, W : 합성하중[kg/m]

S : 경간[m]

T : 수평장력[kg]

※ 안전율 $= \dfrac{인장하중}{수평장력}$

㉡ 실제길이 $L = S + \dfrac{8D^2}{3S}$[m]

㉢ 지지점 평균높이 $h = H - \dfrac{2}{3}D$[m]

㉣ 온도변화 시 이도계산

$t_1° \rightarrow D_1,\ t_2° \rightarrow D_2 = \sqrt{D_1^2 \pm \dfrac{3}{8}\alpha t S^2}$

※ 수직배열 : 빙설(Off-set) - 상하선의 혼촉 방지(단락 방지)

수평배열 : 최소절연간격 - 900[mm], 표준절연간격 - 1,400[mm](이격시킴)

(4) 지 선

① **설치목적** : 지지물에 가하는 하중을 일부 분담하여 지지물의 강도를 보강하여 전도사고 방지

② **구비조건**

㉠ 가닥수 : 3가닥 이상 꼰 연선

㉡ 소선의 굵기 : 금속선 2.6[mm], 아연도금철선 2.0[mm]

㉢ 안전율 : A종 1.5, B종 2.5

㉣ 인장하중 : 440[kg] 이상

③ **종 류**

㉠ 보통지선 : 일반적으로 사용

㉡ 수평지선 : 도로나 하천을 지나가는 경우

㉢ 공동지선 : 지지물 상호거리가 비교적 근접해 있는 경우

㉣ Y지선 : 다단의 완철이 설치된 경우 장력의 불균형이 큰 경우

㉤ 궁지선 : 비교적 장력이 작고 협소한 장소

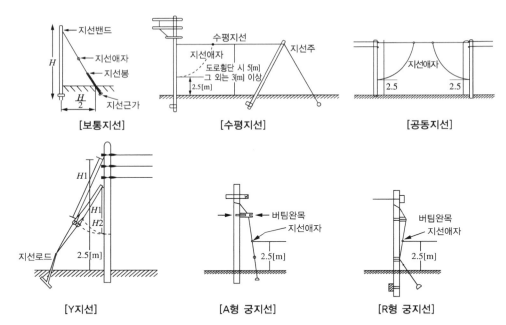

[보통지선] [수평지선] [공동지선]

[Y지선] [A형 궁지선] [R형 궁지선]

④ 지선의 가닥수 계산

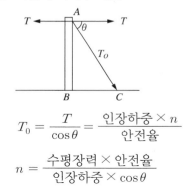

$$T_0 = \frac{T}{\cos\theta} = \frac{인장하중 \times n}{안전율}$$

$$n = \frac{수평장력 \times 안전율}{인장하중 \times \cos\theta}$$

핵 / 심 / 예 / 제

01 19/1.8[mm] 경동연선의 바깥지름은 몇 [mm]인가?

① 5
② 7
③ 9
④ 11

해설 $D = (2n+1)d = (2 \times 2 + 1) \times 1.8 = 9[mm]$

02 가공전선로에 사용하는 전선의 굵기를 결정할 때 고려할 사항이 아닌 것은?

[2017년 1회 기사 / 2018년 3회 기사]

① 절연저항
② 전압강하
③ 허용전류
④ 기계적 강도

해설 **전선 굵기 3요소** : 허용전류, 전압강하, 기계적 강도(3요소 중 가장 중요한 요소 허용전류)

03 전선에서 전류의 밀도가 도선의 중심으로 들어갈수록 작아지는 현상은? [2019년 2회 산업기사]

① 표피효과
② 근접효과
③ 접지효과
④ 페란티효과

해설 **표피효과**
- 교류를 흘리면 도체 표면의 전류밀도가 증가하고 중심으로 갈수록 지수함수적으로 감소되는 현상
- 주파수(f)가 높을수록, 도전율(σ)이 높을수록, 투자율(μ)이 클수록, 침투깊이(δ)가 감소하므로 표피효과는 증대된다.

침투깊이 $\delta = \sqrt{\dfrac{1}{\pi f \sigma \mu}}[m]$

04 표피효과에 대한 설명으로 옳은 것은?　　　　　[2013년 2회 기사 / 2020년 3회 기사]

① 표피효과는 주파수에 비례한다.

② 표피효과는 전선의 단면적에 반비례한다.

③ 표피효과는 전선의 비투자율에 반비례한다.

④ 표피효과는 전선의 도전율에 반비례한다.

해설　**표피효과**
- 교류를 흘리면 도체 표면의 전류밀도가 증가하고 중심으로 갈수록 지수함수적으로 감소되는 현상
- 주파수(f)가 높을수록, 도전율(σ)이 높을수록, 투자율(μ)이 클수록, 침투깊이(δ)가 감소하므로 표피효과는 증대된다.

  침투깊이 $\delta = \sqrt{\dfrac{1}{\pi f \sigma \mu}}$ [m]

05 전선로에 댐퍼(Damper)를 사용하는 목적은?　　　　　[2016년 3회 산업기사 / 2018년 2회 기사]

① 전선의 진동 방지

② 전력손실 경감

③ 낙뢰의 내습 방지

④ 많은 전력을 보내기 위하여

해설　**댐퍼** : 전선의 진동을 흡수하여 단선사고를 방지한다.

06 다음 중 송·배전선로의 진동 방지대책에 사용되지 않는 기구는?　　　[2020년 1, 2회 산업기사]

① 댐 퍼　　　　　　　　　② 조임쇠

③ 클램프　　　　　　　　④ 아머로드

해설
- 댐퍼 → 전선의 진동을 흡수하여 단선사고 방지
- 클램프 → 고정시켜 주는 장치
- 아머로드 → 클램프로 고정된 부분의 전선이 소선으로 절단되는 것을 방지하기 위하여 감아 붙이는 전선과 같은 종류의 재료로 된 보강선

07 켈빈(Kelvin)의 법칙이 적용되는 경우는?

[2019년 1회 기사]

① 전압 강하를 감소시키고자 하는 경우
② 부하 배분의 균형을 얻고자 하는 경우
③ 전력 손실량을 축소시키고자 하는 경우
④ 경제적인 전선의 굵기를 선정하고자 하는 경우

> **해설**   **켈빈 법칙** : 경제적인 전선의 굵기를 선정할 때 쓰는 법칙

08 우리나라에서 현재 사용되고 있는 송전전압에 해당되는 것은?

[2018년 2회 산업기사]

① 150[kV]
② 220[kV]
③ 345[kV]
④ 700[kV]

> **해설**   우리나라 송전전압은 66[kV], 154[kV], 345[kV], 765[kV]이다.

09 현수애자에 대한 설명으로 틀린 것은?

[2017년 3회 기사 / 2022년 1회 기사]

① 애자를 연결하는 방법에 따라 클래비스형과 볼소켓형이 있다.
② 큰 하중에 대하여는 2연 또는 3연으로 하여 사용할 수 있다.
③ 애자의 연결개수를 가감함으로서 임의의 송전전압에 사용할 수 있다.
④ 2~4층의 갓 모양의 자기편을 시멘트로 접착하고 그 자기를 주철제 베이스로 지지한다.

> **해설**   ④번은 핀 애자에 대한 설명이다.

10 18~23개를 한 줄로 이어 단 표준현수애자를 사용하는 전압[kV]은?　　　[2016년 1회 산업기사]

① 23[kV]

② 154[kV]

③ 345[kV]

④ 765[kV]

해설　250[mm] 현수애자의 개수

전 압	22.9[kV-Y]	66[kV]	154[kV]	345[kV]	765[kV]
현수애자수	2~3개	4~6개	9~11개	18~23개	38~43개

11 154[kV] 송전선로에 10개의 현수애자가 연결되어 있다. 다음 중 전압부담이 가장 작은 것은?

[2013년 2회 산업기사 / 2017년 3회 산업기사]

① 철탑에 가장 가까운 것

② 철탑에서 3번째에 있는 것

③ 전선에서 가장 가까운 것

④ 전선에서 3번째에 있는 것

해설　• 전압분담 최대 : 전선 쪽 애자

　　　• 전압분담 최소 : 철탑에서 $\frac{1}{3}$ 지점 애자$\left(\text{전선에서 } \frac{2}{3} \text{ 지점}\right)$

12 가공송전선에 사용되는 애자 1연 중 전압부담이 최대인 애자는?

[2014년 1회 기사 / 2014년 2회 산업기사 / 2018년 1회 산업기사]

① 철탑에 제일 가까운 애자

② 전선에 제일 가까운 애자

③ 중앙에 있는 애자

④ 전선으로부터 1/4 지점에 있는 애자

해설　• 전압분담 최대 : 전선 쪽 애자

　　　• 전압분담 최소 : 철탑에서 $\frac{1}{3}$ 지점 애자$\left(\text{전선에서 } \frac{2}{3} \text{ 지점}\right)$

10 ③　11 ②　12 ②　정답

13 현수애자 4개를 1연으로 한 66[kV] 송전선로가 있다. 현수애자 1개의 절연저항은 1,500[MΩ], 이 선로의 경간이 200[m]라면 선로 1[km]당의 누설컨덕턴스는 몇 [℧]인가?

[2018년 3회 산업기사]

① 0.83×10^{-9}

② 0.83×10^{-6}

③ 0.83×10^{-3}

④ 0.83×10^{-2}

해설 $G = \dfrac{1}{nR} = \dfrac{1}{4 \times 1,500 \times 10^{6}} = 1.66 \times 10^{-10}$

1[km]에 경간 200[m]당 1기씩 신설하므로 철탑 5개를 설치한다.

$1.66 \times 10^{-10} \times 5 = 8.3 \times 10^{-10}[℧] \fallingdotseq 0.83 \times 10^{-9}[℧]$

14 초호각(Arcing Horn)의 역할은?

[2013년 2회 산업기사 / 2017년 3회 기사 / 2022년 1회 기사]

① 풍압을 조정한다.

② 차단기의 단락강도를 높인다.

③ 송전효율을 높인다.

④ 애자의 파손을 방지한다.

해설 **아킹혼(초호환, 초호각, 소호각)** : 뇌로부터 애자련 보호, 애자의 전압분담 균일화

15 아킹혼의 설치목적은?

[2015년 2회 산업기사 / 2018년 2회 기사]

① 코로나손의 방지

② 이상전압 제한

③ 지지물의 보호

④ 섬락사고 시 애자의 보호

해설 **아킹혼(초호환, 초호각, 소호각)** : 뇌로부터 애자련 보호, 애자의 전압분담 균일화

정답 13 ① 14 ④ 15 ④

16 송전선에 낙뢰가 가해져서 애자에 섬락이 생기면 아크가 생겨 애자가 손상되는데 이것을 방지하기 위하여 사용하는 것은? [2017년 3회 산업기사]

① 댐퍼(Damper)

② 아킹혼(Arcing Horn)

③ 아머로드(Armour Rod)

④ 가공지선(Overhead Ground Wire)

> **해설** 아킹혼(초호환, 초호각, 소호각) : 뇌로부터 애자련 보호, 애자의 전압분담 균일화

17 송전선로의 현수애자련 연면섬락과 가장 관계가 먼 것은? [2016년 2회 기사 / 2021년 3회 기사]

① 댐 퍼

② 철탑 접지저항

③ 현수애자련의 개수

④ 현수애자련의 소손

> **해설** 댐퍼 : 송전선로의 진동을 억제하는 장치, 지지점 가까운 곳에 설치

18 다음 중 표준형 철탑이 아닌 것은? [2017년 2회 산업기사]

① 내선 철탑 　　　　　　　② 직선 철탑

③ 각도 철탑 　　　　　　　④ 인류 철탑

> **해설** 철탑의 종류

종 류		특 징
철 탑	A형(직선형)	전선로 각도가 3° 이하인 경우 시설한다.
	각도형	B형　경각도형 3° 초과 ~ 20° 이하
		C형　경각도형 20° 초과
	D형(인류형, 억류지지형)	분기·인류 개소가 있을 때 시설한다.
	E형(내장형)	장경간, 경간차가 큰 곳에 시설, 철탑의 크기가 커진다.
	보강형	직선형 철탑 강도 보강 5기마다 시설한다.

19 전선로의 지지물 양쪽의 경간의 차가 큰 장소에 사용되며, 일명 E형 철탑이라고도 하는 표준
철탑의 일종은?
[2019년 1회 산업기사]

① 직선형 철탑 ② 내장형 철탑
③ 각도형 철탑 ④ 인류형 철탑

해설 **철탑의 종류**

종류		특징	
A형(직선형)		전선로 각도가 3° 이하인 경우 시설한다.	
철탑	각도형	B형	경각도형 3° 초과 ～ 20° 이하
		C형	경각도형 20° 초과
	D형(인류형, 억류지지형)	분기 · 인류 개소가 있을 때 시설한다.	
	E형(내장형)	장경간, 경간차가 큰 곳에 시설, 철탑의 크기가 커진다.	
	보강형	직선형 철탑 강도 보강 5기마다 시설한다.	

20 가공 송전선로를 가선할 때에는 하중조건과 온도조건을 고려하여 적당한 이도(Dip)를 주도록
하여야 한다. 이도에 대한 설명으로 옳은 것은?
[2017년 2회 기사]

① 이도의 대소는 지지물의 높이를 좌우한다.
② 전선을 가선할 때 전선을 팽팽하게 하는 것을 이도가 크다고 한다.
③ 이도가 작으면 전선이 좌우로 크게 흔들려서 다른 상의 전선에 접촉하여 위험하게 된다.
④ 이도가 작으면 이에 비례하여 전선의 장력이 증가되며, 너무 작으면 전선 상호 간이 꼬이
게 된다.

해설 이도가 크면 지지물은 높아야 되고 이도가 작으면 지지물은 굵어야 하므로 이도가 나타내는 것은
지지물의 대소관계를 결정한다.

21 전선의 자체 중량과 빙설의 종합하중을 W_1, 풍압하중을 W_2라 할 때 합성하중은?
[2017년 3회 산업기사]

① $W_1 + W_2$ ② $W_2 - W_1$
③ $\sqrt{W_1 - W_2}$ ④ $\sqrt{W_1^2 + W_2^2}$

해설 합성하중 $W = \sqrt{빙설의\ 하중^2 + 풍압하중^2} = \sqrt{W_1^2 + W_2^2}$

정답 19 ② 20 ① 21 ④

22 경간 200[m], 장력 1,000[kg], 하중 2[kg/m]인 가공전선의 이도(Dip)는 몇 [m]인가?

[2017년 1회 기사]

① 10
② 11
③ 12
④ 13

 해설

$$D = \frac{WS^2}{8T} = \frac{2 \times 200^2}{8 \times 1,000} = 10$$

23 전주 사이의 경간이 80[m]인 가공전선로에서 전선 1[m]당의 하중이 0.37[kg], 전선의 이도가 0.8[m]일 때 수평장력은 몇 [kg]인가?

[2018년 1회 산업기사]

① 330
② 350
③ 370
④ 390

 해설

$$T = \frac{\omega s^2}{8D} = \frac{0.37 \times 80^2}{8 \times 0.8} = 370[\text{kg}]$$

24 공칭단면적 200[mm²], 전선무게 1.838[kg/m], 전선의 외경 18.5[mm]인 경동연선을 경간 200[m]로 가설하는 경우의 이도는 약 몇 [m]인가?(단, 경동연선의 전단인장하중은 7,910[kg], 빙설하중은 0.416[kg/m], 풍압하중은 1.525[kg/m], 안전율은 2.0이다)

[2013년 3회 산업기사]

① 3.44[m]
② 3.78[m]
③ 4.28[m]
④ 4.78[m]

해설
- 허용장력 $T = \dfrac{\text{인장하중}}{\text{안전율}} = \dfrac{7,910}{2} = 3,955$
- 풍압하중 $W = \sqrt{(W_c + W_i)^2 + W_\omega^2}\,[\text{kg/m}] = \sqrt{(1.838 + 0.416)^2 + 1.525^2} \fallingdotseq 2.72[\text{kg/m}]$
- 이도 $D = \dfrac{WS^2}{8T} = \dfrac{2.72 \times 200^2}{8 \times 3,955} \fallingdotseq 3.44[\text{m}]$

25 그림과 같이 지지점 A, B, C에는 고저차가 없으며, 경간의 AB와 BC 사이에 전선이 가설되어, 그 이도가 12[cm]이었다. 지금 경간 AC의 중점인 지지점 B에서 전선이 떨어져서 전선의 이도가 D로 되었다면 D는 몇 [cm]인가?

[2016년 2회 산업기사 / 2022년 2회 기사]

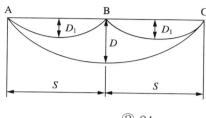

① 18

② 24

③ 30

④ 36

해설 $D = 2D_1 = 2 \times 12 = 24 [\mathrm{cm}]$

26 가공 선로에서 이도를 D[m]라 하면 전선의 실제 길이는 경간 S[m]보다 얼마나 차이가 나는 가?

[2017년 1회 산업기사]

① $\dfrac{5D}{8S}$

② $\dfrac{3D^2}{8S}$

③ $\dfrac{9D}{8S^2}$

④ $\dfrac{8D^2}{3S}$

해설 실제전선의 길이 $L = S + \dfrac{8D^2}{3S}$[m]

27 경간이 200[m]인 가공전선로가 있다. 사용 전선의 길이는 경간보다 약 몇 [m] 더 길어야 하는가?(단, 전선의 1[m]당 하중은 2[kg], 인장하중은 4,000[kg]이고, 풍압하중은 무시하며, 전선의 안전율은 2이다)
[2021년 3회 기사]

① 0.33　　　　　　　　　② 0.61

③ 1.41　　　　　　　　　④ 1.73

해설　$L = S + \dfrac{8D^2}{3S}$ 에서 실제 길이는 경간보다 $\dfrac{8D^2}{3S}$ 만큼 크므로

$\dfrac{8D^2}{3S} = \dfrac{8 \times 5^2}{3 \times 200} \fallingdotseq 0.33\,[\text{m}]$

$\therefore \ D = \dfrac{\omega s^2}{8T} = \dfrac{\omega s^2}{8 \times \dfrac{\text{인장하중}}{\text{안전율}}} = \dfrac{2 \times 200^2}{8 \times \dfrac{4,000}{2}} = 5\,[\text{m}]$

28 경간이 200[m]인 가공전선로가 있다. 사용전선의 길이는 경간보다 몇 [m] 더 길게 하면 되는가?(단, 사용전선의 1[m] 당 무게는 2[kg], 인장하중은 4,000[kg], 전선의 안전율은 2로 하고 풍압하중은 무시한다)
[2022년 1회 기사]

① $\dfrac{1}{2}$　　　　　　　　② $\sqrt{2}$

③ $\dfrac{1}{3}$　　　　　　　　④ $\sqrt{3}$

해설　$\dfrac{8D^2}{3S} = \dfrac{8 \times 5^2}{3 \times 200} \fallingdotseq 0.333 \fallingdotseq \dfrac{1}{3}$

$D = \dfrac{\omega S^2}{8T} = \dfrac{2 \times 200^2}{8 \times \dfrac{4,000}{2}} = 5$

29 전선의 지지점 높이가 31[m]이고, 전선의 이도가 9[m]라면 전선의 평균높이는 몇 [m]인가?

[2018년 3회 산업기사]

① 25.0   ② 26.5

③ 28.5   ④ 30.0

해설 **전선의 지표상 평균높이**

$$H = H' - \frac{2}{3}D = 31 - \frac{2}{3} \times 9 = 25\,[\text{m}]$$

30 철탑에서 전선의 오프셋을 주는 이유로 옳은 것은?　　　[2014년 1회 산업기사 / 2014년 3회 산업기사]

① 불평형 전압의 유도 방지

② 상하 전선의 접촉 방지

③ 전선의 진동 방지

④ 지락사고 방지

해설 **오프셋**

전선의 도약에 의한 송전 상하선 혼촉(단락)을 방지하기 위해 전선 배열을 위·아래 전선 간에 수평간격을 두어 설치 → 쌓였던 눈이 떨어지는 경우 상하로 흔들림

2. 지중전선로

(1) 지중전선로의 장단점

① 장 점
- ㉠ 미관상 좋다.
- ㉡ 기상조건에 대한 영향이 적다.
- ㉢ 화재 발생이 적다.
- ㉣ 통신선 유도장해가 적다.
- ㉤ 인축 접지사고가 적다.

② 단 점
- ㉠ 시설비가 비싸다.
- ㉡ 고장점 검출이 어렵고, 복구가 용이하지 않다.
- ㉢ 공사 시 먼지에 의한 환경의 문제점이 있다.
- ㉣ 공사 시 교통장해를 발생시킨다.

(2) 구조 및 명칭

① 구 조

㉠ 1심

도체 : 동손

절연체 : 유전체손
$P_c = \omega c E^2 \times \tan\delta \qquad \therefore \ P_c \propto f E^2$

외장(연피) : 연피손 → 전자유도작용

㉡ 3심

© 4심

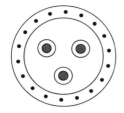

② 약호 및 명칭

㉠ VV : 비닐절연 비닐외장케이블

㉡ VVF : 600[V] 비닐절연 비닐외장평형케이블

㉢ RV : 고무절연 비닐외장케이블

㉣ CV : 가교 폴리에틸렌절연 비닐외장케이블 → 고무플라스틱재질

㉤ EV : 폴리에틸렌절연 비닐외장케이블

㉥ CN-CV : 동심 중성선 차수형 전력케이블

㉦ CNCV-w : 동심중성선 수밀형 전력케이블(현재 3상 4선식 22.9[kV]에 사용)

㉧ FR CNCO-w : 동심 중성선 난연성 전력케이블

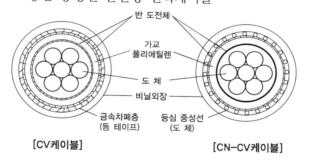

[CV케이블]   [CN-CV케이블]

(3) 매설방법

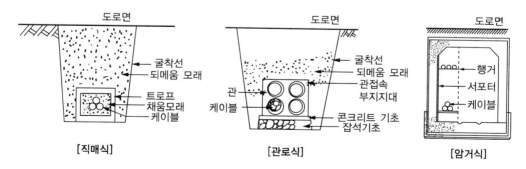

[직매식]   [관로식]   [암거식]

① 직매식(직접 매설방식)
    ㉠ 구내 인입선 : 2회선(정전 시 피해 감소를 위해)
    ㉡ 매설깊이
        • 차량 등의 압력을 받을 경우 1.0[m] 이상
        • 차량 등의 압력을 받지 않을 경우 0.6[m] 이상

② 관로식(맨홀방식)
    ㉠ 시가지 배전선로
    ㉡ 강관, 파형 PE관을 땅속에 묻는 방법
    ㉢ 맨홀 : 150~250[m] 간격으로 설치(케이블의 중간접속 및 점검개소)
        ※ 매설깊이 1[m] 이상

③ 암거식(공동부설식)
    ㉠ 많은 가닥수를 시공할 때
    ㉡ 시가지 고전압 대용량 간선 부근
    ㉢ 공사비가 비싸다.

(4) 케이블 고장점 검출방법
① 머레이 루프법(휘트스톤 브리지법 이용)
② 펄스인가법
③ 수색코일법
④ 정전용량법

핵 / 심 / 예 / 제

01 케이블의 전력 손실과 관계가 없는 것은? [2019년 3회 기사]

① 철 손 ② 유전체손

③ 시스손 ④ 도체의 저항손

해설 변압기에서는 고정손(철손)과 가변손(동손)으로 되어 있다.

02 가공전선로에 대한 지중전선로의 장점으로 옳은 것은? [2012년 3회 산업기사]

① 건설비가 싸다.

② 송전용량이 많다.

③ 인축에 대한 안전성을 높이고, 환경조화를 이룰 수 있다.

④ 사고복구에 효율적이다.

해설 **지중전선로**
- 장점 : 자연재해가 감소, 유도 및 전파장해 감소, 미관상 양호
- 단점 : 송전용량이 작음, 고장점 검출 곤란, 유지 및 관리 곤란, 시설비 고가

03 지중전선로가 가공전선로에 비해 장점에 해당하는 것이 아닌 것은? [2013년 3회 기사]

① 경과지 확보가 가공전선로에 비해 쉽다.

② 다회선 설치가 가공전선로에 비해 쉽다.

③ 외부 기상 여건 등의 영향을 받지 않는다.

④ 송전용량이 가공전선로에 비해 크다.

해설 **지중전선로**
- 장점 : 자연재해가 감소, 유도 및 전파장해 감소, 미관상 양호
- 단점 : 송전용량이 작음, 고장점 검출 곤란, 유지 및 관리 곤란, 시설비 고가

04 케이블 단선사고에 의한 고장점까지의 거리를 정전용량측정법으로 구하는 경우, 건전상의 정전용량이 C, 고장점까지의 정전용량이 C_x, 케이블의 길이가 l일 때 고장점까지의 거리를 나타내는 식으로 알맞은 것은? [2021년 1회 기사]

① $\dfrac{C}{C_x}l$ ② $\dfrac{2C_x}{C}l$

③ $\dfrac{C_x}{C}l$ ④ $\dfrac{C_x}{2C}l$

해설 $C : C_x = l : L$

$L = \dfrac{C_x l}{C}$

03 ④ 04 ③ **정답**

CHAPTER 02 선로정수 및 코로나

1. 선로정수

(1) 인덕턴스 : 자속 쇄교 수를 도체의 전류로 나눈 값

$$L = \frac{d\phi}{di}[\text{H}]$$

(전류가 흘렀을 때 전자유도되는 크기를 정수화시킨 값)

※ 작용인덕턴스(L) : 자기인덕턴스+상호인덕턴스

① 단도체

    ㉠ $L = 0.05 + 0.4605\log_{10}\dfrac{D'}{r}[\text{mH/km}]$

      여기서, r : 반지름, D' : 선간거리

      ※ 사고 시(1선 지락 사고)

        • 왕로 $L_e = 0.05 + 0.4605\log_{10}\dfrac{2H_e}{r}[\text{mH/km}]$

        • 왕로+귀로 $L_e = 0.1 + 0.4605\log_{10}\dfrac{2H_e}{r}[\text{mH/km}]$

        여기서, H_e : 높이[m]

      ※ 등가선간거리(기하학적 평균거리)

      $D' = \sqrt[n]{D_1 \times D_2 \times D_3 \times \cdots D_n}$

    ㉡ 수평 배열

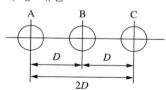

    $D' = \sqrt[3]{D \cdot D \cdot 2D} = \sqrt[3]{2}\,D$

    ㉢ 정삼각 배열

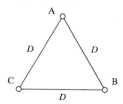

    $D' = \sqrt[3]{D \cdot D \cdot D} = \sqrt[3]{D^3} = D$

㉣ 연가(Transposition) : 전선로 각 상의 선로정수를 평형이 되도록 선로 전체의 길이를 3등분하여 각 상의 위치를 개폐소나 연가철탑을 통하여 바꾸어주는 것

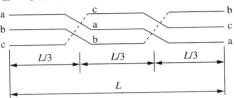

• 목적 : 선로정수 평형(LC 평형) → 무효분 평형 → 각 상의 전압강하 평형 → 각 상의 수전전압 평형 → 중성점의 전압이 0[V]
• 연가의 효과 : 선로정수의 평형, 유도장해의 방지, 직렬공진 방지

② **복도체(다도체)** : 1상의 도체를 2~6개로 나누어 시설하는 전선으로 같은 방향 전류에 의한 흡인력 발생 → 스페이서 설치

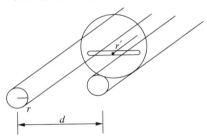

㉠ $L = \dfrac{0.05}{n} + 0.4605\log\dfrac{D'}{r'}[\mathrm{mH/km}]$

여기서, n : 소도체의 개수, r' : 등가반지름

㉡ 등가반지름 : $r' = r^{\frac{1}{n}} \cdot S^{\frac{n-1}{n}}$

• $n=2$인 경우 $r' = \sqrt{r \cdot s}$

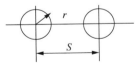

• $n=4$인 경우 $r' = \sqrt[4]{r \cdot s^3}\ (s = \sqrt[6]{2}\,S)$

(2) 정전용량 : 전하량을 전위차로 나눈 값

$$C = \frac{Q}{V}[\text{F}]$$

(전위차 존재 시 그 전위차에 대한 정전유도되는 크기를 정수화시킨 값)

① 작용정전용량

　　㉠ 단도체 $C = \dfrac{0.02413}{\log_{10}\dfrac{D'}{r}}[\mu\text{F/km}]$

　　㉡ 복도체 $C = \dfrac{0.02413}{\log_{10}\dfrac{D'}{r'}}[\mu\text{F/km}]$

② 정전용량(C) = 대지정전용량(C_S) + 선간정전용량(C_m)

　　㉠ 단상 2선식 : $C = C_S + 2C_m$

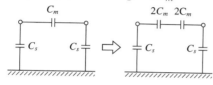

　　㉡ 3상 3선식 : $C = C_S + 3C_m$

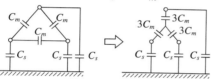

③ 충전전류(앞선 전류 = 빠른 전류 = 진상전류)

$$I_C = \frac{E}{Z} = \frac{E}{X_C} = \frac{E}{\dfrac{1}{\omega C}} = \omega CE[\text{A}] = \omega(C_S + 3C_m) \times \frac{V}{\sqrt{3}} \times l[\text{A}]$$

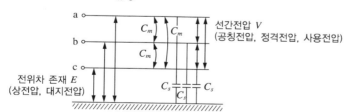

④ 충전용량 계산(용량 = 전압 × 전류)

　ㄱ　$Q_C = 3E \cdot I_C = 3E \cdot \omega CE = 3\omega CE^2 \times 10^{-3} \,[\text{kVA}]$

　ㄴ　충전용량 비교

　　• $\triangle$ 결선 $= 3\omega CE^2 \,(E = V) = 3\omega CV^2$

　　• Y결선 $= 3\omega CE^2 \left(E = \dfrac{V}{\sqrt{3}} \right) = \omega CV^2$

　　※　$Q_\triangle = 3Q_Y \left(\triangle \text{는 Y의 3배, Y는 } \triangle \text{의 } \dfrac{1}{3} \text{배이다} \right)$

핵 / 심 / 예 / 제

01 선로정수를 평형되게 하고, 근접 통신선에 대한 유도장해를 줄일 수 있는 방법은?

[2018년 2회 기사]

① 연가를 시행한다.
② 전선으로 복도체를 사용한다.
③ 전선로의 이도를 충분하게 한다.
④ 소호리액터 접지를 하여 중성점 전위를 줄여준다.

> **해설** **연가(Transposition)** : 3상 3선식 선로에서 선로정수를 평형시키기 위하여 길이를 3등분하여 각 도체의 배치를 변경하는 것
> ※ 효과 : 선로정수 평형, 임피던스 평형, 유도장해 감소, 소호리액터 접지 시 직렬공진 방지

02 연가의 효과로 볼 수 없는 것은?

[2013년 1회 기사 / 2016년 2회 기사 / 2019년 3회 기사 / 2020년 1, 2회 산업기사]

① 선로정수의 평형
② 대지정전용량의 감소
③ 통신선의 유도장해의 감소
④ 직렬공진의 방지

> **해설** 1번 해설 참조

03 연가를 하는 주된 목적에 해당되는 것은?

[2014년 2회 산업기사 / 2016년 1회 산업기사 / 2019년 2회 산업기사 / 2019년 3회 산업기사]

① 선로정수를 평형시키기 위하여
② 단락사고를 방지하기 위하여
③ 대전력을 수송하기 위하여
④ 페란티 현상을 줄이기 위하여

> **해설** 1번 해설 참조

정답 01 ① 02 ② 03 ①

04 그림과 같은 선로의 등가선간거리는 몇 [m]인가?

[2013년 2회 산업기사 / 2015년 1회 기사 / 2018년 3회 기사]

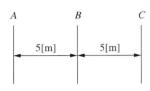

① 5

② $5\sqrt{2}$

③ $5\sqrt[3]{2}$

④ $10\sqrt[3]{2}$

> **해설**　등가선간거리
>
> $$D = \sqrt[3]{D \cdot D \cdot 2D} = \sqrt[3]{2}\,D = 5\sqrt[3]{2}\,[m]$$

05 3상 3선식에서 선간거리가 각각 50[cm], 60[cm], 70[cm]인 경우 기하평균 선간거리는 몇 [cm]인가?

[2012년 1회 기사 / 2016년 2회 기사]

① 50.4

② 59.4

③ 62.8

④ 64.8

> **해설**　기하평균 선간거리
>
> $$D = \sqrt[3]{50 \times 60 \times 70} \fallingdotseq 59.4[cm]$$

06 3상 1회선 송전선을 정삼각형으로 배치한 3상 선로의 자기인덕턴스를 구하는 식은?(단, D는 전선의 선간 거리[m], r은 전선의 반지름[m]이다)

[2022년 1회 기사]

① $L = 0.5 + 0.4605 \log_{10} \dfrac{D}{r}$

② $L = 0.5 + 0.4605 \log_{10} \dfrac{D}{r^2}$

③ $L = 0.05 + 0.4605 \log_{10} \dfrac{D}{r}$

④ $L = 0.05 + 0.4605 \log_{10} \dfrac{D}{r^2}$

> **해설**　$L = 0.05 + 0.4605 \log_{10} \dfrac{D}{r}$ [mH/km]

07 가공 왕복선 배치에서 지름이 d[m]이고 선간거리가 D[m]인 선로 한 가닥의 작용인덕턴스는 몇 [mH/km]인가?(단, 선로의 투자율은 1이라 한다) [2019년 3회 산업기사]

① $0.5 + 0.4605\log_{10}\dfrac{D}{d}$ ② $0.05 + 0.4605\log_{10}\dfrac{D}{d}$

③ $0.5 + 0.4605\log_{10}\dfrac{2D}{d}$ ④ $0.05 + 0.4605\log_{10}\dfrac{2D}{d}$

해설

$L = 0.05 + 0.4605\log_{10}\dfrac{D'}{r}$ 에서($D' = D$)

$L = 0.05 + 0.4605\log_{10}\dfrac{2D}{d}$

08 송배전 선로에서 도체의 굵기는 같게 하고 도체 간의 간격을 크게 하면 도체의 인덕턴스는? [2019년 1회 기사]

① 커진다.
② 작아진다.
③ 변함이 없다.
④ 도체의 굵기 및 도체 간의 간격과는 무관하다.

해설

인덕턴스 $L = 0.05 + 0.4605\log_{10}\dfrac{D}{r}$

∴ $L \propto D$

선간거리가 증가하면 인덕턴스는 증가한다.

09 3상 3선식 송전선에서 L을 작용인덕턴스라 하고, L_e 및 L_m은 대지를 귀로로 하는 1선의 자기인덕턴스 및 상호인덕턴스라고 할 때 이들 사이의 관계식은? [2020년 3회 기사]

① $L = L_m - L_e$ ② $L = L_e - L_m$

③ $L = L_m + L_e$ ④ $L = \dfrac{L_m}{L_e}$

해설   작용인덕턴스 = 자기인덕턴스 − 상호인덕턴스

10 지름 5[mm]의 경동선을 간격 1[m]로 정삼각형 배치를 한 가공전선 1선의 작용인덕턴스는 약 몇 [mH/km]인가?(단, 송전선은 평형 3상 회로) [2019년 2회 산업기사]

① 1.13

② 1.25

③ 1.42

④ 1.55

해설

$$L = 0.05 + 0.4605\log_{10}\frac{1 \times 10^3}{2.5} \fallingdotseq 1.248 \fallingdotseq 1.25\,[\mathrm{mH/km}]$$

11 반지름 0.6[cm]인 경동선을 사용하는 3상 1회선 송전선에서 선간거리를 2[m]로 정삼각형 배치할 경우, 각 선의 인덕턴스[mH/km]는 약 얼마인가? [2020년 4회 기사]

① 0.81

② 1.21

③ 1.51

④ 1.81

해설

$$L = 0.05 + 0.4605\log_{10}\left(\frac{2 \times 10^2}{0.6}\right) \fallingdotseq 1.21$$

12 3상 3선식 송전선로가 소도체 2개의 복도체 방식으로 되어 있을 때 소도체의 지름 8[cm], 소도체 간격 36[cm], 등가선간거리 120[cm]인 경우에 복도체 1[km]의 인덕턴스는 약 몇 [mH]인가? [2014년 1회 기사]

① 0.4855

② 0.5255

③ 0.6975

④ 0.9265

해설

$$L = \frac{0.05}{n} + 0.4605\log_{10}\frac{D'}{\sqrt{rs}}\,[\mathrm{mH/km}]$$

$$= \frac{0.05}{2} + 0.4605\log_{10}\frac{120}{\sqrt{4 \times 36}}$$

$$= 0.4855\,[\mathrm{mH/km}]$$

∴ 1[km]의 인덕턴스 $L = 0.4855\,[\mathrm{mH}]$

13 반지름 r[m]이고 소도체 간격 S인 4 복도체 송전선로에서 전선 A, B, C가 수평으로 배열되어 있다. 등가선간거리가 D[m]로 배치되고 완전 연가된 경우 송전선로의 인덕턴스는 몇 [mH/km]인가?

[2018년 3회 기사]

① $0.4605 \log_{10} \dfrac{D}{\sqrt{rS^2}} + 0.0125$

② $0.4605 \log_{10} \dfrac{D}{\sqrt[2]{rS}} + 0.025$

③ $0.4605 \log_{10} \dfrac{D}{\sqrt[3]{rS^2}} + 0.0167$

④ $0.4605 \log_{10} \dfrac{D}{\sqrt[4]{rS^3}} + 0.0125$

해설 복도체 $L = \dfrac{0.05}{n} + 0.4605 \log_{10} \dfrac{D}{r'}$

$r' = r^{\frac{1}{n}} \cdot S^{\frac{n-1}{n}} = r^{\frac{1}{4}} \cdot S^{\frac{3}{4}} = (rS^3)^{\frac{1}{4}} = \sqrt[4]{rS^3}$

$\therefore\ 0.0125 + 0.4605 \log_{10} \dfrac{D}{\sqrt[4]{rS^3}}$

14 3상 1회선 전선로에서 대지정전용량은 C_s이고 선간정전용량을 C_m이라 할 때, 작용정전용량 C_n은?

[2018년 2회 산업기사]

① $C_s + C_m$

② $C_s + 2C_m$

③ $C_s + 3C_m$

④ $2C_s + C_m$

해설 • **단상 2선식** : 전선 1가닥에 대한 작용정전용량
　단도체 $C = C_s + 2C_m$[μF/km]
• **3상 3선식** : 전선 1가닥에 대한 작용정전용량
　단도체 $C = C_s + 3C_m$[μF/km]
여기서, C_s : 대지정전용량
　　　　C_m : 선간정전용량

15 3상 3선식 송전선로에서 각 선의 대지정전용량이 0.5096[μF]이고, 선간정전용량이 0.1295 [μF]일 때, 1선의 작용정전용량은 약 몇 [μF]인가? [2014년 3회 기사 / 2021년 2회 기사]

① 0.6

② 0.9

③ 1.2

④ 1.8

해설 전선 1가닥에 대한 작용정전용량(단도체)

$C = C_s + 3C_m = 0.5096 + 3 \times 0.1295 ≒ 0.9[\mu F]$

16 3상 3선식 3각형 배치의 송전선로가 있다. 선로가 연가되어 각 선 간의 정전용량은 0.007[μF/ km], 각 선의 대지정전용량은 0.002[μF/km]라고 하면 1선의 작용정전용량은 몇 [μF/km]인 가? [2016년 3회 산업기사]

① 0.03

② 0.023

③ 0.012

④ 0.006

해설 $C_0 = C_1 + 3C_2 = 0.002 + 3 \times 0.007 = 0.023[\mu F/km]$

17 3상 3선식 3각형 배치의 송전선로에 있어서 각 선의 대지정전용량이 0.5038[μF]이고, 선간정 전용량이 0.1237[μF]일 때 1선의 작용정전용량은 약 몇 [μF]인가? [2019년 2회 산업기사]

① 0.6275

② 0.8749

③ 0.9164

④ 0.9755

해설 $C_0 = C_1 + 3C_2 = 0.5038 + 3 \times 0.1237 = 0.8749[\mu F]$

18 송전선로의 각 상전압이 평형되어 있을 때 3상 1회선 송전선의 작용정전용량[μF/km]을 옳게
나타낸 것은?(단, r은 도체의 반지름[m], D는 도체의 등가선간거리[m]이다) [2016년 1회 기사]

① $\dfrac{0.02413}{\log_{10}\dfrac{D}{r}}$

② $\dfrac{0.2413}{\log_{10}\dfrac{D}{r}}$

③ $\dfrac{0.02413}{\log_{10}\dfrac{D^2}{r}}$

④ $\dfrac{0.2413}{\log_{10}\dfrac{D^2}{r}}$

해설 $C_0 = \dfrac{0.02413}{\log_{10}\dfrac{D}{r}}[\mu\text{F/km}]$

19 선간거리를 D, 전선의 반지름을 r이라 할 때 송전선의 정전용량은? [2018년 1회 산업기사]

① $\log_{10}\dfrac{D}{r}$에 비례한다.

② $\log_{10}\dfrac{r}{D}$에 비례한다.

③ $\log_{10}\dfrac{D}{r}$에 반비례한다.

④ $\log_{10}\dfrac{r}{D}$에 반비례한다.

해설 $C = \dfrac{0.02413}{\log_{10}\dfrac{D}{r}}$

정답 18 ① 19 ③

20 송전선로의 정전용량은 등가선간거리 D 가 증가하면 어떻게 되는가? [2018년 1회 기사]

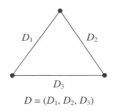

$$D = (D_1, D_2, D_3)$$

① 증가한다.
② 감소한다.
③ 변하지 않는다.
④ D^2에 반비례하여 감소한다.

해설 $C = \dfrac{0.02413}{\log_{10}\dfrac{D}{r}}$ (D가 증가하면 C가 감소한다)

21 정삼각형 배치의 선간거리가 5[m]이고, 전선의 지름이 1[cm]인 3상 가공송전선의 1선의 정전
용량은 약 몇 [μF/km]인가? [2014년 3회 산업기사 / 2018년 3회 산업기사]

① 0.008   ② 0.016

③ 0.024   ④ 0.032

해설 **작용정전용량**

$$C = \frac{0.02413}{\log_{10}\dfrac{D}{r}} [\mu F/km] = \frac{0.02413}{\log_{10}\dfrac{5 \times 10^2}{0.5}} = 0.008 [\mu F/km]$$

22 전선의 굵기가 동일하고 완전히 연가되어 있는 3상 1회선 송전선의 대지정전용량을 옳게 나타낸 것은?(단, r[m] : 도체의 반지름, D[m] : 도체의 등가선간거리, h[m] : 도체의 평균 지상 높이이다)

[2012년 3회 기사]

① $\dfrac{0.02413}{\log_{10}\dfrac{8h^3}{rD^2}}$ 　　　　② $\dfrac{0.2413}{\log_{10}\dfrac{8h^3}{rD^2}}$

③ $\dfrac{0.02413}{\log_{10}\dfrac{4h^3}{rD^2}}$ 　　　　④ $\dfrac{0.2413}{\log_{10}\dfrac{4h^3}{rD^2}}$

해설　3상 1회선 송전선의 대지정전용량

$$C_s = \frac{0.02413}{\log_{10}\dfrac{8h^3}{rD^2}}[\mu\text{F/km}]$$

23 3상 1회선과 대지 간의 충전전류가 1[km]당 0.25[A]일 때 길이가 18[km]인 선로의 충전전류는 몇 [A]인가?

[2015년 2회 산업기사]

① 1.5 　　　　② 4.5

③ 13.5 　　　　④ 40.5

해설　1선에 흐르는 충전전류

$$I_c = \frac{E}{X_C} = \frac{E}{\dfrac{1}{\omega C}} = \omega CE = 2\pi f Cl \frac{V}{\sqrt{3}}$$

$I_c \propto l$에서 $I_{c1} : l_1 = I_{c2} : l_2$

$$I_{c2} = \frac{l_2}{l_1}I_{c1} = \frac{18}{1} \times 0.25 = 4.5[\text{A}]$$

24 정전용량 0.01[μF/km], 길이 173.2[km], 선간전압 60[kV], 주파수 60[Hz]인 3상 송전선로의 충전전류는 약 몇 [A]인가? [2015년 1회 기사 / 2018년 2회 기사 / 2022년 2회 기사]

① 6.3   ② 12.5

③ 22.6   ④ 37.2

> **해설**   1선에 흐르는 충전전류
>
> $$I_c = \frac{E}{X_C} = \frac{E}{\frac{1}{\omega C}} = \omega CE = 2\pi f Cl \frac{V}{\sqrt{3}}$$
>
> $$= 2\pi \times 60 \times 0.01 \times 10^{-6} \times 173.2 \times \frac{60,000}{\sqrt{3}} ≒ 22.6[\text{A}]$$

25 전압 66,000[V], 주파수 60[Hz], 길이 15[km], 심선 1선당 작용 정전용량 0.3587[μF/km]인 한 선당 지중전선로의 3상 무부하 충전전류는 약 몇 [A]인가?(단, 정전용량 이외의 선로정수는 무시한다) [2017년 2회 기사]

① 62.5   ② 68.2

③ 73.6   ④ 77.3

> **해설** $I_C = \omega CE = 2\pi \times 60 \times 0.3587 \times 10^{-6} \times 15 \times \left(\frac{66,000}{\sqrt{3}}\right) ≒ 77.3[\text{A}]$

26 22[kV], 60[Hz] 1회선의 3상 송전선에서 무부하 충전전류는 약 몇 [A]인가?(단, 송전선의 길이는 20[km]이고, 1선 1[km]당 정전용량은 0.5[μF]이다) [2017년 3회 기사]

① 12   ② 24

③ 36   ④ 48

> **해설**   1선에 흐르는 충전전류
>
> $$I_c = \frac{E}{X_c} = \frac{E}{\frac{1}{\omega C}} = \omega CE = 2\pi f Cl \frac{V}{\sqrt{3}}$$
>
> $$= 2\pi \times 60 \times 0.5 \times 10^{-6} \times 20 \times \frac{22,000}{\sqrt{3}} ≒ 48[\text{A}]$$

27 3상 1회선의 송전선로에 3상 전압을 가해 충전할 때 1선에 흐르는 충전전류는 30[A], 또 3선을 일괄하여 이것과 대지 사이에 상전압을 가하여 충전시켰을 때 전 충전전류는 60[A]가 되었다. 이 선로의 대지정전용량과 선간정전용량의 비는?(단, 대지정전용량 = C_s, 선간정전용량 = C_m 이다)

[2020년 3회 산업기사]

① $\dfrac{C_m}{C_s} = \dfrac{1}{6}$ ② $\dfrac{C_m}{C_s} = \dfrac{8}{15}$

③ $\dfrac{C_m}{C_s} = \dfrac{1}{3}$ ④ $\dfrac{C_m}{C_s} = \dfrac{1}{\sqrt{3}}$

해설

$I_c = \omega CE = \omega C \dfrac{V}{\sqrt{3}} = \omega(C_s + 3C_m)\dfrac{V}{\sqrt{3}} = 30[\text{A}]$ ⋯⋯⋯ ⓐ

3선 일괄 $I_c = 3\omega C_s E = 3\omega C_s \dfrac{V}{\sqrt{3}} = \sqrt{3}\,\omega C_s V = 60[\text{A}]$

$\omega V = \dfrac{60}{\sqrt{3}\,C_s}$ ⋯⋯⋯⋯⋯⋯⋯⋯⋯⋯⋯⋯⋯ ⓑ

ⓑ번을 ⓐ번에 대입하면

$\omega V(C_s + 3C_m)\dfrac{1}{\sqrt{3}} = 30$

$\dfrac{60}{\sqrt{3}\,C_s}(C_s + 3C_m)\dfrac{1}{\sqrt{3}} = 30$

$\dfrac{60}{\sqrt{3}\,C_s}C_s + \dfrac{60 \times 3C_m}{\sqrt{3}\,C_s} = 30\sqrt{3}$ (전부 $\sqrt{3}$ 을 곱하면)

$60 + \dfrac{180\,C_m}{C_s} = 90$

$\dfrac{180\,C_m}{C_s} = 30$

$\dfrac{C_m}{C_s} = \dfrac{30}{180} = \dfrac{1}{6}$

28 역률 개선용 콘덴서를 부하와 병렬로 연결하고자 한다. △ 결선방식과 Y결선방식을 비교하면 콘덴서의 정전용량[μF]의 크기는 어떠한가? [2018년 2회 기사]

① △ 결선방식과 Y결선방식은 동일하다.

② Y결선방식이 △ 결선방식의 $\frac{1}{2}$ 이다.

③ △ 결선방식이 Y결선방식의 $\frac{1}{3}$ 이다.

④ Y결선방식이 △ 결선방식의 $\frac{1}{\sqrt{3}}$ 이다.

해설 $Q_\triangle = 3Q_Y, \ 3C_\triangle = C_Y$

29 전력용 콘덴서의 사용전압을 2배로 증가시키고자 한다. 이때 정전용량을 변화시켜 동일 용량 [kVar]으로 유지하려면 승압전의 정전용량보다 어떻게 변화하면 되는가? [2016년 3회 기사 / 2021년 1회 기사]

① 4배로 증가   ② 2배로 증가

③ $\frac{1}{2}$ 로 감소   ④ $\frac{1}{4}$ 로 감소

해설 $Q_C = 3\omega C E^2 = 3\omega C \left(\dfrac{V}{\sqrt{3}}\right)^2$ 에서 용량이 불변이므로 $C = \dfrac{1}{V^2} = \dfrac{1}{2^2} = \dfrac{1}{4}$

30 주파수 60[Hz], 정전용량 $\dfrac{1}{6\pi}$[μF]의 콘덴서를 △ 결선해서 3상 전압 20,000[V]를 가했을 때의 충전용량은 몇 [kVA]인가? [2019년 2회 산업기사]

① 12   ② 24

③ 48   ④ 50

해설 $Q_c = 3\omega C E^2 = 3 \times 2\pi \times 60 \times \dfrac{1}{6\pi} \times 10^{-6} \times 20,000^2 \times 10^{-3} = 24[\text{kVA}]$

2. 코로나 : Peek식

전선 표면의 전위경도가 증가하는 경우 전선 주위의 공기의 절연이 부분적으로 파괴되는 현상

(1) 종류 : 발생지점

① 기중 코로나 : 전선로 주변에서 파괴
② 연면 코로나 : 전선로와 애자 접속 주변에서 파괴

(2) 임계전압 : 전선로 주변의 공기의 절연 상태

$$E_0 = 24.3 m_0 m_1 \delta d \log_{10} \frac{D}{r}$$

여기서, m_0 : 표면계수

$\qquad m_1$: 기후계수

$\qquad \delta$: 상대공기밀도

$\qquad d$: 전선의 직경[cm]

$\qquad D$: 선간거리[m]

① 직류 : 30[kV/cm]
② 교류 : 21.1[kV/cm]

(3) 영 향

① 코로나 손실로 인한 송전용량 감소

$$\text{Peek식 } P_C = \frac{241}{\delta}(f+25)\sqrt{\frac{d}{2D}}(E-E_0)^2 \times 10^{-5}[\text{kW/km/1선}]$$

② 산화질소(오존) 발생으로 인한 전선의 부식 발생(오존 + 습기 = 초산(NHO_3) 발생)
③ 잡음으로 인한 전파장해 발생
④ 고주파로 인한 통신선의 유도장해 발생
※ 코로나 발생의 이점 : 송전선에 낙뢰 등으로 이상전압이 들어올 때 이상전압 진행파의
파고값을 코로나의 저항작용으로 빨리 감쇠시킨다.

(4) 방지대책

① 임계전압을 크게 한다.
② 복(다)도체 방식을 채용, 중공연선을 사용한다.
③ 가선금구 개량

(5) 복도체 방식의 장단점

① 장 점

㉠ 인덕턴스는 감소되고, 정전용량은 증가하여 송전용량을 증대시킬 수 있다.
㉡ 전선표면의 전위경도를 감소시켜 코로나 개시전압이 높아지므로 코로나 손실을 줄일 수 있다.
㉢ 안정도를 증대시킬 수 있다.
㉣ 전선의 허용전류를 증대한다.

② 단 점

㉠ 정전용량이 커지기 때문에 페란티 현상이 발생한다. → 분로리액터 설치
㉡ 풍압하중, 빙설의 하중으로 진동이 발생한다. → 댐퍼 설치
㉢ 각 소도체 간에 흡인력이 작용하여 단락사고가 발생한다. → 스페이서 설치

핵 / 심 / 예 / 제

01 가공송전선의 코로나를 고려할 때 표준상태에서 공기의 절연내력이 파괴되는 최소전위경도는 정현파 교류의 실횻값으로 약 몇 [kV/cm] 정도인가? [2015년 1회 산업기사]

① 6   ② 11

③ 21   ④ 31

해설 **코로나 현상** : 전선로 주변의 전위경도가 상승해서 공기의 부분적인 절연파괴가 일어나는 현상으로 빛과 소리를 동반한다.

파열 극한 전위경도(공기의 절연이 파괴되는 전위경도)
- DC : 30[kV/cm]
- AC : 21[kV/cm](실횻값), 30[kV/cm](최댓값)

02 송전선에 코로나가 발생하면 전선이 부식된다. 무엇에 의하여 부식되는가? [2013년 3회 기사]

① 산 소   ② 오 존

③ 수 소   ④ 질 소

해설 **코로나** : 전선로 주변의 전위경도가 상승해서 공기의 부분적인 절연파괴가 일어나는 현상으로 빛과 소리를 동반한다.
- 코로나의 영향
  - 통신선의 유도 장해가 발생한다.
  - 코로나 손실 발생 → 송전손실 → 송전효율 저하
  - 코로나 잡음 및 소음이 발생한다.
  - 전선이 부식된다(원인 : 오존(O_3)).
  - 소호 리액터의 소호 능력이 저하된다.
  - 진행파의 파고값은 감소한다.
- 코로나의 대책
  - 코로나 임계전압을 크게 한다.
  - 전위경도를 작게 한다.
  - 전선의 지름을 크게 한다.
  - 복도체(다도체) 방식 및 가선금구의 개량을 채용한다.

03 1선 1[km]당의 코로나 손실 P[kW]를 나타내는 Peek's식은?(단, δ : 상대공기밀도, D : 선간
거리[cm], d : 전선의 지름[cm], f : 주파수[Hz], E : 전선에 걸리는 대지전압[kV], E_0 :
코로나 임계전압[kV]이다) [2012년 1회 기사]

① $P = \dfrac{241}{\delta}(f+25)\sqrt{\dfrac{d}{2D}}(E-E_0)^2 \times 10^{-5}$

② $P = \dfrac{241}{\delta}(f+25)\sqrt{\dfrac{2D}{d}}(E-E_0)^2 \times 10^{-5}$

③ $P = \dfrac{241}{\delta}(f+25)\sqrt{\dfrac{d}{2D}}(E-E_0)^2 \times 10^{-3}$

④ $P = \dfrac{241}{\delta}(f+25)\sqrt{\dfrac{2D}{d}}(E-E_0)^2 \times 10^{-3}$

해설   **Peek식(코로나 손실)**

$$P = \frac{241}{\delta}(f+25)\sqrt{\frac{d}{2D}}(E-E_0)^2 \times 10^{-5}\,[\text{kW/km/line}]$$

04 다음 사항 중 가공송전선로의 코로나 손실과 관계가 없는 사항은?   [2015년 3회 산업기사]

① 전원주파수   ② 전선의 연가
③ 상대공기밀도   ④ 선간거리

해설   코로나 임계전압 $E = 24.3 m_0 m_1 \delta d \log_{10} \dfrac{D}{r}$[kV]

여기서, m_0 : 전선의 표면상태(단선 : 1, 연선 : 0.8)

$\qquad m_1$: 기후계수(맑은 날 : 1, 비 : 0.8)

$\qquad \delta$: 상대공기밀도 $= \dfrac{0.386b}{273+t}$ (b : 기압, t : 온도)

$\qquad d$: 전선의 지름

$\qquad D$: 선간거리

코로나 임계전압이 높아지는 경우는 상대공기밀도가 높고, 전선의 직경이 클 경우, 맑은 날, 기압이
높고, 온도가 낮은 경우이다.

05 코로나 현상에 대한 설명이 아닌 것은? [2017년 1회 기사]

① 전선을 부식시킨다.

② 코로나 현상은 전력의 손실을 일으킨다.

③ 코로나 방전에 의하여 전파 장해가 일어난다.

④ 코로나 손실은 전원주파수의 $\frac{2}{3}$ 제곱에 비례한다.

해설 Peek식(코로나 손실)

$$P = \frac{241}{\delta}(f+25)\sqrt{\frac{d}{2D}}(E-E_0)^2 \times 10^{-5} [\text{kW/km/line}]$$

06 다음 중 송전선로의 코로나 임계전압이 높아지는 경우가 아닌 것은? [2019년 3회 기사]

① 날씨가 맑다.

② 기압이 높다.

③ 상대공기밀도가 낮다.

④ 전선의 반지름과 선간거리가 크다.

해설 코로나 임계전압 $E = 24.3m_0m_1\delta d\log_{10}\frac{D}{r}[\text{kV}]$

여기서, m_0 : 전선의 표면상태(단선 : 1, 연선 : 0.8)

m_1 : 기후계수(맑은 날 : 1, 비 : 0.8)

δ : 상대공기밀도 $= \frac{0.386b}{273+t}$ (b : 기압, t : 온도)

d : 전선의 지름

D : 선간거리

코로나 임계전압이 높아지는 경우는 상대공기밀도가 높고, 전선의 직경이 클 경우, 맑은 날, 기압이 높고, 온도가 낮은 경우이다.

07 복도체에서 2본의 전선이 서로 충돌하는 것을 방지하기 위하여 2본의 전선 사이에 적당한 간격을 두어 설치하는 것은? [2020년 3회 기사]

① 아머로드

② 댐 퍼

③ 아킹혼

④ 스페이서

해설 복도체에서 두 도체가 전류의 방향이 동일하여 흡인력이 발생하여 두 도체가 단락이 발생하는 것을 방지하려고 두 도체 사이에 절연간격을 유지하기 위해서 설치하는 것을 스페이서라 한다.

08 송전선로에 복도체를 사용하는 주된 이유는?

[2012년 1회 기사 / 2014년 3회 기사 / 2014년 2회 산업기사 / 2018년 3회 기사]

① 철탑의 하중을 평형시키기 위해서이다.

② 선로의 진동을 없애기 위해서이다.

③ 선로를 뇌격으로부터 보호하기 위해서이다.

④ 코로나를 방지하고 인덕턴스를 감소시키기 위해서이다.

해설 **복도체(다도체) 방식의 주목적 : 코로나 방지**
- 인덕턴스는 감소, 정전용량은 증가
- 같은 단면적의 단도체에 비해 전력용량의 증대
- 코로나의 방지, 코로나 임계전압의 상승
- 송전용량의 증대
- 소도체 충돌 현상(대책 : 스페이서의 설치)
- 단락 시 대전류 등이 흐를 때 소도체 사이에 흡인력이 발생

09 송전선에 복도체를 사용하는 주된 목적은?

[2018년 1회 산업기사]

① 역률 개선
② 정전용량의 감소
③ 인덕턴스의 증가
④ 코로나 발생의 방지

해설 복도체(다도체) 방식의 주목적 : 코로나 방지
• 인덕턴스는 감소, 정전용량은 증가
• 같은 단면적의 단도체에 비해 전력용량의 증대
• 코로나의 방지, 코로나 임계전압의 상승
• 송전용량의 증대
• 소도체 충돌 현상(대책 : 스페이서의 설치)
• 단락 시 대전류 등이 흐를 때 소도체 사이에 흡인력이 발생

10 송전선에 복도체를 사용할 때의 설명으로 틀린 것은?

[2018년 3회 산업기사]

① 코로나 손실이 경감된다.
② 안정도가 상승하고 송전용량이 증가한다.
③ 정전 반발력에 의한 전선의 진동이 감소된다.
④ 전선의 인덕턴스는 감소하고, 정전용량이 증가한다.

해설 9번 해설 참조

11 단도체 방식과 비교하여 복도체 방식의 송전선로를 설명한 것으로 옳지 않은 것은?

[2013년 3회 기사 / 2019년 1회 기사 / 2019년 2회 기사 / 2021년 3회 기사]

① 전선의 인덕턴스가 감소하고, 정전용량이 증가된다.
② 선로의 송전용량이 증가된다.
③ 계통의 안정도를 증진시킨다.
④ 전선 표면의 전위경도가 저감되어 코로나 임계전압을 낮출 수 있다.

해설 9번 해설 참조

12 3상 3선식 복도체 방식의 송전선로를 3상 3선식 단도체 방식 송전선로와 비교한 것으로 알맞은 것은?(단, 단도체의 단면적은 복도체 방식 소선의 단면적 합과 같은 것으로 한다)

[2016년 2회 산업기사]

① 전선의 인덕턴스와 정전용량은 모두 감소한다.
② 전선의 인덕턴스와 정전용량은 모두 증가한다.
③ 전선의 인덕턴스는 증가하고, 정전용량은 감소한다.
④ 전선의 인덕턴스는 감소하고, 정전용량은 증가한다.

> **해설** **복도체(다도체) 방식의 주목적 : 코로나 방지**
> • 인덕턴스는 감소, 정전용량은 증가
> • 같은 단면적의 단도체에 비해 전력용량의 증대
> • 코로나의 방지, 코로나 임계전압의 상승
> • 송전용량의 증대
> • 소도체 충돌 현상(대책 : 스페이서의 설치)
> • 단락 시 대전류 등이 흐를 때 소도체 사이에 흡인력이 발생

13 가공전선을 단도체식으로 하는 것보다 같은 단면적의 복도체식으로 하였을 경우에 대한 내용으로 틀린 것은?

[2020년 1, 2회 산업기사]

① 전선의 인덕턴스가 감소된다.　　② 전선의 정전용량이 감소된다.
③ 코로나 발생률이 적어진다.　　④ 송전용량이 증가한다.

> **해설** 12번 해설 참조

14 가공송전선로에서 총단면적이 같은 경우 단도체와 비교하여 복도체의 장점이 아닌 것은?

[2021년 2회 기사]

① 안정도를 증대시킬 수 있다.
② 공사비가 저렴하고 시공이 간편하다.
③ 전선표면의 전위경도를 감소시켜 코로나 임계전압이 높아진다.
④ 선로의 인덕턴스가 감소되고 정전용량이 증가해서 송전용량이 증대된다.

> **해설** 12번 해설 참조

15 가공선계통은 지중선계통보다 인덕턴스 및 정전용량이 어떠한가?

① 인덕턴스, 정전용량이 모두 작다.
② 인덕턴스, 정전용량이 모두 크다.
③ 인덕턴스는 크고, 정전용량은 작다.
④ 인덕턴스는 작고, 정전용량은 크다.

해설
- 복도체(다도체, 지중선계통) : 인덕턴스는 작고 정전용량은 크다.
- 단도체(가공선계통) : 인덕턴스는 크고 정전용량은 작다.

16 초고압 송전선로에 단도체 대신 복도체를 사용할 경우 틀린 것은?

① 전선의 작용인덕턴스를 감소시킨다.
② 선로의 작용정전용량을 증가시킨다.
③ 전선 표면의 전위경도를 저감시킨다.
④ 전선의 코로나 임계전압을 저감시킨다.

해설 **코로나의 대책**
- 코로나 임계전압을 크게 한다.
- 전위경도를 작게 한다.
- 전선의 지름을 크게 한다.
- 복도체(다도체)를 사용한다.
- 가선금구를 개량한다.

CHAPTER 03 송전특성 및 전력원선도

1. 송전선로의 특성값 계산

- 단거리 송전선로 : 수[km] 정도 → Z만 존재 : 집중정수회로(R, L)
- 중거리 송전선로 : 수십[km] 정도 → Z, Y 존재(작다) : 집중정수회로(R, L, C)
- 장거리 송전선로 : 100[km] 이상 → Z, Y 존재(크다) : 분포정수회로(R, L, C, G)

(1) 단거리 송전선로 : $Z = R + jX$(선로 중앙에 집중시켜서 해석)

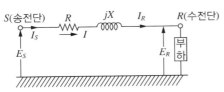

[회로도]

회로도 : $E_S = E_R + e$

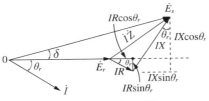

[벡터도(E_R 기준 시)]

벡터도 : $E_S = \sqrt{(E_R\cos\theta + IR)^2 + (E_R\sin\theta + IX)^2}$
$= E_R + I(R\cos\theta + X\sin\theta)$

회로도와 벡터도를 비교하면 전압강하 $e = I(R\cos\theta + X\sin\theta)$

① 송전단 전압 : $E_S = E_R + e = E_R + I(R\cos\theta + X\sin\theta)$

		전압강하식	전등부하($\cos\theta = 1$)
1상	1선당	$2I(R\cos\theta + X\sin\theta)$	$2IR$
	왕복선	$I(R\cos\theta + X\sin\theta)$	IR
3상	1선당	$\sqrt{3}\,I(R\cos\theta + X\sin\theta)$	

② 전압강하

$$e = E_S - E_R = \sqrt{3}\,I(R\cos\theta + X\sin\theta) = \frac{P}{V}(R + X\tan\theta)\left(\because\ e \propto I \propto \frac{1}{V}\right)$$

③ 전압강하율 : $\delta = \dfrac{e}{E_R} \times 100 = \dfrac{P}{V^2}(R + X\tan\theta) \times 100 \left(\because \delta \propto \dfrac{1}{V^2}\right)$

④ 전압변동률 : $\varepsilon = \dfrac{V_{0R} - V_R}{V_R} \times 100$

⑤ 전력 공식

   ㉠ 송전단전력 : $P_S = P_R + P_l$

      여기서 $P_l \begin{cases} 1\phi : 2I^2R \\ 3\phi : 3I^2R \end{cases}$

   ㉡ 수전단전력 : $P_R = \sqrt{3}\,VI\cos\theta$

   ㉢ 전력손실 : $P_l = 3I^2R = \dfrac{P^2R}{V^2\cos^2\theta} = \dfrac{P^2\rho l}{V^2\cos^2\theta A}$ $\begin{cases} P_l = \dfrac{1}{V^2} \\ P_l = \dfrac{1}{\cos^2\theta} \\ A = \dfrac{1}{V^2} \\ 중량(A) = \dfrac{1}{(V\cos\theta)^2} \end{cases}$

   ㉣ 전력손실률 : $K = \dfrac{P_l}{P_R} \times 100 = \dfrac{PR}{V^2\cos^2\theta}$ (R과 $\cos\theta$ 일정)

      $K = \dfrac{P}{V^2}$ 에서 $P = KV^2$ (K 일정)

(2) **중거리 송전선로** : Z, Y 존재 → $\dot{Y}$를 중앙에 일괄집중시킨 T형 회로, $\dot{Y}$를 2등분해서 선로 양단에 집중시킨 π형 회로로 하는 두 가지 방식이 있다.

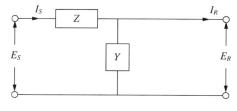

- $Z = R + j\omega L$
- $Y = j\omega C$

※ 4단자 정수(A, B, C, D)

- 4단자 정수 관계식 $\begin{cases} A = D \\ AD - BC = 1 \end{cases}$

- 전파 방정식 $\begin{cases} E_S = AE_R + BI_R \\ I_S = CE_R + DI_R \end{cases}$

※ 단일 소자의 4단자 정수

- Z만 존재할 때 $\begin{pmatrix} A\ B \\ C\ D \end{pmatrix} = \begin{pmatrix} 1\ Z \\ 0\ 1 \end{pmatrix}$

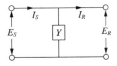

- Y만 존재할 때 $\begin{pmatrix} A\ B \\ C\ D \end{pmatrix} = \begin{pmatrix} 1\ 0 \\ Y\ 1 \end{pmatrix}$

① T형 회로

$$\begin{pmatrix} A\ B \\ C\ D \end{pmatrix} = \begin{pmatrix} 1\ \dfrac{Z}{2} \\ 0\ \ 1 \end{pmatrix}\begin{pmatrix} 1\ 0 \\ Y\ 1 \end{pmatrix}\begin{pmatrix} 1\ \dfrac{Z}{2} \\ 0\ \ 1 \end{pmatrix} = \begin{pmatrix} 1+\dfrac{ZY}{2} & Z\left(1+\dfrac{ZY}{4}\right) \\ Y & 1+\dfrac{ZY}{2} \end{pmatrix}$$

② π형 회로

$$\begin{pmatrix} A\ B \\ C\ D \end{pmatrix} = \begin{pmatrix} 1\ \ 0 \\ \dfrac{Y}{2}\ 1 \end{pmatrix}\begin{pmatrix} 1\ Z \\ 0\ 1 \end{pmatrix}\begin{pmatrix} 1\ \ 0 \\ \dfrac{Y}{2}\ 1 \end{pmatrix} = \begin{pmatrix} 1+\dfrac{ZY}{2} & Z \\ Y\left(1+\dfrac{ZY}{4}\right) & 1+\dfrac{ZY}{2} \end{pmatrix}$$

③ 시험법

　　㉠ 단락시험

$$E_R = 0 \begin{cases} E_S = AE_R + BI_R \rightarrow I_R = \dfrac{E_S}{B} \text{에서 } I_{SS} = \dfrac{D}{B}E_S \\ I_S = CE_R + DI_R \rightarrow I_S = DI_R \end{cases}$$

　　㉡ 무부하(개방)시험

$$I_R = 0 \begin{cases} E_S = AE_R + BI_R \rightarrow E_R = \dfrac{E_S}{A} \text{에서 } I_{S0} = \dfrac{C}{A}E_S \\ I_S = CE_R + DI_R \rightarrow I_S = CE_R \end{cases}$$

※ 송전선로(3상 2회선 = 병행2회선 = 다회선 방식) : 선로의 병렬운전(송전선로 안정운전)

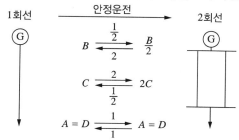

(3) 장거리 송전선로 : Z, Y(크다) 존재 → 선로에 고르게 분포 → 분포정수회로

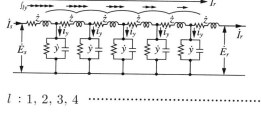

l : 1, 2, 3, 4 ·· Z ↗ 증가

Z : 5, 10, 15, 20 ·······························

Y : 1, 2, 3, 4 ··· Y ↗ 증가

Z_0 : 5, 5, 5, 5 ····································· $\neq l$(일정) Z_0 — 일정

$X = X_L - X_C$: 4, 8, 12, 16 ·········· 함수 (증가) X ↗ 증가

① **특성(파동, 서지)임피던스** : 어드미턴스에 대한 임피던스의 비

$$Z_0 = \sqrt{\frac{Z}{Y}} = \sqrt{\frac{(R+j\omega L)}{(G+j\omega C)}} = \sqrt{\frac{L}{C}} = 138\log\frac{D}{r} \neq l(\text{일정})$$

　㉠ 인덕턴스 계산 : $L = 0.4605\log\frac{D}{r}[\text{mH/km}]$

　㉡ 정전용량 계산 : $C = \dfrac{0.02413}{\log\dfrac{D}{r}}[\mu\text{F/km}]$

각각 대입하면 $\log\dfrac{D}{r}=\dfrac{Z_0}{138}$

※ 가공전선로의 길이와 관계없이 일정하며 일반적으로 300~500[Ω] 정도이다.

　　지중전선로(케이블) 120[Ω]

② 전파정수 : 전압과 전류의 진폭과 위상이 변화하는 특성

$\gamma=\sqrt{ZY}=\sqrt{(R+j\omega L)(G+j\omega C)}=j\omega\sqrt{LC}$ ($j\omega$ 무시한다)

③ 전파속도

$$V=\frac{1}{\gamma}=\frac{1}{\sqrt{LC}}=3\times10^5[\text{km/s}]$$

④ 장거리 송전선로의 전파정수

$$E_s=\cosh rl\,E_R+Z_0\sinh rl\,I_R$$

$$I_s=\frac{1}{Z_0}\sinh rl\,E_R+\cosh rl\,I_R$$

$$A=\cosh rl\Rightarrow\cosh\sqrt{ZY}$$

$$B=Z_0\sinh rl\Rightarrow\sqrt{\frac{Z}{Y}}\sinh\sqrt{ZY}$$

$$C=\frac{1}{Z_0}\sinh rl\Rightarrow\sqrt{\frac{Y}{Z}}\sinh\sqrt{ZY}$$

$$D=\cosh rl\Rightarrow\cosh\sqrt{ZY}$$

$$\left(Z_0\ \text{특성임피던스}=\sqrt{\frac{Z}{Y}},\ rl\Rightarrow\text{전파정수}\ \sqrt{ZY}\right)$$

(4) 송전전압, 송전용량 계산 및 전력원선도

① 송전전압 계산 : Still식 → 경제적인 송전전압 결정식

$$V_S=5.5\sqrt{0.6l+\frac{P}{100}}\,[\text{kV}]$$

여기서, P : 송전용량[kW]

　　　　l : 선로의 길이[km]

② 송전용량 계산

　㉠ 고유부하법 : 수전단을 특성임피던스로 단락한 상태에서의 전력(선로의 길이에 관계없이 전압 크기만을 고려)

$$P=\frac{V_R^2}{Z_0}=\frac{V_R^2}{\sqrt{\dfrac{L}{C}}}[\text{MW/회선}]$$

여기서, P : 고유송전용량[MW]

　　　　Z_0 : 선로의 특성임피던스[Ω]

　　　　V_R : 수전단 선간전압[kV]

ⓛ 송전용량 계수법 : 선로의 길이와 전압 크기 모두 고려

$$P = K\frac{V_R^2}{l}[\text{kW}]$$

여기서, V_R : 수전단 선간전압[kV]

　　　　l : 선로의 길이[km]

　　　　K : 전압과 선로길이에 따라 변하는 리액턴스값을 상수화시킨 값

※ 전압 계급별 K값 $\begin{cases} 60[\text{kV}] : 600 \\ 100[\text{kV}] : 800 \\ 140[\text{kV}] : 1,200 \end{cases}$ (문제에서 주어지면 주어진 값이 기준)

ⓒ 송전용량 계산

$$P_S = \frac{E_R E_S}{X}\sin\delta[\text{MW}]$$

여기서, δ : 상차각(부하각, 위상각)

　　　　P_S : 송전용량[MW]

　　　　X : 리액턴스[Ω] → 손실(송전효율)

　　　　　　($X = X_L - X_C$: 조상설비용량)

$\delta = 90°$ 일 때 최대전력(정태안정 극한전력)

$$P_m = \frac{E_R E_S}{X} = \frac{E_R E_S}{B}(전력원선도의 반지름)$$

∴ 최대전력과 리액턴스와 반비례한다.

※ 전력원선도의 반지름 : $r = \dfrac{E_R E_S}{B}$

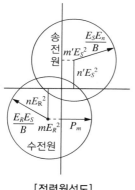

[전력원선도]

• 전력원선도를 이용하여 구할 수 있는 것 : 유효전력, 무효전력, 피상전력, 역률, 전력손실, 조상설비용량

• 알 수 없는 것 : 과도안정 극한전력, 코로나 손실

• 원선도 작성에 필요 없는 것 : 역률, 충전전류

핵 / 심 / 예 / 제

01 동일한 부하전력에 대하여 전압을 2배로 승압하면 전압강하, 전압강하율, 전력손실률은 각각 어떻게 되는지 순서대로 나열한 것은? [2012년 3회 기사 / 2014년 3회 산업기사 / 2019년 3회 산업기사]

① $\dfrac{1}{2}$, $\dfrac{1}{2}$, $\dfrac{1}{2}$

② $\dfrac{1}{2}$, $\dfrac{1}{2}$, $\dfrac{1}{4}$

③ $\dfrac{1}{2}$, $\dfrac{1}{4}$, $\dfrac{1}{4}$

④ $\dfrac{1}{4}$, $\dfrac{1}{4}$, $\dfrac{1}{4}$

해설 전압을 n배로 승압 시

항목	송전전력	전압강하	단면적 A	총중량 W	전력손실 P_l	전압강하율 ε
관계	$P \propto V^2$	$e \propto \dfrac{1}{V}$	$[A,\ W,\ P_l,\ \varepsilon] \propto \dfrac{1}{V^2}$			

02 선로의 전압을 25[kV]에서 50[kV]로 승압할 경우, 공급전력을 동일하게 취급하면 공급전력은 승압 전의 (㉠)배로 되고, 선로손실은 승압 전의 (㉡)배로 된다(단, 동일 조건에서 공급전력과 선로손실률을 동일하게 취급한다). [2012년 2회 산업기사 / 2013년 1회 산업기사 / 2019년 1회 산업기사]

① ㉠ $\dfrac{1}{4}$, ㉡ 2

② ㉠ $\dfrac{1}{4}$, ㉡ 4

③ ㉠ 2, ㉡ $\dfrac{1}{4}$

④ ㉠ 4, ㉡ $\dfrac{1}{4}$

해설 1번 해설 참조

03 배전선로의 전압을 3[kV]에서 6[kV]로 승압하면 전압강하율(δ)은 어떻게 되는가?(단, $\delta_{3[kV]}$는 전압이 3[kV]일 때 전압강하율이고, $\delta_{6[kV]}$는 전압이 6[kV]일 때 전압강하율이고, 부하는 일정하다고 한다)

[2020년 3회 기사]

① $\delta_{6[kV]} = \dfrac{1}{2}\delta_{3[kV]}$ ② $\delta_{6[kV]} = \dfrac{1}{4}\delta_{3[kV]}$

③ $\delta_{6[kV]} = 2\delta_{3[kV]}$ ④ $\delta_{6[kV]} = 4\delta_{3[kV]}$

해설 3[kV] → 6[kV] 전압이 2배

$\delta \propto \dfrac{1}{V^2} = \dfrac{1}{4}$ 배

04 배전선로의 전압을 $\sqrt{3}$ 배로 증가시키고 동일한 전력손실률로 송전할 경우 송전전력은 몇 배로 증가되는가?

[2020년 1, 2회 산업기사 / 2022년 1회 기사]

① $\sqrt{3}$ ② $\dfrac{3}{2}$

③ 3 ④ $2\sqrt{3}$

해설 $P = V^2 = (\sqrt{3})^2 = 3$

05 3,300[V] 배전선로의 전압을 6,600[V]로 승압하고 같은 손실률로 송전하는 경우 송전전력은 승압 전의 몇 배인가?

[2017년 2회 산업기사]

① $\sqrt{3}$ ② 2

③ 3 ④ 4

해설 $P \propto V^2 = 2^2 = 4$

정답 03 ② 04 ③ 05 ④

06 154[kV] 송전선로의 전압을 345[kV]로 승압하고 같은 손실률로 송전한다고 가정하면 송전전력은 승압 전의 약 몇 배 정도인가? [2016년 2회 기사]

① 2

② 3

③ 4

④ 5

해설 $P \propto V^2 = \left(\dfrac{345}{154}\right)^2 \fallingdotseq 5$

07 부하역률이 $\cos\phi$인 배전선로의 저항손실은 같은 크기의 부하전력에서 역률 1일 때 저항손실의 몇 배인가? [2014년 1회 산업기사 / 2019년 2회 기사]

① $\cos^2\phi$

② $\cos\phi$

③ $\dfrac{1}{\cos\phi}$

④ $\dfrac{1}{\cos^2\phi}$

해설
- 전력손실 $P_L = 3I^2R = \dfrac{P^2R}{V^2\cos^2\theta} = \dfrac{P^2\rho l}{V^2\cos^2\theta\,A}$ [W]

  여기서, P : 부하전력

  ρ : 고유저항

  l : 배전거리

  A : 전선의 단면적

  V : 수전전압

  $\cos\theta$: 부하역률

- 경감방법 : 배전전압 승압, 역률 개선, 저항 감소, 부하의 불평형 방지

08 단상 2선식 배전선로의 선로임피던스가 $2 + j5[\Omega]$이고 무유도성 부하전류 10[A]일 때 송전단 역률은?(단, 수전단 전압의 크기는 100[V]이고, 위상각은 0°이다) [2018년 1회 기사]

① $\dfrac{5}{12}$　　　　　　　　　　② $\dfrac{5}{13}$

③ $\dfrac{11}{12}$　　　　　　　　　　④ $\dfrac{12}{13}$

해설 　무유도성 부하이므로 $R = \dfrac{V}{I} = \dfrac{100}{10} = 10[\Omega]$

　　　　$Z = (10 + 2) + j5$

　　　　$\cos\theta = \dfrac{12}{\sqrt{12^2 + 5^2}} = \dfrac{12}{13}$

09 송전전력, 송전거리, 전선의 비중 및 전력손실률이 일정하다고 하면 전선의 단면적 $A\,[\text{mm}^2]$와 송전전압 $V\,[\text{kV}]$와의 관계로 옳은 것은?

[2013년 3회 기사, 산업기사 / 2016년 1회 기사, 산업기사 / 2016년 3회 기사 / 2018년 3회 기사]

① $A \propto V$　　　　　　　　　② $A \propto V^2$

③ $A \propto \dfrac{1}{V^2}$　　　　　　　　④ $A \propto \dfrac{1}{\sqrt{V}}$

해설　전압을 n배로 승압 시

항 목	송전전력	전압강하	단면적 A	총중량 W	전력손실 P_l	전압강하율 ε
관 계	$P \propto V^2$	$e \propto \dfrac{1}{V}$		$[A,\ W,\ P_l,\ \varepsilon] \propto \dfrac{1}{V^2}$		

10 부하역률이 0.8인 선로의 저항손실은 0.9인 선로의 저항손실에 비해서 약 몇 배 정도 되는가?

[2018년 1회 기사]

① 0.97   ② 1.1

③ 1.27   ④ 1.5

해설

$$P_e = \frac{1}{\cos\theta^2} = \frac{\dfrac{1}{0.9^2}}{\dfrac{1}{0.8^2}} \fallingdotseq 0.79$$

$$\therefore \frac{1}{0.79} \fallingdotseq 1.27[\text{배}]$$

11 전압과 유효전력이 일정할 경우 부하역률이 70[%]인 선로에서의 저항손실($P_{70[\%]}$)은 역률이 90[%]인 선로에서의 저항손실($P_{90[\%]}$)과 비교하면 약 얼마인가?

[2020년 3회 기사]

① $P_{70[\%]} = 0.6P_{90[\%]}$

② $P_{70[\%]} = 1.7P_{90[\%]}$

③ $P_{70[\%]} = 0.3P_{90[\%]}$

④ $P_{70[\%]} = 2.7P_{90[\%]}$

해설

$$P_l \propto \frac{1}{\cos\theta^2} = \frac{\dfrac{1}{0.9^2}}{\dfrac{1}{0.7^2}} = 0.604$$

역률 90[%]가 역률 70[%]에 비해 손실이 0.604배이다.

역률 70[%]는 역률 90[%]에 비해 손실이 $\dfrac{1}{0.604} \fallingdotseq 1.7$배이다.

그러므로 $P_{70[\%]} = 1.7P_{90[\%]}$

12 수전단전압이 3,300[V]이고, 전압강하율이 4[%]인 송전선의 송전단전압은 몇 [V]인가?

[2018년 3회 산업기사]

① 3,395

② 3,432

③ 3,495

④ 5,678

해설 전압강하율 $\delta = \dfrac{V_s - V_r}{V_r} \times 100$ 에서

$4 = \dfrac{V_s - 3,300}{3,300} \times 100$ 이면 송전단 전압 $V_s \fallingdotseq 3,432[\text{V}]$

13 단상 2선식의 교류 배전선이 있다. 전선 한 줄의 저항은 0.15[Ω], 리액턴스는 0.25[Ω]이다. 부하는 무유도성으로 100[V], 3[kW]일 때 급전점의 전압은 약 몇 [V]인가?

[2018년 2회 산업기사]

① 100

② 110

③ 120

④ 130

해설 송전단전압 $V_s = V_r + 2IR$

$= 100 + 2 \times \dfrac{3,000}{100} \times 0.15 = 109[\text{V}] \fallingdotseq 110[\text{V}]$

14 그림과 같은 수전단 전압 3.3[kV], 역률 0.85(뒤짐)인 부하 300[kW]에 공급하는 선로가 있다. 이때 송전단 전압은 약 몇 [V]인가?

[2017년 3회 기사]

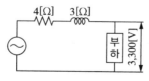

① 3,430

② 3,530

③ 3,730

④ 3,830

해설 $V_s = V_r + I(R\cos\theta + X\sin\theta)$

$= 3,300 + \dfrac{300 \times 10^3}{3,300 \times 0.85}(4 \times 0.85 + 3 \times \sqrt{1 - 0.85^2}) = 3,830[\text{V}]$

15 송전단 전압이 66[kV]이고, 수전단 전압이 62[kV]로 송전 중이던 선로에서 부하가 급격히 감소하여 수전단 전압이 63.5[kV]가 되었다. 전압강하율은 약 몇 [%]인가?   [2016년 2회 기사]

① 2.28

② 3.94

③ 6.06

④ 6.45

해설
$$\delta = \frac{V_S - V_R}{V_R} \times 100 = \frac{66 - 63.5}{63.5} \times 100 ≒ 3.94[\%]$$

16 송전단 전압이 100[V], 수전단 전압이 90[V]인 단거리 배전선로의 전압강하율[%]은 약 얼마인가?   [2022년 1회 기사]

① 5

② 11

③ 15

④ 20

해설
$$\delta = \frac{V_s - V_r}{V_r} \times 100 = \frac{100 - 90}{90} \times 100 ≒ 11.11[\%]$$

17 3상 계통에서 수전단전압 60[kV], 전류 250[A], 선로의 저항 및 리액턴스가 각각 7.61[Ω], 11.85[Ω]일 때 전압강하율은?(단, 부하역률은 0.8(늦음)이다)   [2018년 1회 산업기사]

① 약 5.50[%]

② 약 7.34[%]

③ 약 8.69[%]

④ 약 9.52[%]

해설
$$\delta = \frac{e}{V_r} \times 100 = \frac{\sqrt{3}\,I(R\cos\theta + X\sin\theta)}{V_r} \times 100 = \frac{\sqrt{3} \times 250(7.61 \times 0.8 + 11.85 \times 0.6)}{60,000} \times 100$$
$$≒ 9.5[\%]$$

18 배전선로의 전압강하의 정도를 나타내는 식이 아닌 것은?(단, E_S는 송전단 전압, E_R은 수전단 전압이다)

[2015년 3회 산업기사 / 2020년 3회 산업기사]

① $\dfrac{I}{E_R}(R\cos\theta + X\sin\theta)\times 100\,[\%]$

② $\dfrac{\sqrt{3}\,I}{E_R}(R\cos\theta + X\sin\theta)\times 100\,[\%]$

③ $\dfrac{E_S - E_R}{E_R}\times 100\,[\%]$

④ $\dfrac{E_S + E_R}{E_S}\times 100\,[\%]$

해설 수전단 전압에 대한 전압강하율

$$\delta = \frac{e}{V_r}\times 100 = \frac{V_s - V_r}{V_r}\times 100$$

$$= \frac{E_s - E_r}{E_r}\times 100 = \frac{\sqrt{3}\,I(R\cos\theta + X\sin\theta)}{E_r}\times 100$$

$$= \frac{I}{E_r}(R\cos\theta + X\sin\theta)\times 100 = \frac{P}{E_r^2}(R + X\tan\theta)\times 100$$

$$= \frac{PR + QX}{E_r^2}\times 100$$

19 송전단 전압이 66[kV], 수전단 전압이 60[kV]인 송전선로에서 수전단의 부하를 끊을 경우에 수전단 전압이 63[kV]가 되었다면 전압변동률은 몇 [%]가 되는가?

[2015년 1회 기사]

① 4.5 ② 4.8
③ 5.0 ④ 10.0

해설 전압변동률 $\delta = \dfrac{V_{R1} - V_{R2}}{V_{R2}}\times 100$

$$\frac{63 - 60}{60}\times 100 = 5\,[\%]$$

여기서, V_{R1} : 무부하 시 수전단 전압

V_{R2} : 수전단 전압

20 지상부하를 가진 3상 3선식 배전선로 또는 단거리 송전선로에서 선간 전압강하를 나타낸 식은?(단, I, R, X, θ는 각각 수전단전류, 선로저항, 리액턴스 및 수전단전류의 위상각이다)

[2020년 1, 2회 산업기사]

① $I(R\cos\theta + X\sin\theta)$
② $2I(R\cos\theta + X\sin\theta)$
③ $\sqrt{3}\,I(R\cos\theta + X\sin\theta)$
④ $3I(R\cos\theta + X\sin\theta)$

해설 3상 전압강하 $e = V_s - V_r = \sqrt{3}\,I(R\cos\theta + X\sin\theta)[\text{V}]$

21 교류 배전선로에서 전압강하 계산식은 $V_d = k(R\cos\theta + X\sin\theta)I$로 표현된다. 3상 3선식 배전선로인 경우에 k는?

[2020년 3회 기사]

① $\sqrt{3}$ ② $\sqrt{2}$
③ 3 ④ 2

해설 전압강하 $e = V_s - V_R = \sqrt{3}\,I(R\cos\theta + X\sin\theta) = \dfrac{P}{V}(R + X\tan\theta)$

22 3상 3선식 배전선로에 역률이 0.8(지상)인 3상 평형 부하 40[kW]를 연결했을 때 전압강하는 약 몇 [V]인가?(단, 부하의 전압은 200[V], 전선 1조의 저항은 0.02[Ω]이고, 리액턴스는 무시한다)

[2018년 2회 산업기사]

① 2 ② 3
③ 4 ④ 5

해설 전압강하 $e = \sqrt{3} \times \dfrac{40 \times 10^3}{\sqrt{3} \times 200 \times 0.8}(0.02 \times 0.8) = 4[\text{V}]$

20 ③ 21 ① 22 ③ **정답**

23 송전선의 전압변동률을 나타내는 식 $\dfrac{V_{R1} - V_{R2}}{V_{R2}} \times 100[\%]$ 에서 V_{R1} 은 무엇인가?

[2013년 2회 기사 / 2016년 1회 산업기사]

① 부하 시 수전단 전압   ② 무부하 시 수전단 전압

③ 부하 시 송전단 전압   ④ 무부하 시 송전단 전압

해설 전압변동률 $\delta = \dfrac{V_{R1} - V_{R2}}{V_{R2}} \times 100[\%]$

여기서, V_{R1} : 무부하 시 수전단 전압

V_{R2} : 수전단 전압

24 송전단 전압이 154[kV], 수전단 전압이 150[kV]인 송전선로에서 부하를 차단하였을 때 수전단 전압이 152[kV]가 되었다면 전압변동률은 약 몇 [%]인가?

[2017년 1회 산업기사]

① 1.11   ② 1.33

③ 1.63   ④ 2.25

해설 $\varepsilon = \dfrac{V_{\mathrm{or}} - V_r}{V_r} \times 100 = \dfrac{152 - 150}{150} \times 100 \fallingdotseq 1.33[\%]$

25 전압과 역률이 일정할 때 전력을 몇 [%] 증가시키면 전력손실이 2배로 되는가?

[2016년 3회 산업기사]

① 31   ② 41

③ 51   ④ 61

해설 $P_L = 3I^2 R = \dfrac{P^2 R}{V^2 \cos^2 \theta} = \dfrac{P^2 \rho l}{V^2 \cos^2 \theta \, A}[\mathrm{W}]$ 에서 $P_L \propto P^2$

$2P_L = (\sqrt{2}\,P)^2$, $2P_L = (1.414P)^2$

26 순저항 부하의 부하전력 P[kW], 전압 E[V], 선로의 길이 l[m], 고유저항 ρ[$\Omega \cdot$ mm^2/m]인 단상 2선식 선로에서 선로손실을 q[W]라 하면, 전선의 단면적[mm^2]은 어떻게 표현되는가?

[2018년 2회 기사]

① $\dfrac{\rho l P^2}{q E^2} \times 10^6$
② $\dfrac{2\rho l P^2}{q E^2} \times 10^6$

③ $\dfrac{\rho l P^2}{2 q E^2} \times 10^6$
④ $\dfrac{2\rho l P^2}{q^2 E} \times 10^6$

해설 전력손실 $q = 2I^2 R$

$$q = 2I^2 \rho \frac{l}{A}$$

$$A = \frac{2I^2 \rho l}{q}$$

순저항일 때 전력 $P = EI$에서 $I = \dfrac{P}{E}$를 대입하면

$$A = \frac{2\left(\dfrac{P \times 10^3}{E}\right)^2 \rho l}{q}$$

$$= \frac{2\rho l P^2}{q E^2} \times 10^6$$

27 3상 3선식 송전선에서 1선의 저항이 15[Ω], 리액턴스는 20[Ω]이고 수전단의 선간전압은 30[kV], 부하역률이 0.8인 경우 전압강하율을 10[%]라 하면 이 송전선로로는 몇 [kW]까지 수전할 수 있는가?

[2012년 2회 산업기사 / 2017년 2회 기사]

① 2,500[kW]
② 2,750[kW]
③ 3,000[kW]
④ 3,250[kW]

해설 수전단 전압에 대한 전압강하율 $\delta = \dfrac{e}{V_r} \times 100 = \dfrac{V_s - V_r}{V_r} \times 100 = \dfrac{P}{V_r^2}(R + X\tan\theta) \times 100$에서

수전전력 $P = \dfrac{\delta \times V_r^2}{(R + X\tan\theta) \times 100} \times 10^{-3}$[kW]

$$= \frac{10 \times (30 \times 10^3)^2}{\left(15 + 20 \times \dfrac{0.6}{0.8}\right) \times 100} \times 10^{-3} = 3,000[\text{kW}]$$

28 3상 3선식 송전선에서 한 선의 저항이 10[Ω], 리액턴스가 20[Ω]이며, 수전단의 선간전압이 60[kV], 부하역률이 0.8인 경우에 전압강하율이 10[%]라 하면 이 송전선로로는 약 몇 [kW]까지 수전할 수 있는가?

[2021년 1회 기사]

① 10,000   ② 12,000

③ 14,400   ④ 18,000

해설 $\delta = \dfrac{P}{V^2}(R + X\tan\theta)$ 에서

$$P = \frac{\delta V^2}{R + X\tan\theta} = \frac{0.1 \times 60,000^2}{10 + 20 \times \dfrac{0.6}{0.8}} \times 10^{-3} = 14,400[\text{kW}]$$

29 그림과 같은 단거리 배전선로의 송전단 전압 6,600[V], 역률은 0.9이고, 수전단 전압 6,100 [V], 역률 0.8일 때 회로에 흐르는 전류 I[A]는?(단, E_s 및 E_r은 송 · 수전단 대지전압이며, $r = 20[\Omega]$, $x = 10[\Omega]$이다)

[2016년 1회 기사]

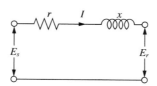

① 20   ② 35

③ 53   ④ 65

해설 $P_l = I^2 R = P_S - P_R$

$I^2 R = V_S I_S \cos\theta_S - V_R I_R \cos\theta_R$ (직렬은 전류가 일정)

$IR = V_S \cos\theta_S - V_R \cos\theta_R$

$I = \dfrac{V_S \cos\theta_S - V_R \cos\theta_R}{R} = \dfrac{6,600 \times 0.9 - 6,100 \times 0.8}{20} = 53[\text{A}]$

30 단상 2선식 배전선로의 말단에 지상역률 $\cos\theta$인 부하 P[kW]가 접속되어 있고 선로 말단의 전압은 V[V]이다. 선로 한 가닥의 저항을 $R[\Omega]$이라 할 때 송전단의 공급전력[kW]은?

[2021년 2회 기사]

① $P + \dfrac{P^2 R}{V\cos\theta} \times 10^3$

② $P + \dfrac{2P^2 R}{V\cos\theta} \times 10^3$

③ $P + \dfrac{P^2 R}{V^2\cos^2\theta} \times 10^3$

④ $P + \dfrac{2P^2 R}{V^2\cos^2\theta} \times 10^3$

해설
$$P_s = P_R + P_l$$
$$= P + 2I^2 R$$
$$= P + 2\left(\dfrac{P}{V\cos\theta}\right)^2 R$$
$$= P + \dfrac{2P^2 R}{V^2\cos\theta^2} \times 10^3$$

31 중거리 송전선로의 특성은 무슨 회로로 다루어야 하는가?

[2016년 3회 기사]

① RL 집중정수회로

② RLC 집중정수회로

③ 분포정수회로

④ 특성임피던스회로

해설
- 단거리 선로(수[km]) : R, L 적용
  - 집중정수회로, $R > X$
- 중거리 선로(수십[km]) : R, L, C 적용
  - 집중정수회로
- 장거리 선로(100[km] 이상) : R, L, C, G 적용
  - 분포정수회로, $R < X$

32 송전선로에서 4단자 정수 A, B, C, D 사이의 관계는? [2020년 3회 산업기사]

① $BC - AD = 1$ ② $AC - BD = 1$

③ $AB - CD = 1$ ④ $AD - BC = 1$

> **해설**   4단자 정수 관계식
> $A = D$
> $AD - BC = 1$

33 중거리 송전선로의 4단자 정수가 $A = 1.0$, $B = j190$, $D = 1.0$일 때 C의 값은 얼마인가?

[2022년 1회 기사]

① 0 ② $-j120$

③ j ④ $j190$

> **해설** $AD - BC = 1$
> $AD - 1 = BC$
> $C = \dfrac{AD - 1}{B} = \dfrac{1 \times 1 - 1}{j190} = 0$

34 송전선로의 일반회로 정수가 $A = 0.7$, $B = j190$, $D = 0.9$일 때 C의 값은? [2018년 1회 기사]

① $-j1.95 \times 10^{-3}$ ② $j1.95 \times 10^{-3}$

③ $-j1.95 \times 10^{-4}$ ④ $j1.95 \times 10^{-4}$

> **해설** $AD - BC = 1$
> $C = \dfrac{AD - 1}{B} = \dfrac{0.7 \times 0.9 - 1}{j190} \fallingdotseq j1.95 \times 10^{-3}$

35 선로 임피던스가 Z인 단상 단거리 송전선로의 4단자 정수는? [2015년 1회 산업기사]

① $A = Z$, $B = Z$, $C = 0$, $D = 1$

② $A = Z$, $B = Z$, $C = Z$, $D = 1$

③ $A = 1$, $B = Z$, $C = 0$, $D = 1$

④ $A = 0$, $B = 1$, $C = Z$, $D = 0$

해설 임피던스회로 4단자망 정수

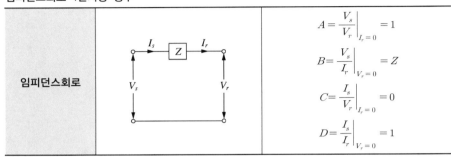

임피던스회로		

$$A = \frac{V_s}{V_r}\Big|_{I_r = 0} = 1$$

$$B = \frac{V_s}{I_r}\Big|_{V_r = 0} = Z$$

$$C = \frac{I_s}{V_r}\Big|_{I_r = 0} = 0$$

$$D = \frac{I_s}{I_r}\Big|_{V_r = 0} = 1$$

36 단거리 송전선의 4단자 정수 A, B, C, D 중 그 값이 0인 정수는? [2017년 3회 산업기사]

① A ② B

③ C ④ D

해설 35번 해설 참조

35 ③   36 ③   정답

37 그림과 같은 회로의 일반회로 정수가 아닌 것은?

[2017년 1회 기사]

$$\circ\!\!-\!\!\overset{E_s}{}\!\!\overset{Z}{\underset{\text{mmm}}{}}\!\!\overset{E_r}{}\!\!-\!\!\circ$$

① $B = Z + 1$ ② $A = 1$

③ $C = 0$ ④ $D = 1$

해설 $Z = \begin{pmatrix} A\ B \\ C\ D \end{pmatrix} = \begin{pmatrix} 1\ Z \\ 0\ 1 \end{pmatrix}$

38 중거리 송전선로의 T형 회로에서 송전단 전류 I_s는?(단, Z, Y는 선로의 직렬 임피던스와 병렬 어드미턴스이고, E_r은 수전단 전압, I_r은 수전단 전류이다)

[2012년 1회 기사 / 2014년 3회 기사 / 2019년 2회 기사]

① $I_r\left(1 + \dfrac{ZY}{2}\right) + E_r Y$ ② $E_r\left(1 + \dfrac{ZY}{2}\right) + ZI_r\left(1 + \dfrac{ZY}{4}\right)$

③ $E_r\left(1 + \dfrac{ZY}{2}\right) + ZI_r$ ④ $I_r\left(1 + \dfrac{ZY}{2}\right) + E_r Y\left(1 + \dfrac{ZY}{4}\right)$

해설   4단자 정수

$$\begin{bmatrix} E_s \\ I_s \end{bmatrix} = \begin{bmatrix} A\ B \\ C\ D \end{bmatrix}\begin{bmatrix} E_r \\ I_r \end{bmatrix} = \begin{matrix} AE_r + BI_r \\ CE_r + DI_r \end{matrix}$$

T형 회로와 π형 회로의 4단자 정수값

		T형	π형
A	$\dfrac{E_s}{E_r}\Big|_{I_r=0}$	$1 + \dfrac{ZY}{2}$	$1 + \dfrac{ZY}{2}$
B	$\dfrac{E_s}{I_r}\Big|_{V_r=0}$	$Z\left(1 + \dfrac{ZY}{4}\right)$	Z
C	$\dfrac{I_s}{E_r}\Big|_{I_r=0}$	Y	$Y\left(1 + \dfrac{ZY}{4}\right)$
D	$\dfrac{I_s}{I_r}\Big|_{V_r=0}$	$1 + \dfrac{ZY}{2}$	$1 + \dfrac{ZY}{2}$

T형 송전단 전류 $I_s = YE_r + \left(1 + \dfrac{ZY}{2}\right)I_r$

π형 송전단 전류 $I_s = Y\left(1 + \dfrac{ZY}{4}\right)E_r + \left(1 + \dfrac{ZY}{2}\right)I_r$

39 중거리 송전선로의 π형 회로에서 송전단 전류 I_s는?(단, Z, Y는 선로의 직렬 임피던스와 병렬 어드미턴스이고, E_r, I_r은 수전단 전압과 전류이다)

[2015년 1회 기사]

① $\left(1 + \dfrac{ZY}{2}\right)E_r + ZI_r$

② $\left(1 + \dfrac{ZY}{2}\right)E_r + Z\left(1 + \dfrac{ZY}{4}\right)I_r$

③ $\left(1 + \dfrac{ZY}{2}\right)I_r + YE_r$

④ $\left(1 + \dfrac{ZY}{2}\right)I_r + Y\left(1 + \dfrac{ZY}{4}\right)E_r$

해설 T형 회로와 π형 회로의 4단자 정수값

		T형	π형
A	$\left.\dfrac{E_s}{E_r}\right|_{I_r=0}$	$1 + \dfrac{ZY}{2}$	$1 + \dfrac{ZY}{2}$
B	$\left.\dfrac{E_s}{I_r}\right|_{V_r=0}$	$Z\left(1 + \dfrac{ZY}{4}\right)$	Z
C	$\left.\dfrac{I_s}{E_r}\right|_{I_r=0}$	Y	$Y\left(1 + \dfrac{ZY}{4}\right)$
D	$\left.\dfrac{I_s}{I_r}\right|_{V_r=0}$	$1 + \dfrac{ZY}{2}$	$1 + \dfrac{ZY}{2}$

$$V_s = \left(1 + \frac{ZY}{2}\right)E_r + ZI_r$$

$$I_s = Y\left(1 + \frac{ZY}{4}\right)E_r + \left(1 + \frac{ZY}{2}\right)I_r$$

40 송전선 중간에 전원이 없을 경우에 송전단의 전압 $E_S = AE_R + BI_R$이 된다. 수전단의 전압 E_R의 식으로 옳은 것은?(단, I_S, I_R은 송전단 및 수전단의 전류이다)

[2019년 1회 기사]

① $E_R = AE_S + CI_S$

② $E_R = BE_S + AI_S$

③ $E_R = DE_S - BI_S$

④ $E_R = CE_S - DI_S$

해설 $E_S = AE_R + BI_R$

$I_S = CE_R + DI_R$

$$\begin{bmatrix} E_S \\ I_S \end{bmatrix} = \begin{bmatrix} A\ B \\ C\ D \end{bmatrix}\begin{bmatrix} E_R \\ I_R \end{bmatrix}$$

$$\begin{bmatrix} E_R \\ I_R \end{bmatrix} = \begin{bmatrix} A\ B \\ C\ D \end{bmatrix}^{-1}\begin{bmatrix} E_S \\ I_S \end{bmatrix}$$

$$\begin{bmatrix} E_R \\ I_R \end{bmatrix} = \frac{1}{AD-BC}\begin{bmatrix} D\ -B \\ -C\ A \end{bmatrix}\begin{bmatrix} E_S \\ I_S \end{bmatrix} \qquad (\because AD - BC = 1)$$

$$\therefore E_R = DE_S - BI_S$$

41 4단자 정수가 A, B, C, D인 선로에 임피던스가 $\frac{1}{Z_T}$인 변압기가 수전단에 접속된 경우 계통의 4단자 정수 중 D_0는?

[2018년 1회 기사]

① $D_0 = \dfrac{C + DZ_T}{Z_T}$

② $D_0 = \dfrac{C + AZ_T}{Z_T}$

③ $D_0 = \dfrac{D + CZ_T}{Z_T}$

④ $D_0 = \dfrac{B + AZ_T}{Z_T}$

해설
$$\begin{bmatrix} A_0 & B_0 \\ C_0 & D_0 \end{bmatrix} = \begin{bmatrix} A & B \\ C & D \end{bmatrix} \cdot \begin{bmatrix} 1 & \frac{1}{Z_T} \\ 0 & 1 \end{bmatrix} \Rightarrow D_0 = \frac{C}{Z_T} + D = \frac{C + DZ_T}{Z_T}$$

42 1회선 송전선과 변압기의 조합에서 변압기의 여자 어드미턴스를 무시하였을 경우 송수전단의 관계를 나타내는 4단자 정수 C_0는?(단, $A_0 = A + CZ_{ts}$, $B_0 = B + AZ_{tr} + DZ_{ts} + CZ_{tr}Z_{ts}$, $D_0 = D + CZ_{tr}$ 여기서, Z_{ts}는 송전단변압기의 임피던스이며, Z_{tr}은 수전단변압기의 임피던스이다)

[2022년 2회 기사]

① C

② $C + DZ_{ts}$

③ $C + AZ_{ts}$

④ $CD + CA$

해설

$$\begin{pmatrix} A_0 & B_0 \\ C_0 & D_0 \end{pmatrix} = \begin{pmatrix} 1 & Z_{ts} \\ 0 & 1 \end{pmatrix} \begin{pmatrix} A & B \\ C & D \end{pmatrix} \begin{pmatrix} 1 & Z_{tr} \\ 0 & 1 \end{pmatrix}$$

$$= \begin{pmatrix} A + CZ_{ts} & B + DZ_{ts} \\ C & D \end{pmatrix} \begin{pmatrix} 1 & Z_{tr} \\ 0 & 1 \end{pmatrix}$$

$$= \begin{pmatrix} A + CZ_{ts} & AZ_{tr} + CZ_{ts}Z_{tr} + B + DZ_{ts} \\ C & CZ_{tr} + D \end{pmatrix}$$

$A_0 = A + CZ_{ts}$

$B_0 = B + AZ_{tr} + DZ_{ts} + CZ_{ts}Z_{tr}$

$C_0 = C$

$D_0 = D + CZ_{tr}$

43 그림과 같이 정수가 서로 같은 평행 2회선 송전선로의 4단자 정수 중 B에 해당되는 것은?

[2016년 2회 기사]

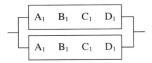

① $4B_1$

② $2B_1$

③ $\dfrac{1}{2}B_1$

④ $\dfrac{1}{4}B_1$

해설 $A=A,\ B=\dfrac{1}{2}B,\ C=2C,\ D=D$

44 일반회로 정수가 같은 평행 2회선에서 A, B, C, D는 각각 1회선의 경우의 몇 배로 되는가?

[2020년 1, 2회 기사]

① A : 2배, B : 2배, C : $\dfrac{1}{2}$배, D : 1배

② A : 1배, B : 2배, C : $\dfrac{1}{2}$배, D : 1배

③ A : 1배, B : $\dfrac{1}{2}$배, C : 2배, D : 1배

④ A : 1배, B : $\dfrac{1}{2}$배, C : 2배, D : 2배

해설 43번 해설 참조

45 송전선의 특성임피던스와 전파정수는 어떤 시험으로 구할 수 있는가?

[2019년 2회 기사]

① 뇌파시험

② 정격부하시험

③ 절연강도 측정시험

④ 무부하시험과 단락시험

해설
- 특성임피던스 $Z_0=\sqrt{\dfrac{Z}{Y}}$, 전파정수 $\gamma=\sqrt{YZ}$
- 무부하시험에서 Y를 구하고, 단락시험에서는 Z를 구하여 특성임피던스와 전파정수를 구할 수 있다.

46 일반회로 정수가 A, B, C, D이고 송전단 상전압이 E_s인 경우 무부하 시 송전단의 충전전류 (송전단 전류)는?

[2012년 3회 기사 / 2019년 1회 산업기사]

① CE_s

② ACE_s

③ $\dfrac{A}{C}E_s$

④ $\dfrac{C}{A}E_s$

해설 **전송파라미터의 4단자 정수**

$E_S = AE_R + BI_R$, $I_S = CE_R + DI_R$

무부하 시 $I_R = 0$이므로

$E_S = AE_R + BI_R$에서 $E_S = AE_R \rightarrow E_R = \dfrac{1}{A}E_S$

$I_S = CE_R + DI_R$에서 $I_S = CE_R = \dfrac{C}{A}E_S$

---

47 일반회로 정수가 A, B, C, D이고 송전단 전압이 E_S인 경우 무부하 시 수전단 전압은?

[2019년 2회 기사]

① $\dfrac{E_S}{A}$

② $\dfrac{E_S}{B}$

③ $\dfrac{A}{C}E_S$

④ $\dfrac{C}{A}E_S$

해설 $E_S = AE_R + BI_R$에서 무부하 시 $I_R = 0$이므로

$E_S = AE_R$

$\therefore E_R = \dfrac{E_S}{A}$

---

48 4단자 정수 $A = D = 0.8$, $B = j1.0$인 3상 송전선로에 송전단 전압 160[kV]를 인가할 때 무부하 시 수전단 전압은 몇 [kV]인가?

[2017년 3회 기사]

① 154

② 164

③ 180

④ 200

해설 $E_s = AE_R + BI_R$

무부하 시 $I_R = 0$

$\therefore E_R = \dfrac{E_s}{A} = \dfrac{160}{0.8} = 200[\text{kV}]$

49 4단자 정수 $A = 0.9918 + j0.0042$, $B = 34.17 + j50.38$, $C = (-0.006 + j3247) \times 10^{-4}$ 인 송전선로의 송전단에 66[kV]를 인가하고 수전단을 개방하였을 때 수전단 선간전압은 약 몇 [kV]인가?   [2020년 1, 2회 기사]

① $\dfrac{66.55}{\sqrt{3}}$ ② 62.5

③ $\dfrac{62.5}{\sqrt{3}}$ ④ 66.55

해설 $V_s = A V_R + B I_R$에서 수전단 개방이므로 $I_R = 0$

$V_R = \dfrac{V_s}{A} = \dfrac{66}{0.9918 + j0.0042} = 66.544 - j0.2817$

$\quad = \sqrt{66.544^2 + 0.2817^2} \fallingdotseq 66.55[\text{kV}]$

50 장거리 송전선로는 일반적으로 어떤 회로로 취급하여 회로를 해석하는가?
[2012년 2회 기사 / 2017년 2회 산업기사 / 2017년 3회 기사]

① 분산부하회로   ② 집중정수회로
③ 분포정수회로   ④ 특성임피던스회로

해설 • 단거리선로(수[km]) : R, L 적용
     – 집중정수회로, $R > X$
   • 중거리선로(수십[km]) : R, L, C 적용
     – 집중정수회로
   • 장거리선로(100[km] 이상) : R, L, C, G 적용
     – 분포정수회로, $R < X$

51 선로의 특성임피던스에 관한 내용으로 옳은 것은?   [2018년 3회 산업기사 / 2021년 3회 기사]

① 선로의 길이에 관계없이 일정하다.
② 선로의 길이가 길어질수록 값이 커진다.
③ 선로의 길이가 길어질수록 값이 작아진다.
④ 선로의 길이보다는 부하전력에 따라 값이 변한다.

해설 특성임피던스는 가공전선로의 길이와 관계없이 일정하며 일반적으로 300~500[Ω] 정도이다.
지중전선로(케이블) 120[Ω]

52 서울과 같이 부하밀도가 큰 지역에서는 일반적으로 변전소의 수와 배전거리를 어떻게 결정하는 것이 좋은가?

[2016년 2회 산업기사]

① 변전소의 수를 감소하고 배전거리를 증가한다.
② 변전소의 수를 증가하고 배전거리를 감소한다.
③ 변전소의 수를 감소하고 배전거리를 감소한다.
④ 변전소의 수를 증가하고 배전거리를 증가한다.

해설 배전거리를 줄여 리액턴스를 줄여서 전압강하를 방지한다(변전소의 수는 증가).

53 장거리 송전선로의 4단자 정수(A, B, C, D) 중 일반식으로 잘못 표기한 것은?

[2018년 2회 산업기사]

① $A = \cosh \sqrt{ZY}$

② $B = \sqrt{\dfrac{Z}{Y}} \sinh \sqrt{ZY}$

③ $C = \sqrt{\dfrac{Z}{Y}} \sinh \sqrt{ZY}$

④ $D = \cosh \sqrt{ZY}$

해설

$E_s = \cosh rl E_r + Z_0 \sinh rl I_r$

$I_s = \dfrac{1}{Z_0} \sinh rl E_r + \cosh rl I_r$

$\begin{bmatrix} A & B \\ C & D \end{bmatrix} = \begin{bmatrix} \cosh rl & Z_0 \sinh rl \\ \dfrac{1}{Z_0} \sinh rl & \cosh rl \end{bmatrix}$

$A = \cosh \sqrt{ZY}$

$B = \sqrt{\dfrac{Z}{Y}} \sinh \sqrt{ZY}$

$C = \sqrt{\dfrac{Y}{Z}} \sinh \sqrt{ZY}$

$D = \cosh \sqrt{ZY}$

54 3상 3선식 1선 1[km]의 임피던스가 Z[Ω]이고, 어드미턴스가 Y[℧]일 때 특성임피던스는?

[2017년 1회 산업기사]

① $\sqrt{\dfrac{Z}{Y}}$

② $\sqrt{\dfrac{Y}{Z}}$

③ $\sqrt{ZY}$

④ $\sqrt{Z+Y}$

해설 특성임피던스 $Z_0 = \sqrt{\dfrac{Z}{Y}} = \sqrt{\dfrac{R+j\omega L}{G+j\omega C}}$ 에서

무손실 선로 $R = G = 0$

∴ 특성임피던스 $Z_0 = \sqrt{\dfrac{Z}{Y}} = \sqrt{\dfrac{L}{C}}$

55 가공전선로의 작용인덕턴스를 L[H], 작용정전용량을 C[F], 사용전원의 주파수를 f[Hz]라 할 때 선로의 특성임피던스는?(단, 저항과 누설컨덕턴스는 무시한다)

[2013년 2회 산업기사 / 2014년 1회 산업기사 / 2015년 3회 산업기사 / 2019년 3회 기사]

① $\sqrt{\dfrac{C}{L}}$

② $\sqrt{\dfrac{L}{C}}$

③ $\sqrt{LC}$

④ $2\pi f L - \dfrac{1}{2\pi f C}$

해설 54번 해설 참조

56 수전단을 단락한 경우 송전단에서 본 임피던스가 330[Ω]이고, 수전단을 개방한 경우 송전단에서 본 어드미턴스가 1.875×10^{-3}[℧]일 때 송전단의 특성임피던스는 약 몇 [Ω]인가?

[2019년 1회 기사]

① 120

② 220

③ 320

④ 420

해설 $Z_0 = \sqrt{\dfrac{Z}{Y}} = \sqrt{\dfrac{330}{1.875 \times 10^{-3}}} \fallingdotseq 420\,[\Omega]$

54 ① 55 ② 56 ④ **정답**

57 수전단을 단락한 경우 송전단에서 본 임피던스 300[Ω]이고 수전단을 개방한 경우에는 1,200 [Ω]이었다. 이 선로의 특성임피던스는?

[2013년 1회 기사 / 2017년 2회 산업기사]

① 600[Ω]

② 900[Ω]

③ 1,200[Ω]

④ 1,500[Ω]

 해설

$$Z_0 = \sqrt{\frac{Z}{Y}} = \sqrt{\frac{300}{\frac{1}{1,200}}} = 600[\Omega]$$

58 어떤 가공선의 인덕턴스가 1.6[mH/km]이고 정전용량이 0.008[μF/km]일 때 특성임피던스는 약 몇 [Ω]인가?

[2016년 2회 산업기사]

① 128

② 224

③ 345

④ 447

해설

특성임피던스 $Z_0 = \sqrt{\frac{Z}{Y}} = \sqrt{\frac{R+j\omega L}{G+j\omega C}}$ 에서

무손실 선로 $R = G = 0$

∴ 특성임피던스 $Z_0 = \sqrt{\frac{Z}{Y}} = \sqrt{\frac{L}{C}}$

$$= \sqrt{\frac{1.6 \times 10^{-3}}{0.008 \times 10^{-6}}} \fallingdotseq 447[\Omega]$$

59 파동임피던스가 300[Ω]인 가공송전선 1[km]당의 인덕턴스[mH/km]는?(단, 저항과 누설컨덕 턴스는 무시한다)

[2014년 2회 기사 / 2017년 3회 산업기사]

① 1.0

② 1.2

③ 1.5

④ 1.8

해설 **파동임피던스**

$$Z_0 = \sqrt{\frac{L}{C}} = 138 \log_{10}\frac{D}{r} \fallingdotseq 300[\Omega] 에서$$

$$\log_{10}\frac{D}{r} = \frac{300}{138} = 2.17$$

작용인덕턴스

$$L = 0.4605\log\frac{D}{r} = 0.4605 \times 2.17 \fallingdotseq 0.999 \fallingdotseq 1.0[\text{mH/km}]$$

정답 57 ① 58 ④ 59 ①

60 송전선의 특성임피던스를 Z_0, 전파속도를 V라 할 때, 이 송전선의 단위길이에 대한 인덕턴스 L은?

[2019년 1회 산업기사]

① $L = \dfrac{V}{Z_0}$

② $L = \dfrac{Z_0}{V}$

③ $L = \dfrac{Z_0^2}{V}$

④ $L = \sqrt{Z_0}\,V$

해설

특성임피던스 $Z_0 = \sqrt{\dfrac{L}{C}}$, $V = \dfrac{1}{\sqrt{LC}}$

$\therefore\ L = \dfrac{Z_0}{V}$

---

61 30,000[kW]의 전력을 51[km] 떨어진 지점에 송전하는 데 필요한 전압은 약 몇 [kV]인가?(단, Still의 식에 의하여 산정한다)

[2020년 1, 2회 기사 / 2020년 3회 산업기사]

① 22

② 33

③ 66

④ 100

해설

Still 식 $V_s = 5.5\sqrt{0.6l + \dfrac{P}{100}} = 5.5\sqrt{0.6 \times 51 + \dfrac{30,000}{100}} = 100[\text{kV}]$

여기서, l : 송전거리[km]

P : 송전전력[kW]

---

62 154[kV] 송전선로에서 송전거리가 154[km]라 할 때, 송전용량계수법에 의한 송전용량은 몇 [kW]인가?(단, 송전용량계수는 1,200으로 한다)

[2013년 2회 산업기사 / 2015년 3회 기사]

① 61,600

② 92,400

③ 123,200

④ 184,800

해설 **송전용량계수법**

$P = k\dfrac{V_r^2}{l}[\text{kW}] = 1,200 \times \dfrac{154^2}{154} = 184,800[\text{kW}]$

여기서, $V_r[\text{kV}]$: 수전단 선간전압

$l[\text{km}]$: 송전거리

송전용량계수 k는 보통 140[kV]를 초과하기 때문에 1,200으로 선정한다.

60 ② 61 ④ 62 ④ **정답**

63 교류송전에서는 송전거리가 멀어질수록 동일 전압에서의 송전 가능 전력이 적어진다. 그 이유로 가장 알맞은 것은?

[2017년 3회 산업기사]

① 표피효과가 커지기 때문이다.
② 코로나 손실이 증가하기 때문이다.
③ 선로의 어드미턴스가 커지기 때문이다.
④ 선로의 유도성 리액턴스가 커지기 때문이다.

해설 $P = \dfrac{E_S E_R}{X} \sin\delta$ 에서와 같이 선로의 유도리액턴스가 커지기 때문에 송전 가능 전력은 적어진다.

64 단거리 송전선로에서 정상상태 유효전력의 크기는?

[2019년 1회 산업기사]

① 선로리액턴스 및 전압위상차에 비례한다.
② 선로리액턴스 및 전압위상차에 반비례한다.
③ 선로리액턴스에 반비례하고 상차각에 비례한다.
④ 선로리액턴스에 비례하고 상차각에 반비례한다.

해설 $P_S = \dfrac{E_S E_R}{X} \sin\delta$

∴ 선로리액턴스에 반비례하고 상차각에 비례한다.

65 그림과 같은 2기 계통에 있어서 발전기에서 전동기로 전달되는 전력 P는?(단, $X = X_G + X_L + X_M$이고 E_G, E_M은 각각 발전기 및 전동기의 유기기전력, δ는 E_G와 E_M 간의 상차각이다)

[2019년 2회 기사]

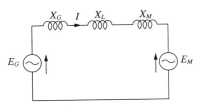

① $P = \dfrac{E_G}{XE_M}\sin\delta$

② $P = \dfrac{E_G E_M}{X}\sin\delta$

③ $P = \dfrac{E_G E_M}{X}\cos\delta$

④ $P = XE_G E_M \cos\delta$

해설 전력 $P = \dfrac{E_G E_M}{X}\sin\delta$

66 송전단 전압 161[kV], 수전단 전압 155[kV], 상차각 40°, 리액턴스가 49.8[Ω]일 때 선로손실을 무시한다면 전송전력은 약 몇 [MW]인가?

[2019년 3회 산업기사]

① 289

② 322

③ 373

④ 869

해설 $P_s = \dfrac{E_S E_R}{X}\sin\delta = \dfrac{161 \times 155}{49.8}\sin 40° ≒ 322.1[\text{MW}]$

67 송전단 전압 161[kV], 수전단 전압 154[kV], 상차각 35°, 리액턴스 60[Ω]일 때 선로손실을 무시하면 전송전력[MW]은 약 얼마인가?

[2022년 2회 기사]

① 356

② 307

③ 237

④ 161

해설 $P_S = \dfrac{E_S E_R}{X}\sin\delta = \dfrac{161 \times 154}{60} \times \sin 35° ≒ 237[\text{MW}]$

68 송전단 전압을 V_s, 수전단 전압을 V_r, 선로의 직렬리액턴스를 X라 할 때 이 선로에서 최대 송전전력은?(단, 선로저항은 무시한다) [2013년 1회 산업기사 / 2017년 2회 기사 / 2021년 2회 기사]

① $\dfrac{V_s V_r}{X}$ ② $\dfrac{V_s^2 - V_r^2}{X}$

③ $\dfrac{V_s V_r}{X^2}$ ④ $\dfrac{V_s^2 V_r^2}{X}$

해설 교류송전에서 거리가 멀어지면 선로정수가 증가한다. 저항과 정전용량은 거의 무시되고, 인덕턴스의 영향에 의해 송전전력이 결정된다.
- 장거리 고압송전선로 : $X \gg R$(무시)
- 송전전력 $P = V_r I \cos\theta = \dfrac{V_s V_r}{X} \sin\delta[\text{MW}]$

  최대송전조건 : $\sin\delta = 1$, $P = \dfrac{V_s V_r}{X}[\text{MW}]$

69 송, 수전단 전압을 E_S, E_R이라하고 4단자 정수를 A, B, C, D라 할 때 전력원선도의 반지름은? [2019년 3회 산업기사]

① $\dfrac{E_S E_R}{A}$ ② $\dfrac{E_S^2 E_R^2}{A}$

③ $\dfrac{E_S E_R}{B}$ ④ $\dfrac{E_S^2 E_R^2}{B}$

해설 $P_S = \dfrac{E_S E_R}{X} \sin\delta[\text{MW}]$

$\delta = 90°$일 때 정태안정 극한전력 $P_m = \dfrac{E_S E_R}{X}(\sin\delta = 1) = \dfrac{E_S E_R}{B}$(전력원선도의 반지름)

70 전력원선도의 가로축과 세로축은 각각 어느 것을 나타내는가?

[2012년 3회 산업기사 / 2017년 1회 산업기사 / 2019년 1회 산업기사 / 2021년 1회 기사]

① 전압과 전류
② 전압과 역률
③ 전류와 유효전력
④ 유효전력과 무효전력

해설 **전력원선도**
- 작성 시 필요한 값 : 송·수전단 전압, 일반회로 정수(A, B, C, D)
- 가로축 : 유효전력, 세로축 : 무효전력
- 구할 수 있는 값 : 최대출력, 조상설비용량, 4단자 정수에 의한 손실, 송·수전 효율 및 전압, 선로의 일반회로 정수
- 구할 수 없는 값 : 과도안정 극한전력, 코로나 손실, 사고값

71 전력계통의 전압안정도를 나타내는 $P-V$ 곡선에 대한 설명 중 적합하지 않은 것은?

[2017년 2회 산업기사]

① 가로축은 수전단 전압을, 세로축은 무효전력을 나타낸다.
② 진상무효전력이 부족하면 전압은 안정되고 진상무효전력이 과잉되면 전압은 불안정하게 된다.
③ 전압 불안정 현상이 일어나지 않도록 전압을 일정하게 유지하려면 무효전력을 적절하게 공급하여야 한다.
④ $P-V$ 곡선에서 주어진 역률에서 전압을 증가시키더라도 송전할 수 있는 최대전력이 존재하는 임계점이 있다.

해설 70번 해설 참조

72 수전단의 전력원 방정식이 $P_r^2 + (Q_r + 400)^2 = 250,000$으로 표현되는 전력계통에서 가능한 최대로 공급할 수 있는 부하전력(P_r)과 이때 전압을 일정하게 유지하는 데 필요한 무효전력(Q_r)은 각각 얼마인가?

[2016년 3회 기사 / 2020년 3회 기사]

① $P_r = 500$, $Q_r = -400$ ② $P_r = 400$, $Q_r = 500$

③ $P_r = 300$, $Q_r = 100$ ④ $P_r = 200$, $Q_r = -300$

해설   최대로 공급할 수 있는 부하전력은 무효분이 없어야 되므로
$Q_r = -400$, $P_r = 500(500^2 = 250,000)$

73 수전단의 전력원 방정식이 $P_r^2 + (Q_r + 400)^2 = 250,000$으로 표현되는 전력계통에서 조상설비 없이 전압을 일정하게 유지하면서 공급할 수 있는 부하전력은?(단, 부하는 무유도성이다)

[2020년 1, 2회 기사]

① 200   ② 250

③ 300   ④ 350

해설 $P_r^2 + (Q_r + 400)^2 = 250,000$
조상설비 없이 전압을 일정 유지하면서 공급하므로
$P_r^2 = 250,000 - 400^2$
$P_r = \sqrt{250,000 - 400^2} = 300$

74 전력원선도에서 구할 수 없는 것은?   [2012년 2회 기사 / 2016년 2회 산업기사 / 2020년 4회 기사]

① 송·수전할 수 있는 최대전력
② 필요한 전력을 보내기 위한 송·수전단 전압 간의 상차각
③ 선로 손실과 송전 효율
④ 과도극한전력

해설   **전력원선도**
- 작성 시 필요한 값 : 송·수전단 전압, 일반회로 정수(A, B, C, D)
- 가로축 : 유효전력, 세로축 : 무효전력
- 구할 수 있는 값 : 최대출력, 조상설비용량, 4단자 정수에 의한 손실, 송·수전 효율 및 전압, 선로의 일반회로 정수
- 구할 수 없는 값 : 과도안정 극한전력, 코로나 손실, 사고값

75 다음 중 전력원선도에서 알 수 없는 것은? [2013년 2회 기사 / 2019년 3회 기사]

① 전 력 ② 조상기 용량
③ 손 실 ④ 코로나 손실

> **해설** **전력원선도**
> • 작성 시 필요한 값 : 송·수전단 전압, 일반회로 정수(A, B, C, D)
> • 가로축 : 유효전력, 세로축 : 무효전력
> • 구할 수 있는 값 : 최대출력, 조상설비용량, 4단자 정수에 의한 손실, 송·수전 효율 및 전압, 선로의 일반회로 정수
> • 구할 수 없는 값 : 과도안정 극한전력, 코로나 손실, 사고값

76 컴퓨터에 의한 전력조류계산에서 슬랙(Slack)모선의 지정값은?(단, 슬랙모선을 기준모선으로 한다) [2016년 3회 기사 / 2021년 2회 기사]

① 유효전력과 무효전력
② 모선전압의 크기와 유효전력
③ 모선전압의 크기와 무효전력
④ 모선전압의 크기와 모선전압의 위상각

> **해설** **전력조류계산**
> 계통의 사고 예방제어, 계통의 운용 계획 입안, 계통의 확충 계획 입안, 슬랙모선의 지정값은 모선전압의 크기와 모선전압의 위상각으로 지정

75 ④ 76 ④ **정답**

안정도

1. 안정도의 정의

전력계통에서 주어진 조건하에서 안정하게 운전을 계속할 수 있는 능력 → 정격전압 유지(전압조정)

2. 안정도의 종류

(1) **정태안정도** : 정상운전 시 안정운전 지속 능력(부하가 서서히 증가할 때의 극한전력)

(2) **동태안정도** : AVR에 의한 (속응여자방식)안정운전 향상 능력

(3) **과도안정도** : 부하 급변 시, 고장 시 안정운전 지속 능력(부하가 갑자기 사고 났을 때의 극한전력) → 송전선로에서는 재폐로방식 채용

3. 정태안정도

(1) **발전기 쪽**

 ① 동기리액턴스를 작게 한다(발전기 2대 이상 병렬운전). → X_S(작다) → I_S(크다) → K_S(크다) → ε(작다)

 ② 자동전압조정기 → 속응여자방식을 채용

 ③ 난조 방지

  ㉠ 조속기의 감도를 둔감하게 한다.

  ㉡ 플라이휠 효과 이용 → 관성모멘트를 크게 한다.

  ㉢ 제동권선을 설치한다.

(2) 송전선로 쪽

① 복도체 방식 채용

② 병행 2회선 방식(다회선 방식) 채용

③ 송전선로의 전압조정(조상설비 채용)

※ 조상설비 : 무효분을 조정하여 전압조정 설비

㉠ V(큼) : 동기조상기(무부하로 운전 중인 동기전동기)

- 조정 : 진상, 지상(연속에 양용)
- P_l : 크다.
- 용량증설 : 어렵다.
- 시송전 : 가능하다.

㉡ V(작음) : 전력용 콘덴서(병렬콘덴서, 정전축전지, Static Condenser)

- 조정 : 진상(불연속에 계단적)
- P_l : 작다.
- 용량증설 : 쉽다.
- 시송전 : 불가능하다.

※ 동기조상기

		발전기 역률 개선 : 동기조상기
전기사업자	특정사업자 : 발전소(발생)	양수식 발전소 : 동기전동기
	일반 전기사업자 : 송전선로(운반)	

※ 송전선로

- 부하증가 시 : 선로에 직렬로 연결 → 직렬콘덴서(선로의 유도리액턴스를 보상하여 전압강하를 줄인다)

$$e = \sqrt{3}\,I\,(R\cos\theta + (X_L - X_C)\sin\theta)$$

- 부하감소 시(경, 무부하 시, 정전용량(C)만의 회로) : 전위상승

전위상승 억제 → 선로에 병렬로 연결 : 분로(병렬)리액터 → 페란티 현상 방지

(3) 배전선로

① 6.6[kV] 배전선로 : 승압기 → 배전선로 중간에 설치하여 말단의 전압강하 방지

② 22.9[kV] 배전선로 : 유도전압조정기 → 최근 부하변동이 심한 곳, 배전선로 전체의 전압강하 방지

※ 22.9[kV] 변전소 → 부하 시 탭 절환 변압기

③ 주상 변압기 탭 조정기

(4) 수용가 : 전력용 콘덴서(S · C) : 앞선 무효전력을 공급

$X(\theta)$ 작음 → 역률 개선(전압강하 작음 → 정격전압 유지)

① 설비 규정

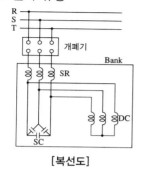

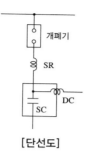

[복선도]　　　　　　　　　[단선도]

② 개폐기

　　㉠ 100[kVA] 이상 : 교류차단기 CB(52)

　　　　• 과전류 계전기(OCR) : 51

　　　　• 과전압 계전기(OVR) : 59

　　　　• 부족전압 계전기(UVR) : 27

　　㉡ 50~100[kVA] 미만 : OS(유입 개폐기)

　　㉢ 30~50[kVA] 미만 : COS(컷아웃 스위치)

　　㉣ 30[kVA] 미만 : DS(단로기)-89

③ Bank(군)수 결정 : 300[kVA] 마다 1군씩 분할

　　㉠ 1군 : 1~300[kVA]

　　㉡ 2군 : 301~600[kVA]

　　㉢ 3군 : 601~900[kVA]

　　예 550[kVA] → 2군

④ Bank의 3요소

고조파 제거방법	발전기	분포권 : 3고조파 제거		
		단절권 : 5고조파 제거		
	변압기 : 분할권선 채용(50[%] 감소)	고 압	△결선(3고조파 제거)	
			직렬리액터(5고조파 제거)	
		저압 : UPS 설치		

㉠ 직렬리액터(SR) : 5고조파를 제거하여 전압의 파형 개선

제거 : $L-C$ 병렬관계(병렬공진)

$$n\omega L = \frac{1}{n\omega C}(n=5)$$

$$5\times 2\pi f L = \frac{1}{5\times 2\pi f C}$$

$$\omega L = \frac{1}{25\omega C}$$

$$\therefore X_L = 0.04X_C(\text{이론상} : 4[\%],\ \text{실제} : 5\sim6[\%])$$

㉡ 방전코일(DC) : 전원개방 시 잔류전하를 방전하여 인체의 감전사고 방지(전원 재투입 시 과전압 발생 방지)

㉢ 전력용 콘덴서(SC) : 부하의 역률 개선

• 역률
  – 정의 : 전압과 전류의 위상차
  – 원리 : 전류가 전압보다 위상이 앞서므로
  – 평균역률 : 90~95[%]
    ⓐ 전압 강하가 작다.
    ⓑ 전력 손실이 감소한다.
    ⓒ 전기요금이 절약된다.
    ⓓ 설비이용률이 증가된다.

• $\cos\theta = \dfrac{P[\text{kW}]}{P_a[\text{kVA}]}\times 100[\%]$

여기서, P_a : 피상전력[kVA]

$\quad\quad\quad P$: 유효전력[kW]

$\quad\quad\quad \cos\theta$: 역률

• $Q_C = P(\tan\theta_1 - \tan\theta_2) = P\left(\dfrac{\sin\theta_1}{\cos\theta_1} - \dfrac{\sin\theta_2}{\cos\theta_2}\right)$

$\quad\quad = P\left(\dfrac{\sqrt{1-\cos^2\theta_1}}{\cos\theta_1} - \dfrac{\sqrt{1-\cos^2\theta_2}}{\cos\theta_2}\right)$

여기서, Q_c : 콘덴서용량([kVA]=[kVar])

$\quad\quad\quad P$: 유효전력

$\quad\quad\quad \theta_1$: 개선 전 위상

$\quad\quad\quad \theta_2$: 개선 후 위상

(5) 송전방식

① 직류송전방식의 장단점

ㄱ 장 점

- 절연 계급을 낮출 수 있다.
- 리액턴스가 없으므로 리액턴스에 의한 전압강하가 없다.
- 송전효율이 좋다.
- 안정도가 좋다.
- 도체이용률이 좋다.

ㄴ 단 점

- 교·직 변환장치가 필요하며 설비가 비싸다.
- 고전압 대전류 차단이 어렵다.
- 회전자계를 얻을 수 없다.

② 교류송전방식의 장단점

ㄱ 장 점

- 전압의 승압·강압 변경이 용이하다.
- 회전자계를 쉽게 얻을 수 있다.
- 일괄된 운용을 기할 수 있다.

ㄴ 단 점

- 보호방식이 복잡해진다.
- 많은 계통이 연계되어 있어 고장 시 복구가 어렵다.
- 무효전력으로 인한 송전손실이 크다.

핵 / 심 / 예 / 제

01 전력계통에서 안정도의 종류에 속하지 않는 것은? [2017년 1회 산업기사 / 2022년 2회 기사]

① 상태안정도 ② 정태안정도

③ 과도안정도 ④ 동태안정도

> **해설**
> • 정태안정도 : 정상운전 시(부하가 서서히 증가할 때 극한전력)
> • 동태안정도 : AVR(자동전압조정기) 등 안전하게 운전
> • 과도안정도 : 사고 시(부하가 갑자기 사고 시 증가할 때 극한전력)

02 발전기의 정태안정 극한전력이란? [2015년 1회 산업기사 / 2020년 3회 산업기사]

① 부하가 서서히 증가할 때의 극한전력

② 부하가 갑자기 크게 변동할 때의 극한전력

③ 부하가 갑자기 사고가 났을 때의 극한전력

④ 부하가 변하지 않을 때의 극한전력

> **해설**
> • 정태안정도 : 부하를 서서히 증가할 경우 계속해서 송전할 수 있는 능력으로, 이때의 최대전력을 정태안정 극한전력이라 함
> • 과도안정도 : 계통에 갑자기 부하가 증가하여 급격한 교란이 발생해도 정전을 일으키지 않고 계속해서 공급할 수 있는 최댓값
> • 동태안정도 : 자동전압조정기(AVR)의 효과 등을 고려한 안정도
> • 동기안정도 : 전력계통에서의 안정도란 주어진 운전조건하에서 계통이 안전하게 운전을 계속할 수 있는가의 능력

03 전력계통 안정도는 외란의 종류에 따라 구분되는데, 송전선로에서의 고장, 발전기 탈락과 같은 큰 외란에 대한 전력계통의 동기운전 가능 여부로 판정되는 안정도는?

[2018년 3회 산업기사 / 2021년 1회 기사]

① 과도안정도 ② 정태안정도

③ 전압안정도 ④ 미소신호안정도

> **해설**
> • 정태안정도 : 정상운전 시(부하가 서서히 증가할 때 극한전력)
> • 동태안정도 : AVR(자동전압조정기) 등 안전하게 운전
> • 과도안정도 : 사고 시(부하가 갑자기 사고 시 증가할 때 극한전력)

01 ① 02 ① 03 ① **정답**

04 발전소의 발전기 정격전압[kV]으로 사용되는 것은?　　　　　　　[2019년 3회 산업기사]

① 6.6
② 33
③ 66
④ 154

해설　일반적으로 출력이 2,500[kW] 초과 5,000[kW]까지는 6.6[kV] 또는 11[kV]를 사용함

05 전력계통에 과도안정도 향상대책과 관련 없는 것은?　　　　　　　[2017년 3회 산업기사]

① 빠른 고장 제거
② 속응여자시스템 사용
③ 큰 임피던스의 변압기 사용
④ 병렬 송전선로의 추가 건설

해설　**안정도 향상대책**
- 발전기
  - 동기리액턴스 감소(단락비 크게, 전압변동률 작게)
  - 속응여자방식 채용
  - 제동권선 설치(난조 방지)
  - 조속기 감도 둔감
- 송전선
  - 리액턴스 감소
  - 복도체(다도체) 채용
  - 병행 2회선 방식
  - 중간조상방식
  - 고속도 재폐로방식 채택 및 고속 차단기 설치

06 전력계통의 전압을 조정하는 가장 보편적인 방법은?　　　　　　　[2015년 1회 기사 / 2021년 2회 기사]

① 발전기의 유효전력 조정
② 부하의 유효전력 조정
③ 계통의 주파수 조정
④ 계통의 무효전력 조정

해설　**전력계통의 조정**
- P-F Control : 유효전력은 주파수로 제어(거버너 밸브를 통해 유효전력을 조정)
- Q-V Control : 무효전력은 전압으로 제어

정답　04 ①　05 ③　06 ④

07 차단기에서 고속도 재폐로의 목적은? [2014년 3회 기사 / 2018년 1회 기사]

① 안정도 향상 ② 발전기 보호

③ 변압기 보호 ④ 고장전류 억제

해설 **안정도 향상대책**
- 발전기
  - 동기리액턴스 감소(단락비 크게, 전압변동률 작게)
  - 속응여자방식 채용
  - 제동권선 설치(난조 방지)
  - 조속기 감도 둔감
- 송전선
  - 리액턴스 감소
  - 복도체(다도체) 채용
  - 병행 2회선 방식
  - 중간조상방식
  - 고속도 재폐로방식 채택 및 고속 차단기 설치

08 발전기의 단락비가 작은 경우의 현상으로 옳은 것은? [2016년 3회 기사]

① 단락전류가 커진다.

② 안정도가 높아진다.

③ 전압변동률이 커진다.

④ 선로를 충전할 수 있는 용량이 증가한다.

해설 **안정운전** : 동기리액턴스↓, 단락전류↑, 단락비↑, 전압변동률↓

09 교류발전기의 전압조정 장치로 속응 여자방식을 채택하는 이유로 틀린 것은? [2022년 1회 기사]

① 전력계통에 고장이 발생할 때 발전기의 동기화력을 증가시킨다.

② 송전계통의 안정도를 높인다.

③ 여자기의 전압 상승률을 크게 한다.

④ 전압조정용 탭의 수동변환을 원활히 하기 위함이다.

해설 발전기에서 자동전압조정을 하기 위해 속응여자방식을 채용

10 수차발전기가 난조를 일으키는 원인은?

[2019년 1회 산업기사]

① 수차의 조속기가 예민하다.
② 수차의 속도변동률이 적다.
③ 발전기의 관성모멘트가 크다.
④ 발전기의 자극에 제동권선이 있다.

해설
- 조속기가 예민한 경우 : 난조를 발생하고 심하면 탈조를 일으킨다.
- 방지법 : 발전기의 관성모멘트를 크게 하거나 제동권선을 사용한다.

11 조속기의 폐쇄시간이 짧을수록 옳은 것은?

[2017년 3회 기사 / 2020년 3회 기사]

① 수격작용은 작아진다.
② 발전기의 전압상승률은 커진다.
③ 수차의 속도변동률은 작아진다.
④ 수압관 내의 수압상승률은 작아진다.

해설
출력의 증감에 무관하게 수차의 회전수를 일정하게 유지하기 위하여는 출력의 변화에 따라서 수차의 유량을 조정하지 않으면 안 된다. 폐쇄시간이 짧을수록 수차의 속도변동률은 작아진다.

12 수차발전기에 제동권선을 설치하는 주된 목적은?

[2017년 2회 기사]

① 정지시간 단축
② 회전력의 증가
③ 과부하 내량의 증대
④ 발전기 안정도의 증진

해설
안정도 향상대책
- 발전기
  - 동기리액턴스 감소(단락비 크게, 전압변동률 작게)
  - 속응여자방식 채용
  - 제동권선 설치(난조 방지)
  - 조속기 감도 둔감
- 송전선
  - 리액턴스 감소
  - 복도체(다도체) 채용
  - 병행 2회선 방식
  - 중간조상방식
  - 고속도 재폐로방식 채택 및 고속 차단기 설치
  ※ 전력 → 안정도 향상, 기계 → 난조 방지

전기공사 기사·산업기사 •••

13 초고압 송전계통에 단권 변압기가 사용되는데 그 이유로 볼 수 없는 것은? [2017년 1회 기사]

① 효율이 높다.
② 단락전류가 작다.
③ 전압변동률이 작다.
④ 자로가 단축되어 재료를 절약할 수 있다.

해설 $\uparrow I_s = \dfrac{E}{Z\downarrow}$ (단락전류가 크다, 효율이 높다, 전압변동률이 작다)

14 조상설비가 있는 1차 변전소에서 주변압기로 주로 사용되는 변압기는?

[2015년 2회 산업기사 / 2020년 3회 산업기사]

① 승압용 변압기　　　　② 단권 변압기
③ 단상 변압기　　　　　④ 3권선 변압기

해설 **설비용량별 3차권선(△결선)의 사용방법**
• 345[kV]의 Y-Y-△(345[kV]-154[kV]-23[kV]) : △결선(3차 권선)은 조상설비를 접속하고 변전소 소내 전원용으로 사용한다.
• 154[kV]의 Y-Y-△(154[kV]-23[kV]-6.6[kV]) : △결선(3차 권선)은 외함에 접지하고 부하를 접지하지 않는 안정권선으로 사용한다.

15 대용량 고전압의 안정권선(△권선)이 있다. 이 권선의 설치 목적과 관계가 먼 것은?

[2018년 1회 기사]

① 고장전류 저감　　　　② 제3고조파 제거
③ 조상설비 설치　　　　④ 소내용 전원 공급

해설 • **1차 변전소 전압 승압 변압기** : Y-Y결선
• **3권선형 변압기** : Y-Y결선 + 3차(안전권선, △결선)
• **△결선** : 제3고조파 제거, 조상설비의 설치, 소내용 전원의 공급

16 송전선로의 안정도 향상대책이 아닌 것은?

[2015년 1회 기사, 산업기사 / 2015년 3회 기사 / 2016년 1회 기사 / 2018년 3회 기사]

① 병행 다회선이나 복도체 방식 채용
② 계통의 직렬리액턴스 증가
③ 속응여자방식 채용
④ 고속도 차단기 이용

> **해설** 안정도 향상대책
> - 발전기
>   - 동기리액턴스 감소(단락비 크게, 전압변동률 작게)
>   - 속응여자방식 채용
>   - 제동권선 설치(난조 방지)
>   - 조속기 감도 둔감
> - 송전선
>   - 리액턴스 감소
>   - 복도체(다도체) 채용
>   - 병행 2회선 방식
>   - 중간조상방식
>   - 고속도 재폐로방식 채택 및 고속 차단기 설치

17 송전계통의 안정도 증진방법에 대한 설명이 아닌 것은?

[2018년 1회 산업기사]

① 전압변동을 작게 한다.
② 직렬리액턴스를 크게 한다.
③ 고장 시 발전기 입·출력의 불평형을 작게 한다.
④ 고장전류를 줄이고 고장구간을 신속하게 차단한다.

> **해설** 16번 해설 참조

18 송전계통의 안정도를 증진시키는 방법은? [2019년 2회 산업기사]

① 중간조상설비를 설치한다.

② 조속기의 동작을 느리게 한다.

③ 계통의 연계는 하지 않도록 한다.

④ 발전기나 변압기의 직렬리액턴스를 가능한 크게 한다.

> **해설** **안정도 향상대책**
> • 발전기
>   − 동기리액턴스 감소(단락비 크게, 전압변동률 작게)
>   − 속응여자방식 채용
>   − 제동권선 설치(난조 방지)
>   − 조속기 감도 둔감
> • 송전선
>   − 리액턴스 감소
>   − 복도체(다도체) 채용
>   − 병행 2회선 방식
>   − 중간조상방식
>   − 고속도 재폐로방식 채택 및 고속 차단기 설치

19 계통의 안전도 증진대책이 아닌 것은? [2020년 3회 기사]

① 발전기나 변압기의 리액턴스를 작게 한다.

② 선로의 회선수를 감소시킨다.

③ 중간조상방식을 채용한다.

④ 고속도 재폐로방식을 채용한다.

> **해설** 18번 해설 참조

18 ① 19 ② **정답**

20 전력계통의 안정도 향상방법이 아닌 것은?

[2017년 1회 기사]

① 선로 및 기기의 리액턴스를 낮게 한다.
② 고속도 재폐로 차단기를 채용한다.
③ 중성점 직접 접지방식을 채용한다.
④ 고속도 AVR을 채용한다.

해설　**안정도 향상대책**
- 발전기
  - 동기리액턴스 감소(단락비 크게, 전압변동률 작게)
  - 속응여자방식 채용
  - 제동권선 설치(난조 방지)
  - 조속기 감도 둔감
- 송전선
  - 리액턴스 감소
  - 복도체(다도체) 채용
  - 병행 2회선 방식
  - 중간조상방식
  - 고속도 재폐로방식 채택 및 고속 차단기 설치
- ※ 중성점 직접 접지방식은 1선 지락 시 전위상승을 억제하여 기기의 절연보호

21 직렬콘덴서를 선로에 삽입할 때의 이점이 아닌 것은?

[2012년 2회 기사 / 2014년 1회 기사 / 2016년 1회 산업기사 / 2021년 3회 기사 / 2022년 2회 기사]

① 선로의 인덕턴스를 보상한다.
② 수전단의 전압변동률을 줄인다.
③ 정태안정도를 증가한다.
④ 수전단의 역률을 개선한다.

해설　**직렬콘덴서의 역할**
- 선로의 인덕턴스 보상
- 수전단의 전압변동률 감소
- 정태안정도 증가
- 선로 역률이 나쁠수록 효과가 크다.
- 부하의 역률을 개선시키는 것은 전력용 콘덴서

22 수전단 전압이 송전단 전압보다 높아지는 현상을 무엇이라 하는가?

[2014년 2회 산업기사 / 2020년 3회 산업기사]

① 옵티마 현상
② 자기여자 현상
③ 페란티 현상
④ 동기화 현상

해설 **페란티 현상** : 선로의 충전전류 때문에 무부하 시 송전단 전압보다 수전단 전압(앞선 충전전류)이 커지는 현상이다. 방지법으로는 분로리액터 설치 및 동기조상기의 지상용량을 공급한다.

23 페란티 현상이 발생하는 주된 원인은?

[2013년 3회 산업기사 / 2014년 1회 산업기사 / 2020년 1, 2회 산업기사]

① 선로의 저항
② 선로의 인덕턴스
③ 선로의 정전용량
④ 선로의 누설콘덕턴스

해설 22번 해설 참조

24 다음 중 페란티 현상의 방지대책으로 적합하지 않은 것은? [2017년 3회 산업기사]

① 선로전류를 지상이 되도록 한다.
② 수전단에 분로리액터를 설치한다.
③ 동기조상기를 부족여자로 운전한다.
④ 부하를 차단하여 무부하가 되도록 한다.

해설 22번 해설 참조

25 송전선로에 충전전류가 흐르면 수전단 전압이 송전단 전압보다 높아지는 현상과 이 현상의 발생원인으로 가장 옳은 것은? [2016년 3회 산업기사]

① 페란티 효과, 선로의 인덕턴스 때문
② 페란티 효과, 선로의 정전용량 때문
③ 근접 효과, 선로의 인덕턴스 때문
④ 근접 효과, 선로의 정전용량 때문

해설 **페란티 현상** : 선로의 충전전류 때문에 무부하 시 송전단 전압보다 수전단 전압(앞선 충전전류)이 커지는 현상이다. 방지법으로는 분로리액터 설치 및 동기조상기의 지상용량을 공급한다.

26 변전소에서 사용되는 조상설비 중 지상용으로만 사용되는 조상설비는? [2018년 2회 산업기사]

① 분로리액터
② 동기조상기
③ 전력용 콘덴서
④ 정지형 무효전력 보상장치

해설 **조상설비의 비교**

구 분	진 상	지 상	시충전	조 정	전력손실
콘덴서	○	×	×	단계적	0.3[%] 이하
리액터	×	○	×	단계적	0.6[%] 이하
동기조상기	○	○	○	연속적	1.5~2.5[%]

27 조상설비가 아닌 것은? [2017년 1회 기사]

① 정지형 무효전력 보상장치
② 자동고장구분개폐기
③ 전력용 콘덴서
④ 분로리액터

해설 **자동고장구분계폐기(ASS)** : 고장전류 차단능력이 있다.

정답 25 ② 26 ① 27 ②

28 조상설비가 아닌 것은? [2017년 3회 산업기사]

① 단권 변압기
② 분로리액터
③ 동기조상기
④ 전력용 콘덴서

해설 조상설비로는 동기조상기, 진상콘덴서, 분로리액터 등이 있다.

29 배전용 변전소의 주변압기로 주로 사용되는 것은? [2021년 2회 기사]

① 강압 변압기
② 체승 변압기
③ 단권 변압기
④ 3권선 변압기

해설 • 1차 변전소 : 체승 변압기
• 나머지 변전소 : 강압 변압기

30 배전용 변전소의 주변압기로 주로 사용되는 것은? [2012년 3회 기사 / 2017년 3회 기사]

① 단권 변압기
② 3권선 변압기
③ 체강 변압기
④ 체승 변압기

해설 • 체승 변압기(승압용, 1차 변전소) : 송전용
• 체강 변압기(강압용) : 배전용

31 배전선로에서 사용하는 전압조정방법이 아닌 것은? [2013년 3회 산업기사 / 2019년 1회 산업기사]

① 승압기 사용
② 저전압계전기 사용
③ 병렬콘덴서 사용
④ 주상변압기 탭 전환

목 적	구 분
전압조정 (정격전압 유지)	• 승압기(단권 변압기) : 말단 전압강하 방지 • 유도전압조정기(AVER) : 부하의 전압변동이 심한 경우 • 주상변압기 탭 조정 • 전력용 콘덴서(SC) : 역률 개선 효과

32 배전선의 전압조정장치가 아닌 것은? [2018년 3회 기사]

① 승압기
② 리클로저
③ 유도전압조정기
④ 주상변압기 탭 절환장치

해설 31번 해설 참조

33 부하에 따라 전압변동이 심한 급전선을 가진 배전변전소의 전압조정장치로서 적당한 것은? [2016년 1회 산업기사]

① 단권 변압기
② 주변압기 탭
③ 전력용 콘덴서
④ 유도전압조정기

해설 • 부하변동이 심한 곳, 최근에 많이 사용, 배전선로 전체의 전압강하 방지 : 유도전압조정기
• 6.6[kV]에 사용하며, 배전선로 말단의 전압강하 방지 : 승압기

34 고압 배전선로의 중간에 승압기를 설치하는 주목적은? [2012년 1회 기사]

① 부하의 불평형 방지

② 말단의 전압강하 방지

③ 전력손실의 감소

④ 역률 개선

해설 고압 배전선로의 길이가 길어서 전압강하가 너무 클 경우 배전선로의 중간에 승압기를 설치하여 2차 측 전압을 높여 줌으로써 말단의 전압강하를 방지한다.

35 단상 승압기 1대를 사용하여 승압할 경우 승압 전의 전압을 E_1 이라 하면, 승압 후의 전압 E_2 는 어떻게 되는가?$\left(\text{단, 승압기의 변압비는 } \dfrac{\text{전원 측전압}}{\text{부하 측전압}} = \dfrac{e_1}{e_2} \text{ 이다}\right)$ [2018년 2회 산업기사]

① $E_2 = E_1 + e_1$

② $E_2 = E_1 + e_2$

③ $E_2 = E_1 + \dfrac{e_2}{e_1}E_1$

④ $E_2 = E_1 + \dfrac{e_1}{e_2}E_1$

해설 $\dfrac{E_2}{E_1} = \dfrac{n_1 + n_2}{n_1}$

$E_2 = E_1\left(\dfrac{n_1}{n_1} + \dfrac{n_2}{n_1}\right)$

$E_2 = E_1\left(1 + \dfrac{e_2}{e_1}\right)$

$E_2 = E_1 + \dfrac{e_2}{e_1}E_1 \quad \left(\text{권수비 } a = \dfrac{e_1}{e_2} = \dfrac{I_2}{I_1} = \dfrac{N_1}{N_2}\right)$

36 송전선로에서 변압기의 유기기전력에 의해 발생하는 고조파 중 제3고조파를 제거하기 위한 방법으로 가장 적당한 것은? [2015년 3회 기사]

① 변압기를 △결선한다.
② 동기조상기를 설치한다.
③ 직렬리액터를 설치한다.
④ 전력용 콘덴서를 설치한다.

해설
• △결선방식 : 제3고조파 제거
• 직렬리액터 : 제5고조파 제거
• 한류리액터 : 단락사고 시 단락전류 제한
• 소호리액터 : 지락 시 지락전류 제한
• 분로리액터 : 페란티 방지

37 승압기에 의하여 전압 V_e 에서 V_h 로 승압할 때, 2차 정격전압 e, 자기용량 W인 단상 승압기가 공급할 수 있는 부하용량은? [2017년 2회 기사 / 2022년 2회 기사]

① $\dfrac{V_h}{e} \times W$

② $\dfrac{V_e}{e} \times W$

③ $\dfrac{V_e}{V_h - V_e} \times W$

④ $\dfrac{V_h - V_e}{V_e} \times W$

해설
$$\frac{자기용량}{부하용량} = \frac{V_h - V_l}{V_h} = \frac{e}{V_h}$$

$$\therefore \ 부하용량 = 자기용량 \times \frac{V_h}{e} = W \times \frac{V_h}{e}$$

38 그림과 같은 이상 변압기에서 2차 측에 5[Ω]의 저항부하를 연결하였을 때 1차 측에 흐르는 전류(I)는 약 몇 [A]인가?

[2020년 3회 기사]

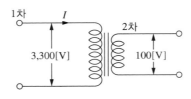

① 0.6   ② 1.8

③ 20   ④ 660

해설
$$I_2 = \frac{V_2}{R_2} = \frac{100}{5} = 20[\text{A}]$$
$$a = \frac{V_1}{V_2} = \frac{3,300}{100} = 33$$
$$a = \frac{I_2}{I_1} \text{에서 } I_1 = \frac{I_2}{a} = \frac{20}{33} \fallingdotseq 0.6$$

39 단상 교류회로에 3,150/210[V]의 승압기를 80[kW], 역률 0.8인 부하에 접속하여 전압을 상승시키는 경우 약 몇 [kVA]의 승압기를 사용하여야 적당한가?(단, 전원전압은 2,900[V]이다)

[2020년 3회 산업기사]

① 3.6   ② 5.5

③ 6.8   ④ 10

해설

3,150/210[V] I_2

2,900[V] V_2 80[kW] $\cos\theta=0.8$

$$V_2 = V_1\left(1 + \frac{1}{a}\right) = 2,900\left(1 + \frac{210}{3,150}\right) \fallingdotseq 3,093[\text{V}]$$
$$I_2 = \frac{P}{V_2\cos\theta} = \frac{80 \times 10^3}{3,093 \times 0.8} \fallingdotseq 32.33[\text{A}]$$
$$W = eI_2 = 210 \times 32.33 \times 10^{-3} \fallingdotseq 6.8[\text{kVA}]$$

40 송전선로에서 사용하는 변압기 결선에 △결선이 포함되어 있는 이유는? [2017년 2회 기사]

① 직류분의 제거

② 제3고조파의 제거

③ 제5고조파의 제거

④ 제7고조파의 제거

해설 • △결선방식 : 제3고조파 제거
• 직렬리액터 : 제5고조파 제거
• 한류리액터 : 단락사고 시 단락전류 제한
• 소호리액터 : 지락 시 지락전류 제한
• 분로리액터 : 페란티 방지

41 전력계통의 전력용 콘덴서와 직렬로 연결하는 리액터로 제거되는 고조파는?

[2019년 1회 산업기사]

① 제2고조파   ② 제3고조파

③ 제4고조파   ④ 제5고조파

해설 • △결선방식 : 제3고조파 제거
• 직렬리액터 : 제5고조파 제거
• 한류리액터 : 단락사고 시 단락전류 제한
• 소호리액터 : 지락 시 지락전류 제한
• 분로리액터 : 페란티 방지

42 부하회로에서 공진 현상으로 발생하는 고조파 장해가 있을 경우 공진 현상을 회피하기 위하여 설치하는 것은? [2022년 1회 기사]

① 진상용 콘덴서   ② 직렬 리액터

③ 방전코일   ④ 진공차단기

해설 ② 직렬 리액터 : 제5고조파를 제거하여 전압파형 개선
① 진상용 콘덴서 : 부하의 역률 개선
③ 방전코일 : 전원 개방 시 잔류전하를 방전하여 인체의 감전사고 방지
④ 진공차단기 : 부하전류 개폐 및 사고전류 차단

43 제5고조파를 제거하기 위하여 전력용 콘덴서 용량의 몇 [%]에 해당하는 직렬리액터를 설치하는가? [2018년 2회 산업기사]

① 2~3
② 5~6
③ 7~8
④ 9~10

해설 • 직렬리액터 : 제5고조파의 제거, 콘덴서 용량의 이론상 4[%], 실제 5~6[%]
• 병렬(분로)리액터 : 페란티 효과 방지
• 소호리액터 : 지락아크의 소호
• 한류리액터 : 단락전류 제한(차단기 용량의 경감)

44 전력용 콘덴서를 변전소에 설치할 때 직렬리액터를 설치하고자 한다. 직렬리액터의 용량을 결정하는 식은?(단, f_0는 전원의 기본주파수, C는 역률 개선용 콘덴서의 용량, L은 직렬리액터의 용량이다) [2015년 1회 기사 / 2020년 4회 기사]

① $2\pi f_0 L = \dfrac{1}{2\pi f_0 C}$

② $2\pi (3f_0) L = \dfrac{1}{2\pi (3f_0) C}$

③ $2\pi (5f_0) L = \dfrac{1}{2\pi (5f_0) C}$

④ $2\pi (7f_0) L = \dfrac{1}{2\pi (7f_0) C}$

해설 직렬리액터는 제5고조파를 제거하기 위한 콘덴서, 전단에 시설리액터의 용량은 $5\omega L = \dfrac{1}{5\omega C}$에서

$2\pi (5f_0) L = \dfrac{1}{2\pi (5f_0) C}$가 된다.

45 주변압기 등에서 발생하는 제5고조파를 줄이는 방법으로 옳은 것은? [2013년 3회 기사 / 2020년 3회 기사]

① 전력용 콘덴서에 직렬리액터를 접속한다.
② 변압기 2차 측에 분로리액터를 연결한다.
③ 모선에 방전코일을 연결한다.
④ 모선에 공심리액터를 연결한다.

해설 • △결선방식 : 제3고조파 제거
• 직렬리액터 : 제5고조파 제거
• 한류리액터 : 단락사고 시 단락전류 제한
• 소호리액터 : 지락 시 지락전류 제한
• 분로리액터 : 페란티 방지

43 ② 44 ③ 45 ①   정답

46 150[kVA] 전력용 콘덴서에 제5고조파를 억제시키기 위해 필요한 직렬리액터의 최소용량은 몇 [kVA]인가?

[2018년 1회 산업기사]

① 1.5

② 3

③ 4.5

④ 6

> **해설** 이론상 $150 \times 0.04 = 6[kVA]$
> 실제 $150 \times 0.06 = 9[kVA]$
>
> ※ 이론상과 실제용량이 같이 있을 경우 실제용량이 답이며, 실제용량이 없으면 이론상 용량이 정답임

47 송전선로에서 고조파 제거 방법이 아닌 것은?

[2015년 1회 기사 / 2018년 2회 기사]

① 변압기를 △결선한다.

② 유도전압 조정장치를 설치한다.

③ 무효전력 보상장치를 설치한다.

④ 능동형 필터를 설치한다.

> **해설** • 고조파 발생 : 고조파는 부하 측에서 발생되어 전원 측으로 흐른다.
> • 고조파 제거방법
>   – 1차 측 필터 설치
>   – △결선에서 제3고조파 순환
>   – 리액터를 사용하여 제5고조파 억제
>   – 고조파 전용변압기 사용

48 변압기의 결선 중에서 1차에 제3고조파가 있을 때 2차에 제3고조파 전압이 외부로 나타나는 결선은?

[2016년 3회 기사]

① Y−Y

② Y−△

③ △−Y

④ △−△

> **해설** △결선은 제3고조파를 제거

정답 46 ④ 47 ② 48 ①

49 전력용 콘덴서에 의하여 얻을 수 있는 전류는? [2017년 3회 기사]

① 지상전류　　　　　　　② 진상전류
③ 동상전류　　　　　　　④ 영상전류

> **해설**　진상(앞선)전류를 취하여 전압강하를 보상한다.

50 전력용 콘덴서 회로에 방전코일을 설치하는 주된 목적은? [2012년 3회 산업기사]

① 합성 역률의 개선
② 전압의 파형 개선
③ 콘덴서의 등가용량 증대
④ 전원 개방 시 잔류 전하를 방전시켜 인체의 위험 방지

> **해설**　**방전코일** : 콘덴서의 잔류 충전전류를 방류하여 인체 감전 방지
> * 저압 : 1분 이내 50[V] 이하로 방전
> * 고·특고압 : 5초 이내 50[V] 이하로 방전

51 전력계통의 안정도 향상대책으로 볼 수 없는 것은? [2015년 2회 산업기사]

① 직렬콘덴서 설치　　　　② 병렬콘덴서 설치
③ 중간 개폐소 설치　　　　④ 고속차단, 재폐로방식 채용

> **해설**　**안정도 향상대책**
> * 발전기
>   - 동기리액턴스 감소(단락비 크게, 전압변동률 작게)
>   - 속응여자방식 채용
>   - 제동권선 설치(난조 방지)
>   - 조속기 감도 둔감
> * 송전선
>   - 리액턴스 감소
>   - 복도체(다도체) 채용
>   - 병행 2회선 방식
>   - 중간조상방식
>   - 고속도 재폐로방식 채택 및 고속 차단기 설치

52 일반적으로 부하의 역률을 저하시키는 원인은?　　　　　　　　　　[2017년 2회 기사]

① 전등의 과부하
② 선로의 충전전류
③ 유도전동기의 경부하 운전
④ 동기전동기의 중부하 운전

해설

$$\downarrow \cos\theta = \frac{P\downarrow}{P_a}$$

P_a가 일정한 상태에서 P(출력)가 감소하면 역률이 저하된다.

53 불평형 부하에서 역률[%]은?　　　　　　　　　　[2022년 1회 기사]

① $\dfrac{\text{유효전력}}{\text{각 상의 피상전력의 산술합}} \times 100$

② $\dfrac{\text{무효전력}}{\text{각 상의 피상전력의 산술합}} \times 100$

③ $\dfrac{\text{무효전력}}{\text{각 상의 피상전력의 벡터합}} \times 100$

④ $\dfrac{\text{유효전력}}{\text{각 상의 피상전력의 벡터합}} \times 100$

해설

$$\cos\theta = \frac{P[\text{kW}]}{P_a[\text{kVA}]} \times 100 = \frac{\text{유효전력}}{\text{각 상의 피상전력의 벡터합}} \times 100$$

정답 52 ③　53 ④

54 한 대의 주상변압기에 역률(뒤짐) $\cos\theta_1$, 유효전력 P_1[kW]의 부하와 역률(뒤짐) $\cos\theta_2$, 유효전력 P_2[kW]의 부하가 병렬로 접속되어 있을 때 주상변압기 2차 측에서 본 부하의 종합역률은 어떻게 되는가?

[2019년 2회 기사]

① $\dfrac{P_1+P_2}{\dfrac{P_1}{\cos\theta_1}+\dfrac{P_2}{\cos\theta_2}}$

② $\dfrac{P_1+P_2}{\dfrac{P_1}{\sin\theta_1}+\dfrac{P_2}{\sin\theta_2}}$

③ $\dfrac{P_1+P_2}{\sqrt{(P_1+P_2)^2+(P_1\tan\theta_1+P_2\tan\theta_2)^2}}$

④ $\dfrac{P_1+P_2}{\sqrt{(P_1+P_2)^2+(P_1\sin\theta_1+P_2\sin\theta_2)^2}}$

> **해설** 합성 유효전력 $P_0=P_1+P_2$
> 합성 무효전력 $Q_0=P_1\tan\theta_1+P_2\tan\theta_2$
>
> $\cos\theta=\dfrac{\text{유효분}}{\text{피상분}}=\dfrac{P_1+P_2}{\sqrt{(P_1+P_2)^2+(P_1\tan\theta_1+P_2\tan\theta_2)^2}}$

55 뒤진 역률 80[%], 1,000[kW]의 3상 부하가 있다. 여기에 콘덴서를 설치하여 역률을 95[%]로 개선하려면 콘덴서의 용량[kVA]은?

[2013년 1회 산업기사 / 2017년 3회 산업기사]

① 328[kVA]　　　　　　　　　② 421[kVA]

③ 765[kVA]　　　　　　　　　④ 951[kVA]

> **해설** **역률 개선용 콘덴서 용량**
>
> $Q_c=P(\tan\theta_1-\tan\theta_2)=P\left(\dfrac{\sin\theta_1}{\cos\theta_1}-\dfrac{\sin\theta_2}{\cos\theta_2}\right)$
>
> $=P\left(\dfrac{\sqrt{1-\cos^2\theta_1}}{\cos\theta_1}-\dfrac{\sqrt{1-\cos^2\theta_2}}{\cos\theta_2}\right)$
>
> $=1,000\times\left(\dfrac{\sqrt{1-0.8^2}}{0.8}-\dfrac{\sqrt{1-0.95^2}}{0.95}\right)\fallingdotseq421.32\fallingdotseq421$[kVA]

56 3,000[kW], 역률 80[%](뒤짐)의 부하에 전력을 공급하고 있는 변전소에 전력용 콘덴서를 설치하여 변전소에서의 역률을 90[%]로 향상시키는 데 필요한 전력용 콘덴서의 용량은 약 몇 [kVA]인가?

[2017년 2회 산업기사]

① 600

② 700

③ 800

④ 900

해설

$$Q_C = 3,000\left(\frac{0.6}{0.8} - \frac{\sqrt{1-0.9^2}}{0.9}\right) \fallingdotseq 797.03 \fallingdotseq 800[\text{kVA}]$$

57 어떤 공장의 소모전력이 100[kW]이며, 이 부하의 역률이 0.6일 때, 역률을 0.9로 개선하기 위한 전력용 콘덴서의 용량은 약 몇 [kVA]인가?

[2017년 2회 기사]

① 75

② 80

③ 85

④ 90

해설

$$Q_C = P\left(\frac{\sin\theta_1}{\cos\theta_1} - \frac{\sqrt{1-\cos^2\theta_2}}{\cos\theta_2}\right) = 100\left(\frac{0.8}{0.6} - \frac{\sqrt{1-0.9^2}}{0.9}\right) \fallingdotseq 84.9 \fallingdotseq 85[\text{kVA}]$$

58 역률 0.8(지상)의 2,800[kW] 부하에 전력용 콘덴서를 병렬로 접속하여 합성역률을 0.9로 개선하고자 할 경우, 필요한 전력용 콘덴서의 용량[kVA]은 약 얼마인가?

[2021년 2회 기사]

① 372

② 558

③ 744

④ 1,116

해설

$$Q_c = P\left(\frac{\sin\theta_1}{\cos\theta_1} - \frac{\sqrt{1-\cos\theta_2^2}}{\cos\theta_2}\right)$$

$$= 2,800\left(\frac{0.6}{0.8} - \frac{\sqrt{1-0.9^2}}{0.9}\right)$$

$$\fallingdotseq 743.9 \fallingdotseq 744[\text{kVA}]$$

59 뒤진 역률 80[%], 10[kVA]의 부하를 가지는 주상변압기의 2차 측에 2[kVA]의 전력용 콘덴서를 접속하면 주상변압기에 걸리는 부하는 약 몇 [kVA]가 되겠는가? [2019년 3회 산업기사]

① 8

② 8.5

③ 9

④ 9.5

해설
$P = 10 \times 0.8 = 8$
$Q = 10 \times 0.6 = 6$
$\therefore\ P_a = \sqrt{8^2 + (6-2)^2} \fallingdotseq 9[\text{kVA}]$

60 3,300[V], 60[Hz], 뒤진 역률 60[%], 300[kW]의 단상 부하가 있다. 그 역률을 100[%]로 하기 위한 전력용 콘덴서의 용량은 몇 [kVA]인가? [2017년 1회 산업기사]

① 150

② 250

③ 400

④ 500

해설
$Q_c = P\left(\dfrac{\sin\theta_1}{\cos\theta_1} - \dfrac{\sin\theta_2}{\cos\theta_2}\right) = 300\left(\dfrac{0.8}{0.6} - \dfrac{0}{1}\right) \fallingdotseq 400[\text{kVA}]$

61 3상 배전선로의 말단에 역률 60[%](늦음), 60[kW]의 평형 3상 부하가 있다. 부하점에 부하와 병렬로 전력용 콘덴서를 접속하여 선로손실을 최소로 하고자 할 때 콘덴서 용량[kVA]은?(단, 부하단의 전압은 일정하다) [2020년 1, 2회 기사]

① 40

② 60

③ 80

④ 100

해설
조건 : 선로손실 최소, $\cos\theta_2 = 1$
역률 개선용 콘덴서 용량
$Q_c = P\left(\dfrac{\sin\theta_1}{\cos\theta_1} - \dfrac{\sin\theta_2}{\cos\theta_2}\right)$
$= 60\left(\dfrac{0.8}{0.6} - \dfrac{0}{1}\right)$
$= 80[\text{kVA}]$

62 어느 변전설비의 역률을 60[%]에서 80[%]로 개선하는 데 2,800[kVA]의 전력용 커패시터가
필요하였다. 이 변전설비의 용량은 몇 [kW]인가? [2020년 1, 2회 산업기사]

① 4,800

② 5,000

③ 5,400

④ 5,800

해설

$$Q_c = P\left(\frac{\sin\theta_1}{\cos\theta_1} - \frac{\sin\theta_2}{\cos\theta_2}\right)$$

$$P = \frac{Q_c}{\left(\frac{\sin\theta_1}{\cos\theta_1} - \frac{\sin\theta_2}{\cos\theta_2}\right)} = \frac{2,800}{\left(\frac{0.8}{0.6} - \frac{0.6}{0.8}\right)} = 4,800[\text{kW}]$$

63 역률 0.8인 부하 480[kW]를 공급하는 변전소에 전력용 콘덴서 220[kVA]를 설치하면 역률은
몇 [%]로 개선할 수 있는가? [2017년 2회 산업기사 / 2020년 3회 산업기사]

① 92

② 94

③ 96

④ 99

해설

초기 $Q = 480 \times \frac{0.6}{0.8} = 360$

$P = 480$, 콘덴서 투입 시 무효전력 $Q = 480 \times \frac{0.6}{0.8} - Q_c = 360 - 220 = 140$

$\cos\theta = \frac{480}{\sqrt{480^2 + 140^2}} = 0.96 \times 100 = 96[\%]$

64 지상 역률 80[%], 10,000[kVA]의 부하를 가진 변전소에 6,000[kVA]의 콘덴서를 설치하여 역률을 개선하면 변압기에 걸리는 부하[kVA]는 콘덴서 설치 전의 몇 [%]로 되는가?

[2019년 2회 산업기사]

① 60 　　　　　　② 75
③ 80 　　　　　　④ 85

> **해설**
> $P_a = 10,000[\text{kVA}]$
> $P = 10,000 \times 0.8 = 8,000[\text{kW}]$
> $Q = 10,000 \times 0.6 = 6,000[\text{kVA}]$
> 여기서 콘덴서 6,000[kVA]를 설치하면 무효전력은 0[Var]이므로 역률 100[%]로 개선됨
> $\cos\theta = \dfrac{P}{P_a} \times 100 = 100 (P = P_a)$
> 개선 후 처음 $\dfrac{8,000[\text{kVA}]}{10,000[\text{kVA}]} \times 100 = 80[\%]$

65 역률 80[%], 500[kVA]의 부하설비에 100[kVA]의 진상용 콘덴서를 설치하여 역률을 개선하면 수전점에서의 부하는 약 몇 [kVA]가 되는가?

[2019년 3회 기사]

① 400 　　　　　　② 425
③ 450 　　　　　　④ 475

> **해설**
> $P = 500 \times 0.8 = 400[\text{kW}]$
> $Q = 500 \times 0.6 = 300[\text{kVar}]$
> $Q_c = 100[\text{kVA}]$
> $P_a = \sqrt{400^2 + (300-100)^2} \fallingdotseq 447.21 \fallingdotseq 450[\text{kVA}]$

66 배전선로의 역률 개선에 따른 효과로 적합하지 않은 것은?

[2015년 1회 산업기사 / 2019년 1회 기사 / 2019년 3회 산업기사 / 2022년 1회 기사]

① 전원 측 설비의 이용률 향상
② 선로절연에 요하는 비용 절감
③ 전압강하 감소
④ 선로의 전력손실 경감

> **해설** **역률 개선 효과** : 전압강하 경감, 전력손실 경감, 설비용량의 여유분 증가, 전력요금의 절약

67 역률 개선에 의한 배전계통의 효과가 아닌 것은?   [2018년 3회 산업기사]

① 전력손실 감소

② 전압강하 감소

③ 변압기 용량 감소

④ 전선의 표피효과 감소

해설 **역률 개선 효과** : 전압강하 경감, 전력손실 경감, 설비용량의 여유분 증가, 전력요금의 절약

68 역률 개선을 통해 얻을 수 있는 효과와 거리가 먼 것은?   [2017년 1회 산업기사]

① 고조파 제거

② 전력손실의 경감

③ 전압강하의 경감

④ 설비용량의 여유분 증가

해설 67번 해설 참조

69 부하의 역률을 개선할 경우 배전선로에 대한 설명으로 틀린 것은?(단, 다른 조건은 동일하다)

[2020년 4회 기사]

① 설비용량의 여유 증가

② 전압강하의 감소

③ 선로전류의 증가

④ 전력손실의 감소

해설 67번 해설 참조

정답 67 ④ 68 ① 69 ③

70 부하역률이 현저히 낮은 경우 발생하는 현상이 아닌 것은? [2017년 3회 기사]

① 전기요금의 증가

② 유효전력의 증가

③ 전력손실의 증가

④ 선로의 전압강하 증가

해설 **부하역률이 낮은 경우**
- 전력손실이 증가
- 전기요금 증가
- 전압강하 증가
- 설비이용률의 감소 $\left(\cos\theta = \dfrac{P}{P_a} \times 100,\ P_a \text{가 일정할 경우 역률이 낮으면 유효전력이 감소한다} \right)$

71 선로 전압강하 보상기(LDC)에 대한 설명으로 옳은 것은? [2016년 2회 기사]

① 승압기로 저하된 전압을 보상하는 것

② 분로리액터로 전압상승을 억제하는 것

③ 선로의 전압강하를 고려하여 모선전압을 조정하는 것

④ 직렬콘덴서로 선로의 리액턴스를 보상하는 것

해설 선로 전압강하 보상기는 배전선의 전압강하를 보상하는 방법으로 부하의 탭절환변압기를 이용하여 배전전압을 중부하 시에는 높게, 경부하 시에는 낮게 자동적으로 조정하여 정격전압으로 위치시킨다.

72 직류송전방식의 장점은? [2019년 2회 산업기사]

① 역률이 항상 1이다.

② 회전자계를 얻을 수 있다.

③ 전력변환장치가 필요하다.

④ 전압의 승압, 강압이 용이하다.

해설 **직류송전방식의 특징**
- 리액턴스 손실이 없다.
- 절연 레벨이 낮다.
- 송전효율이 좋고 안정도가 높다.
- 차단기 설치 및 전압의 변성이 어렵다.
- 회전자계를 만들 수 없다.

70 ② 71 ③ 72 ① **정답**

73 교류송전방식과 직류송전방식을 비교할 때 교류송전방식의 장점에 해당되는 것은?

[2020년 1, 2회 산업기사]

① 전압의 승압, 강압 변경이 용이하다.
② 절연계급을 낮출 수 있다.
③ 송전효율이 좋다.
④ 안정도가 좋다.

해설 **교류송전의 특징**
- 차단 및 전압의 변성(승압, 강압)이 쉽다.
- 회전자계를 만들 수 있다.
- 유도장해를 발생한다.

74 교류송전방식과 비교하여 직류송전방식의 설명이 아닌 것은?

[2017년 2회 기사]

① 전압변동률이 양호하고 무효전력에 기인하는 전력손실이 생기지 않는다.
② 안정도의 한계가 없으므로 송전용량을 높일 수 있다.
③ 전력변환기에서 고조파가 발생한다.
④ 고전압, 대전류의 차단이 용이하다.

해설 **직류송전방식**
- 리액턴스 손실이 없다.
- 절연레벨이 낮다.
- 송전효율이 좋고 안정도가 높다.
- 차단기 설치 및 전압의 변성이 어렵다.
- 회전자계를 만들 수 없다.

교류송전방식
- 차단 및 전압의 변성(승압, 강압)이 쉽다.
- 회전자계를 만들 수 있다.
- 유도장해를 발생한다.

75 **직류송전방식에 관한 설명 중 잘못된 것은?** [2014년 2회 기사 / 2019년 2회 기사]

① 교류보다 실횻값이 작아 절연계급을 낮출 수 있다.

② 교류방식보다는 안정도가 떨어진다.

③ 직류계통과 연계 시 교류계통의 차단용량이 작아진다.

④ 교류방식처럼 송전손실이 없어 송전효율이 좋아진다.

해설 **직류송전방식**
- 리액턴스 손실이 없다.
- 절연레벨이 낮다.
- 송전효율이 좋고 안정도가 높다.
- 차단기 설치 및 전압의 변성이 어렵다.
- 회전자계를 만들 수 없다.

교류송전방식
- 차단 및 전압의 변성(승압, 강압)이 쉽다.
- 회전자계를 만들 수 있다.
- 유도장해를 발생한다.

76 **직류송전방식에 대한 설명으로 틀린 것은?** [2018년 2회 기사]

① 선로의 절연이 교류방식보다 용이하다.

② 리액턴스 또는 위상각에 대해서 고려할 필요가 없다.

③ 케이블 송전일 경우 유전손이 없기 때문에 교류방식보다 유리하다.

④ 비동기 연계가 불가능하므로 주파수가 다른 계통 간의 연계가 불가능하다.

해설 **직류송전방식**
- 리액턴스 손실이 없다.
- 절연레벨이 낮다.
- 송전효율이 좋고 안정도가 높다.
- 차단기 설치 및 전압의 변성이 어렵다.
- 회전자계를 만들 수 없다.

77 전력계통을 연계시켜서 얻는 이득이 아닌 것은? [2020년 4회 기사]

① 배후 전력이 커져서 단락용량이 작아진다.
② 부하 증가 시 종합첨두부하가 저감된다.
③ 공급 예비력이 절감된다.
④ 공급 신뢰도가 향상된다.

> **해설** **전력계통의 연계방식**
> • 장 점
>   - 전력의 융통으로 설비용량이 절감된다.
>   - 건설비 및 운전 경비 절감으로 경제 급전이 용이하다.
>   - 계통 전체로서의 신뢰도가 증가한다.
>   - 부하 변동의 영향이 작아 안정된 주파수 유지가 가능하다.
> • 단 점
>   - 연계설비를 신설해야 한다.
>   - 사고 시 타 계통으로 파급 확대가 우려된다.
>   - 병렬회로수가 많아져 단락전류가 증대하고 통신선의 전자 유도장해가 커진다.

78 전력계통 연계 시의 특징으로 틀린 것은? [2019년 2회 기사]

① 단락전류가 감소한다.
② 경제 급전이 용이하다.
③ 공급신뢰도가 향상된다.
④ 사고 시 다른 계통으로의 영향이 파급될 수 있다.

> **해설** 77번 해설 참조

79 각 전력계통을 연계선으로 상호 연결하였을 때 장점으로 틀린 것은? [2019년 3회 기사]

① 건설비 및 운전경비를 절감하므로 경제 급전이 용이하다.
② 주파수의 변화가 작아진다.
③ 각 전력계통의 신뢰도가 증가된다.
④ 선로임피던스가 증가되어 단락전류가 감소된다.

해설 **전력계통의 연계방식**
• 장 점
 - 전력의 융통으로 설비용량이 절감된다.
 - 건설비 및 운전 경비 절감으로 경제 급전이 용이하다.
 - 계통 전체로서의 신뢰도가 증가한다.
 - 부하 변동의 영향이 작아 안정된 주파수 유지가 가능하다.
• 단 점
 - 연계설비를 신설해야 한다.
 - 사고 시 타 계통으로 파급 확대가 우려된다.
 - 병렬회로수가 많아져 단락전류가 증대하고 통신선의 전자 유도장해가 커진다.

80 각 전력계통을 연계선으로 상호 연결하면 여러 가지 장점이 있다. 틀린 것은?[2016년 2회 기사]

① 경계 급전이 용이하다.
② 주파수의 변화가 작아진다.
③ 각 전력계통의 신뢰도가 증가한다.
④ 배후전력(Back Power)이 크기 때문에 고장이 적으며, 그 영향의 범위가 작아진다.

해설 • 장점 : 신뢰도 증가, 경제 급전이 용이, 설비용량이 절감, 안정된 주파수 유지
 • 단점 : 연계설비를 신설, 사고 시 다른 계통에 파급 확대 우려, 단락전류가 증가하고 통신선의
  전자유도 장해 증가

79 ④ 80 ④ **정답**

CHAPTER

05 송전선로의 고장해석

1. 고장계산

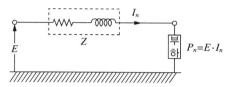

(1) **백분율 임피던스** : 기준전압에 대한 임피던스에 의한 전압강하의 비를 백분율로 나타낸 값

$$\%Z = \frac{I_n Z}{E_n} \times 100[\%] = \sqrt{\%R^2 + \%X^2}\ \left(\%R = \frac{I_n R}{E_n} \times 100,\ \ \%X = \frac{I_n X}{E_n} \times 100\right)$$

① I_n이 주어진 경우 : $\%Z = \dfrac{I_n Z}{E_n} \times 100[\%]$

　(기본단위 : $I_n[\mathrm{A}]$, $Z[\Omega]$, $E_n[\mathrm{V}]$)

② P_n이 주어진 경우 : $\%Z = \dfrac{P_n Z}{10\,V^2}$

　(기본단위 : $P_n[\mathrm{kVA}]$, $Z[\Omega]$, $V[\mathrm{kV}]$)

③ 단위법 : $\%Z$를 100으로 나눈 값 $\Rightarrow$ $Z(\mathrm{P.U}) = \dfrac{I_n Z}{E_n}$, $Z(\mathrm{P.U}) = \dfrac{P_n Z}{1{,}000\,V^2}$

(2) **단락전류 계산**

$$I_S = \frac{E_n}{Z} \ \cdots\cdots\cdots\cdots\cdots\cdots\cdots\cdots\cdots\cdots\cdots\cdots\cdots\cdots ⓐ$$

$\%Z = \dfrac{I_n Z}{E_n} \times 100[\%]$에서 $\ Z = \dfrac{\%Z\,E_n}{I_n \times 100}\ \cdots\cdots\cdots$ ⓑ

ⓑ $\rightarrow$ ⓐ 대입

$$I_S = \frac{E_n}{\frac{\%Z\,E_n}{I_n \times 100}} = \frac{100}{\%Z}\,I_n \quad \left(1\phi \;:\; I_s = \frac{100}{\%Z}\,\frac{P}{V}, \; 3\phi \;:\; I_s = \frac{100}{\%Z}\,\frac{P}{\sqrt{3}\,V}\right)$$

① $Z[\Omega]$이 주어진 경우 : $I_S = \dfrac{E_n}{Z}$

② $\%Z$이 주어진 경우 : $I_S = \dfrac{100}{\%Z}\,\dfrac{P}{\sqrt{3}\,V}$

※ 한류리액터 : 단락전류를 제한하여 차단기 용량을 줄인다.

(3) 단락용량 계산

① 1ϕ : $P_S = E_n \cdot I_S \times 10^{-3}\,[\text{kVA}]$

② 3ϕ

$$P_S = 3\,E_n \cdot I_S \cdots\cdots\cdots\cdots\cdots\cdots\cdots\cdots\cdots \text{ⓐ}$$

$$I_S = \frac{100}{\%Z}\,I_n = \frac{100}{\%Z}\,\frac{P}{3E_n} \cdots\cdots\cdots\cdots\cdots\cdots \text{ⓑ}$$

ⓑ → ⓐ 대입

$$P_S = 3\,E_n\,\frac{100}{\%Z} \cdot \frac{P}{3E_n} = \frac{100}{\%Z}\,P$$

㉠ $\%Z[\Omega]$이 주어진 경우 : $P_S = \dfrac{100}{\%Z}\,P_n$

㉡ I_S이 주어진 경우 : $P_S = \sqrt{3}\,V I_S$

㉢ V 정격전압(유효접지 방식만) = 수전전압 $\times \dfrac{1.2}{1.1}$

• $6.6[\text{kV}] \to 6.6 \times \dfrac{1.2}{1.1} = 7.2[\text{kV}] \quad \therefore\; 7.2[\text{kV}]$

• $22.9[\text{kV}] \to 22.9 \times \dfrac{1.2}{1.1} \fallingdotseq 24.98[\text{kV}] \;\; \therefore\; 25.8[\text{kV}]$

※ 현재 $24[\text{kV}]$ 정격전압을 사용 중

• $154[\text{kV}] \to 154 \times \dfrac{1.2}{1.1} = 168[\text{kV}] \;\; \therefore\; 170[\text{kV}]$

2. 대칭좌표법

(1) 정상 운전 시 : 각 상의 모든 값이 같다(3φ평형, 정상값 = 정상분(1)).

a상(기준)

$a = 120°$ $I_a = I_1$

c상 $a^2 = 240°$

$I_c = a\,I_1$ b상 $I_b = a^2\,I_1$

① 상은 시계방향이 정상, 위상은 시계반대방향이 정위상이다.

   ㉠ $a = 1 \angle 120° = 1(\cos 120° + j\sin 120°) = -\dfrac{1}{2} + j\dfrac{\sqrt{3}}{2}$

   ㉡ $a^2 = 1 \angle 240° = 1(\cos 240° + j\sin 240°) = -\dfrac{1}{2} - j\dfrac{\sqrt{3}}{2}$

     • $a + a^2 = -1$

     • $1 + a + a^2 = 0$

     • $a \cdot a^2 = a^3 = 1$

     • $a \cdot a^3 = a^4 = a$

     • $a \cdot a^4 = a^5 = a^2$

(2) 사고 시 : 각 상의 모든 값이 다르다(3φ불평형, 사고값 = 영상분 + 정상분 + 역상분).

영상분(0)   정상분(1)   역상분(2)

I_a I_b I_c $I_a = I_1$ $I_a = I_2$

$\downarrow$ $\downarrow$ $\downarrow$ a상 a상

I_0 I_0 I_0 c상 b상 b상 c상

$I_c = aI_1$ $I_b = a^2I_1$ $I_b = aI_2$ $I_c = a^2I_2$

a상 : $I_a = I_0 + I_1 + I_2$ $I_0 = \dfrac{1}{3}(I_a + I_b + I_c)$

b상 : $I_b = I_0 + a^2 I_1 + aI_2$ **역행렬하면** $\Longrightarrow$ $I_1 = \dfrac{1}{3}(I_a + aI_b + a^2 I_c)$

c상 : $I_c = I_0 + aI_1 + a^2 I_2$ $I_2 = \dfrac{1}{3}(I_a + a^2 I_b + aI_c)$

① 정상분 = 역상분 < 영상분

$Z_1 = Z_2 < Z_0$

② 사고값 = 영상분(영상전류(I_0) : 전자유도 장해, 영상전압(E_0) : 정전유도 장해)

③ 각 사고별 대칭좌표법 해석

    ㉠ 선 지락사고 : 정상분, 역상분, 영상분($V_0 = V_1 = V_2 \neq 0$)

    ㉡ 선간 단락사고 : 정상분, 역상분($V_0 = 0$)

    ㉢ 3상 단락사고 : 정상분($V_1 \neq 0$)

핵 / 심 / 예 / 제

01 %임피던스에 대한 설명으로 틀린 것은?

[2015년 1회 기사 / 2021년 1회 기사]

① 단위를 갖지 않는다.
② 절대량이 아닌 기준량에 대한 비를 나타낸 것이다.
③ 기기용량의 크기와 관계없이 일정한 범위의 값을 갖는다.
④ 변압기나 동기기의 내부임피던스에만 사용할 수 있다.

> **해설** **%임피던스** : 전기는 통전경로(전원, 변압기, 전로, 부하 등)에 있는 각각의 임피던스(Impedance)에 의해 전압강하가 발생하는데 각 임피던스에 의한 전압강하에 대해 임피던스를 비율로 표시한 것이 %임피던스이며 %임피던스법의 기초가 된다.

02 선간전압이 V[kV]이고 3상 정격용량이 P[kVA]인 전력계통에서 리액턴스가 X[Ω]라고 할 때, 이 리액턴스를 %리액턴스로 나타내면?

① $\dfrac{XP}{10V}$

② $\dfrac{XP}{10V^2}$

③ $\dfrac{XP}{V^2}$

④ $\dfrac{10V^2}{XP}$

> **해설** %리액턴스$(\%X) = \dfrac{PX}{10V^2}$

03 선간전압이 154[kV]이고, 1상당의 임피던스가 $j8$[Ω]인 기기가 있을 때, 기준용량을 100[MVA]로 하면 %임피던스는 약 몇 [%]인가?

① 2.75
② 3.15
③ 3.37
④ 4.25

> **해설** %임피던스 $\%Z = \dfrac{PZ}{10V^2} = \dfrac{100 \times 10^3 \times 8}{10 \times 154^2} \fallingdotseq 3.37[\%]$

정답 01 ④ 02 ② 03 ③

제5장 송전선로의 고장해석 / 131

04 3상 3선식 송전선로에서 정격전압이 66[kV]이고 1선당 리액턴스가 10[Ω]일 때, 100[MVA] 기준의 %리액턴스는 약 얼마인가? [2019년 3회 산업기사]

① 17[%]
② 23[%]
③ 52[%]
④ 69[%]

해설
$$\%X = \frac{PX}{10V^2} = \frac{100 \times 10^3 \times 10}{10 \times 66^2} \fallingdotseq 22.96 \fallingdotseq 23[\%]$$

05 154[kV] 3상 1회선 송전선로의 1선의 리액턴스가 10[Ω], 전류가 200[A]일 때 %리액턴스는? [2017년 3회 산업기사]

① 1.84
② 2.25
③ 3.17
④ 4.19

해설
%리액턴스 $\%X = \dfrac{I_m X}{E_m} \times 100 = \dfrac{200 \times 10}{\dfrac{154,000}{\sqrt{3}}} \times 100 \fallingdotseq 2.25$

06 기준 선간전압 23[kV], 기준 3상 용량 5,000[kVA], 1선의 유도리액턴스가 15[Ω]일 때 %리액턴스는? [2018년 3회 기사 / 2021년 1회 기사]

① 28.36[%]
② 14.18[%]
③ 7.09[%]
④ 3.55[%]

해설
%리액턴스 $\%X = \dfrac{PX}{10V^2} = \dfrac{5,000 \times 15}{10 \times 23^2} \fallingdotseq 14.18[\%]$

07 154/22.9[kV], 40[MVA] 3상 변압기의 %리액턴스가 14[%]라면 고압 측으로 환산한 리액턴스는 약 몇 [Ω]인가?

[2016년 3회 산업기사]

① 95

② 83

③ 75

④ 61

해설

$$\%X = \frac{PX}{10V^2} \text{ 에서 } X = \frac{10V^2 \cdot \%X}{P} = \frac{10 \times 154^2 \times 14}{40 \times 10^3} \fallingdotseq 83[\Omega]$$

08 고장점에서 구한 전임피던스를 $Z[\Omega]$, 고장점의 상전압을 $E[V]$라 하면 3상 단락전류[A]는?

[2012년 3회 산업기사 / 2018년 1회 산업기사]

① $\dfrac{E}{Z}$

② $\dfrac{ZE}{\sqrt{3}}$

③ $\dfrac{\sqrt{3}\,E}{Z}$

④ $\dfrac{3E}{Z}$

해설 **옴법에 의한 단상 및 3상 단락전류**

$$I_S = \frac{E}{Z} = \frac{E}{Z_g + Z_t + Z_l}[A]$$

여기서, Z_g : 발전기, Z_t : 변압기, Z_l : 선로의 임피던스

09 %임피던스와 관련된 설명으로 틀린 것은?

[2018년 1회 기사]

① 정격전류가 증가하면 %임피던스는 감소한다.

② 직렬리액터가 감소하면 %임피던스도 감소한다.

③ 전기기계의 %임피던스가 크면 차단기의 용량은 작아진다.

④ 송전계통에서는 임피던스의 크기를 옴값 대신에 %값으로 나타내는 경우가 많다.

해설

$$I_s = \frac{100}{\%Z}I_n \Rightarrow \%Z = \frac{I_n}{I_s} \times 100 (I_n \text{ 증가, } \%Z \text{증가})$$

10 한류리액터를 사용하는 가장 큰 목적은?

[2014년 2회 기사 / 2015년 3회 기사 / 2016년 3회 기사 / 2018년 1회 기사 / 2020년 4회 기사]

① 충전전류의 제한　　　　　　　② 접지전류의 제한
③ 누설전류의 제한　　　　　　　④ 단락전류의 제한

해설
- △결선방식 : 제3고조파 제거
- 직렬리액터 : 제5고조파 제거
- 한류리액터 : 단락사고 시 단락전류 제한
- 소호리액터 : 지락 시 지락전류 제한
- 분로리액터 : 페란티 방지

11 단락전류를 제한하기 위하여 사용되는 것은?　　　　　[2020년 1, 2회 산업기사]

① 한류리액터　　　　　　　　　② 사이리스터
③ 현수애자　　　　　　　　　　④ 직렬콘덴서

해설 한류리액터는 단락사고 시 단락전류를 제한하여 차단기 용량을 줄인다.

12 송전용량이 증가함에 따라 송전선의 단락 및 지락전류도 증가하여 계통에 여러 가지 장해요인이 되고 있는데 이들의 경감대책으로 적합하지 않은 것은?　　　[2012년 2회 기사 / 2017년 1회 기사]

① 계통의 전압을 높인다.
② 발전기와 변압기의 임피던스를 작게 한다.
③ 송전선 또는 모선 간에 한류리액터를 삽입한다.
④ 고장 시 모선분리방식을 채용한다.

해설 단락전류 $I_s = \dfrac{E}{Z}$이므로, 발전기나 변압기의 임피던스가 작으면 단락 시 대전류가 흐를 수 있다.

13 전력계통에서의 단락용량 증대가 문제가 되고 있다. 이러한 단락용량을 경감하는 대책이 아닌 것은?

[2018년 1회 산업기사]

① 사고 시 모선을 통합한다.
② 상위전압 계통을 구성한다.
③ 모선 간에 한류리액터를 삽입한다.
④ 발전기와 변압기의 임피던스를 크게 한다.

해설 사고 시 모선을 통합하면 계통에 고장전류가 파급되므로 사고 모선을 분리시킨다.

14 그림과 같은 3상 송전계통의 송전전압은 22[kV]이다. 한 점 P에서 3상 단락했을 때 발전기에 흐르는 단락전류는 약 몇 [A]인가?

[2019년 1회 산업기사]

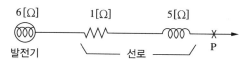

① 725
② 1,150
③ 1,990
④ 3,725

해설

$$단락전류 \ I_s = \frac{E}{Z} = \frac{\frac{22 \times 10^3}{\sqrt{3}}}{\sqrt{1^2 + (6+5)^2}} ≒ 1,150[A]$$

15 그림과 같은 3상 송전계통에서 송전단전압은 3,300[V]이다. 점 P에서 3상 단락사고가 발생했다면 발전기에 흐르는 단락전류는 약 몇 [A]인가?

[2017년 3회 기사]

① 320
② 330
③ 380
④ 410

해설

$$I_s = \frac{E}{Z} = \frac{\frac{3,300}{\sqrt{3}}}{\sqrt{0.32^2 + (2+1.25+1.75)^2}} ≒ 380[A]$$

정답 13 ① 14 ② 15 ③

16 66/22[kV], 2,000[kVA] 단상 변압기 3대를 1뱅크로 운전하는 변전소로부터 전력을 공급받는 어떤 수전점에서의 3상 단락전류는 약 몇 [A]인가?(단, 변압기의 %리액턴스는 7이고, 선로의 임피던스는 0이다)

[2020년 4회 기사]

① 750
② 1,570
③ 1,900
④ 2,250

해설 $I_s = \dfrac{100}{\%Z} \cdot \dfrac{P}{\sqrt{3}\,V} = \dfrac{100}{7} \times \dfrac{2,000 \times 3}{\sqrt{3} \times 22} \fallingdotseq 2,250[\mathrm{A}]$

17 그림과 같은 22[kV] 3상 3선식 전선로의 P점에 단락이 발생하였다면 3상 단락전류는 약 몇 [A]인가?(단, %리액턴스는 8[%]이며, 저항분은 무시한다)

[2016년 1회 기사]

22[kV]
20,000[kVA]

① 6,561
② 8,560
③ 11,364
④ 12,684

해설 $I_S = \dfrac{100}{\%Z}\dfrac{P[\mathrm{kVA}]}{\sqrt{3} \times V[\mathrm{kV}]} = \dfrac{100}{8} \times \dfrac{20,000}{\sqrt{3} \times 22} \fallingdotseq 6,561[\mathrm{A}]$

18 그림과 같은 송전계통에서 S점에 3상 단락사고가 발생했을 때 단락전류[A]는 약 얼마인가? (단, 선로의 길이와 리액턴스는 각각 50[km], 0.6[Ω/km]이다) [2021년 2회 기사]

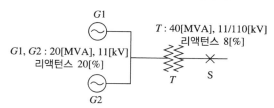

① 224

② 324

③ 454

④ 554

해설 40[MVA] 기준

$$\%X_{G_1} = \frac{40}{20} \times 20 = 40[\%]$$

$$\%X_{G_2} = \frac{40}{20} \times 20 = 40[\%]$$

$$\%X_T = 8$$

$$\%X_{선로} = \frac{PX}{10V^2} = \frac{40 \times 10^3 \times (50 \times 0.6)}{10 \times 110^2} ≒ 9.917$$

$$합성 \%X = \frac{40}{2} + 8 + 9.917 = 37.917$$

$$I_s = \frac{100}{\%X} \frac{P}{\sqrt{3}\,V} = \frac{100}{37.917} \times \frac{40 \times 10^3}{\sqrt{3} \times 110} ≒ 553.7 ≒ 554[A]$$

19 수전용 변전설비의 1차 측 차단기의 용량은 주로 어느 것에 의하여 정해지는가?

[2012년 3회 기사 / 2014년 2회 산업기사 / 2020년 3회 기사 / 2020년 3회 산업기사]

① 수전 계약용량

② 부하설비의 용량

③ 공급 측 전원의 단락용량

④ 수전전력의 역률과 부하율

해설 수변전 설비 1차 측에 설치하는 차단기의 용량은 공급 측 단락용량 이상의 것을 설정해야 한다.

20 다음 중 3상 차단기의 정격차단용량으로 알맞은 것은?

[2013년 1회 기사 / 2013년 2회 산업기사 / 2013년 3회 산업기사 / 2018년 2회 산업기사 / 2020년 4회 기사 / 2021년 2회 기사]

① 정격전압 × 정격차단전류
② $\sqrt{3}$ × 정격전압 × 정격차단전류
③ 3 × 정격전압 × 정격차단전류
④ $3\sqrt{3}$ × 정격전압 × 정격차단전류

해설 • 3상 차단기 정격용량
$P_s = \sqrt{3}$ × 정격전압 × 정격차단전류[MVA]
• 단상 차단기 정격용량
$P_s =$ 정격전압 × 정격차단전류[MVA]
• 정격전압 = 공칭전압 × $\dfrac{1.2}{1.1}$

21 3상용 차단기의 용량은 그 차단기의 정격전압과 정격차단 전류와의 곱을 몇 배한 것인가?

[2014년 2회 기사 / 2021년 3회 기사]

① $\dfrac{1}{\sqrt{2}}$ ② $\dfrac{1}{\sqrt{3}}$
③ $\sqrt{2}$ ④ $\sqrt{3}$

해설 20번 해설 참조

22 3상용 차단기의 정격전압은 170[kV]이고 정격차단전류가 50[kA]일 때 차단기의 정격차단용량은 약 몇 [MVA]인가?

[2018년 3회 기사]

① 5,000   ② 10,000
③ 15,000   ④ 20,000

해설 차단용량 = $\sqrt{3}$ × 정격전압 × 정격차단전류
$\sqrt{3} \times 170 \times 50 \fallingdotseq 14,722.5 \fallingdotseq 15,000$[MVA]

20 ②   21 ④   22 ③   정답

23 정격전압 7.2[kV], 정격차단용량 100[MVA]인 3상 차단기의 정격차단전류는 약 몇 [kA]인가?

[2020년 1, 2회 기사]

① 4 　　　　　　　　　　　② 6

③ 7 　　　　　　　　　　　④ 8

해설 $P_s = \sqrt{3}\,VI_s$

$$I_s = \frac{P_s}{\sqrt{3}\,V} = \frac{100 \times 10^6}{\sqrt{3} \times 7.2 \times 10^3} \times 10^{-3} \fallingdotseq 8\,[\text{kA}]$$

24 전원으로부터의 합성임피던스가 0.5[%](15,000[kVA] 기준)인 곳에 설치하는 차단기 용량은 몇 [MVA] 이상이어야 하는가?

[2016년 1회 산업기사]

① 2,000 　　　　　　　　　② 2,500

③ 3,000 　　　　　　　　　④ 3,500

해설 $P_s = \dfrac{100}{\%Z} \times P_n = \dfrac{100}{0.5} \times 15,000 \times 10^{-3} = 3,000\,[\text{MVA}]$

25 154[kV] 송전계통에서 3상 단락고장이 발생하였을 경우 고장점에서 본 등가 정상임피던스가 100[MVA]기준으로 25[%]라고 하면 단락용량은 몇 [MVA]인가?

[2016년 1회 산업기사 / 2019년 2회 기사]

① 250 　　　　　　　　　　② 300

③ 400 　　　　　　　　　　④ 500

해설 $P_s = \dfrac{100}{\%Z} \times P_n = \dfrac{100}{25} \times 100 = 400\,[\text{MVA}]$

정답 23 ④　24 ③　25 ③

26 어느 발전소에서 합성 임피던스가 0.4[%](10[MVA]기준)인 장소에 설치하는 차단기의 차단용량은 몇 [MVA]인가? [2016년 3회 산업기사]

① 10

② 250

③ 1,000

④ 2,500

해설 $P_S = \dfrac{100}{\%Z} \times P = \dfrac{100}{0.4} \times 10 = 2,500[\mathrm{MVA}]$

27 그림과 같은 전선로의 단락용량은 약 몇 [MVA]인가?(단, 그림의 수치는 10,000[kVA]를 기준으로 한 %리액턴스를 나타낸다) [2018년 3회 산업기사]

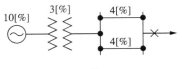

① 33.7

② 66.7

③ 99.7

④ 132.7

해설 10,000[kVA]를 기준

$$P_s = \frac{100}{\%X} P_n = \frac{100}{15} \times 10,000 \times 10^{-3} ≒ 66.7[\mathrm{MVA}]$$

여기서 %X는 $\%X = 10 + 3 + \dfrac{4 \times 4}{4 + 4} = 15$

28 전원 측과 송전선로의 합성 $\%Z_s$ 가 10[MVA] 기준용량으로 1[%]의 지점에 변전설비를 시설하고자 한다. 이 변전소에 정격용량 6[MVA]의 변압기를 설치할 때 변압기 2차 측의 단락용량은 몇 [MVA]인가?(단, 변압기의 $\%Z_t$ 는 6.9[%]이다) [2017년 3회 산업기사]

① 80

② 100

③ 120

④ 140

해설 10[MVA] 기준용량 $\%Z_S = 1[\%]$

$$TR = \frac{10}{6} \times 6.9 = 11.5[\%]$$

직렬이므로 합성 $\%Z = 12.5[\%]$

$$P_s = \frac{100}{\%Z} P_n = \frac{100}{12.5} \times 10 = 80[\mathrm{MVA}]$$

29 100[MVA]의 3상 변압기 2뱅크를 가지고 있는 배전용 2차 측의 배전선에 시설할 차단기 용량 [MVA]은?(단, 변압기는 병렬로 운전되며, 각각의 %Z는 20[%]이고, 전원의 임피던스는 무시한다)

[2020년 1, 2회 산업기사]

① 1,000

② 2,000

③ 3,000

④ 4,000

해설

$$P_s = \frac{100}{\%Z}P_n = \frac{100}{10} \times 100 = 1,000[\text{MVA}]$$

(변압기 2대가 병렬이므로 합성 %Z = 10)

30 단락용량 5,000[MVA]인 모선의 전압이 154[kV]라면 등가 모선임피던스는 약 몇 [Ω]인가?

[2016년 1회 기사 / 2021년 3회 기사]

① 2.54

② 4.74

③ 6.34

④ 8.24

해설

$$P_S = \frac{V^2}{Z} \text{에서 } Z = \frac{V^2}{P_S} = \frac{(154,000)^2}{5,000 \times 10^6} \fallingdotseq 4.74[\Omega]$$

31 송전선로의 고장전류의 계산에 영상임피던스가 필요한 경우는?

[2012년 2회 기사 / 2013년 2회 기사 / 2017년 3회 기사 / 2020년 4회 기사 / 2021년 1회 기사]

① 3상 단락

② 3선 단선

③ 1선 지락

④ 선간 단락

해설 **고장별 대칭분 및 전류의 크기**

고장종류	대칭분	전류의 크기
1선 지락	정상분, 역상분, 영상분	$I_0 = I_1 = I_2 \neq 0$
선간 단락	정상분, 역상분	$I_1 = -I_2 \neq 0, \ I_0 = 0$
3상 단락	정상분	$I_1 \neq 0, \ I_0 = I_2 = 0$

1선 지락전류 $I_g = 3I_0 = \dfrac{3E_a}{Z_0 + Z_1 + Z_2}$

32 다음 중 송전선의 1선 지락 시 선로에 흐르는 전류를 바르게 나타낸 것은?

[2013년 2회 산업기사]

① 영상전류만 흐른다.
② 영상전류 및 정상전류만 흐른다.
③ 영상전류 및 역상전류만 흐른다.
④ 영상전류, 정상전류 및 역상전류가 흐른다.

해설 **고장별 대칭분 및 전류의 크기**

고장종류	대칭분	전류의 크기
1선 지락	정상분, 역상분, 영상분	$I_0 = I_1 = I_2 \neq 0$
선간 단락	정상분, 역상분	$I_1 = -I_2 \neq 0$, $I_0 = 0$
3상 단락	정상분	$I_1 \neq 0$, $I_0 = I_2 = 0$

1선 지락전류 $I_g = 3I_0 = \dfrac{3E_a}{Z_0 + Z_1 + Z_2}$

33 송전선로의 정상임피던스를 Z_1, 역상임피던스를 Z_2, 영상임피던스를 Z_0라 할 때 옳은 것은?

[2017년 1회 기사]

① $Z_1 = Z_2 = Z_0$
② $Z_1 = Z_2 < Z_0$
③ $Z_1 > Z_2 = Z_0$
④ $Z_1 < Z_2 = Z_0$

해설 정상 Z_1과 역상 Z_2는 크기는 같고 위상차가 반대이고, 영상 Z_0는 대지를 기준으로 하는데 대지는
용량이 크므로 정상 Z_1와 역상 Z_2에 비해 크다.

34 그림과 같은 회로의 영상, 정상, 역상임피던스 Z_0, Z_1, Z_2는? [2017년 1회 기사]

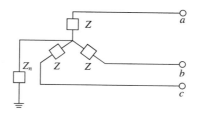

① $Z_0 = Z + 3Z_n$, $Z_1 = Z_2 = Z$

② $Z_0 = 3Z_n$, $Z_1 = Z$, $Z_2 = 3Z$

③ $Z_0 = 3Z + Z_n$, $Z_1 = 3Z$, $Z_2 = Z$

④ $Z_0 = Z + Z_n$, $Z_1 = Z_2 = Z + 3Z_n$

해설 정상임피던스와 역상임피던스는 변압기와 선로가 정지상태이므로 $Z_1 = Z_2 = Z$

35 그림의 X 부분에 흐르는 전류는 어떤 전류인가? [2015년 2회 산업기사 / 2019년 2회 산업기사]

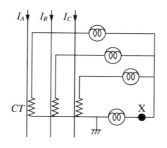

① b상 전류　　　　　　② 정상전류

③ 역상전류　　　　　　④ 영상전류

해설 각 전구에 각 상(I_a, I_b, I_c)의 전류가 흐르고 X지점에는 영상전류(I_0)가 흐른다.
(접지 = 지락 = 영상)

36 선간 단락 고장을 대칭좌표법으로 해석할 경우 필요한 것 모두를 나열한 것은?

[2017년 1회 산업기사 / 2018년 3회 기사 / 2022년 1회 기사]

① 정상임피던스
② 역상임피던스
③ 정상임피던스, 역상임피던스
④ 정상임피던스, 영상임피던스

해설 고장별 대칭분 및 전류의 크기

고장종류	대칭분	전류의 크기
1선 지락	정상분, 역상분, 영상분	$I_0 = I_1 = I_2 \neq 0$
선간 단락	정상분, 역상분	$I_1 = -I_2 \neq 0$, $I_0 = 0$
3상 단락	정상분	$I_1 \neq 0$, $I_0 = I_2 = 0$

1선 지락전류 $I_g = 3I_0 = \dfrac{3E_a}{Z_0 + Z_1 + Z_2}$

37 A, B 및 C상 전류를 각각 I_a, I_b 및 I_c라 할 때 $I_x = \dfrac{1}{3}(I_a + a^2 I_b + a I_c)$, $a = -\dfrac{1}{2} + j\dfrac{\sqrt{3}}{2}$

으로 표시되는 I_x는 어떤 전류인가?

[2018년 1회 기사]

① 정상전류
② 역상전류
③ 영상전류
④ 역상전류와 영상전류의 합

해설
• 영상전류 $I_0 = \dfrac{1}{3}(I_a + I_b + I_c)$

• 정상전류 $I_0 = \dfrac{1}{3}(I_a + a I_b + a^2 I_c)$

• 역상전류 $I_0 = \dfrac{1}{3}(I_a + a^2 I_b + a I_c)$

38 그림과 같은 평형 3상 발전기가 있다. a상이 지락한 경우 지락전류는 어떻게 표현되는가?(단, Z_0 : 영상임피던스, Z_1 : 정상임피던스, Z_2 : 역상임피던스이다)

[2015년 2회 산업기사 / 2020년 1, 2회 기사]

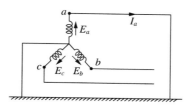

① $\dfrac{E_a}{Z_0 + Z_1 + Z_2}$ ② $\dfrac{3E_a}{Z_0 + Z_1 + Z_2}$

③ $\dfrac{-Z_0 E_a}{Z_0 + Z_1 + Z_2}$ ④ $\dfrac{2Z_2 E_a}{Z_1 + Z_2}$

> **해설** **고장별 대칭분 및 전류의 크기**

고장종류	대칭분	전류의 크기
1선 지락	정상분, 역상분, 영상분	$I_0 = I_1 = I_2 \neq 0$
선간 단락	정상분, 역상분	$I_1 = -I_2 \neq 0, \ I_0 = 0$
3상 단락	정상분	$I_1 \neq 0, \ I_0 = I_2 = 0$

1선 지락전류 $I_g = 3I_0 = \dfrac{3E_a}{Z_0 + Z_1 + Z_2}$

39 그림과 같은 3상 무부하 교류발전기에서 a상이 지락된 경우 지락전류는 어떻게 나타내는가?

[2014년 1회 기사 / 2019년 3회 기사]

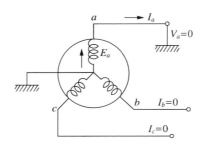

① $\dfrac{E_a}{Z_0 + Z_1 + Z_2}$ 　　　　② $\dfrac{2E_a}{Z_0 + Z_1 + Z_2}$

③ $\dfrac{3E_a}{Z_0 + Z_1 + Z_2}$ 　　　　④ $\dfrac{\sqrt{3}\,E_a}{Z_0 + Z_1 + Z_2}$

해설 **고장별 대칭분 및 전류의 크기**

고장종류	대칭분	전류의 크기
1선 지락	정상분, 역상분, 영상분	$I_0 = I_1 = I_2 \neq 0$
선간 단락	정상분, 역상분	$I_1 = -I_2 \neq 0,\ I_0 = 0$
3상 단락	정상분	$I_1 \neq 0,\ I_0 = I_2 = 0$

1선 지락전류 $I_g = 3I_0 = \dfrac{3E_a}{Z_0 + Z_1 + Z_2}$

40 그림과 같은 전력계통의 154[kV] 송전선로에서 고장 지락 임피던스 Z_{gf}를 통해서 1선 지락 고장이 발생되었을 때 고장점에서 본 영상 %임피던스는?(단, 그림에 표시한 임피던스는 모두 동일 용량, 100[MVA] 기준으로 환산한 %임피던스임)　　　　　[2016년 1회 기사]

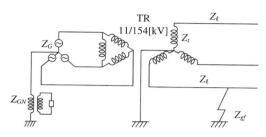

① $Z_0 = Z_l + Z_t + Z_G$

② $Z_0 = Z_l + Z_t + Z_{gf}$

③ $Z_0 = Z_l + Z_t + 3Z_{gf}$

④ $Z_0 = Z_l + Z_t + Z_{gf} + Z_G + Z_{GN}$

해설　$V = I_g Z_{gf} = 3I_0 Z_{gf} = I_0 3 Z_{gf}$
　　　　$Z_0 = Z_l + Z_t + 3Z_{gf}$

41 송전계통의 한 부분이 그림에서와 같이 3상 변압기로 1차 측은 △로, 2차 측은 Y로 중성점이 접지되어 있을 경우, 1차 측에 흐르는 영상전류는?　　　　　[2013년 2회 기사 / 2017년 2회 기사]

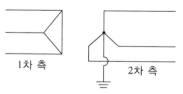

① 1차 측 변압기 내부와 1차 측 선로에서 반드시 0이다.

② 1차 측 선로에서 ∞이다.

③ 1차 측 변압기 내부에서는 반드시 0이다.

④ 1차 측 선로에서 반드시 0이다.

해설　△결선은 제3고조파를 내부에 흘러 1차 측 선로에서 영상전류는 반드시 0이다.

42 3상 Y결선된 발전기가 무부하 상태로 운전 중 b상 및 c상에서 동시에 직접 접지고장이 발생하였을 때 나타나는 현상으로 틀린 것은? [2016년 3회 산업기사]

① a상의 전류는 항상 0이다.

② 건전상의 a상 전압은 영상분 전압의 3배와 같다.

③ a상의 정상분 전압과 역상분 전압은 항상 같다.

④ 영상분 전류와 역상분 전류는 대칭성분 임피던스에 관계없이 항상 같다.

해설 2단자 b, c상 지락 시 $\dot{I}_a = 0$, $\dot{V}_b = \dot{V}_c = 0$, $V_0 = V_1 = V_2$

$$V_a = V_0 + V_1 + V_2 = 3V_0$$

$$\dot{I}_b = \frac{(a^2 - a)\dot{Z}_0 + (a^2 - 1)\dot{Z}_2}{\dot{Z}_0(\dot{Z}_1 + \dot{Z}_2) + \dot{Z}_1\dot{Z}_2}\dot{E}_a$$

$$\dot{I}_c = \frac{(a - a^2)\dot{Z}_0 + (a - 1)\dot{Z}_2}{\dot{Z}_0(\dot{Z}_1 + \dot{Z}_2) + \dot{Z}_1\dot{Z}_2}\dot{E}_a$$

$$\dot{V}_a = \frac{3\dot{Z}_0\dot{Z}_2}{\dot{Z}_0(\dot{Z}_1 + \dot{Z}_2) + \dot{Z}_1\dot{Z}_2}\dot{E}_a$$

정상분 전류와 역상분 전류는 방향이 반대

43 Y 결선된 발전기에서 3상 단락사고가 발생한 경우 전류에 관한 식 중 옳은 것은?(단, Z_0, Z_1, Z_2는 영상, 정상, 역상임피던스이다) [2015년 2회 기사]

① $I_a + I_b + I_c = I_0$

② $I_a = \dfrac{E_a}{Z_0}$

③ $I_b = \dfrac{a^2 E_a}{Z_1}$

④ $I_c = \dfrac{a E_a}{Z_2}$

해설 $I_a + I_b + I_c = I_a \angle 0° + I_b \angle 240° + I_c \angle 120° = 0$

$$V_a = V_b = V_c = 0$$

$$I_a = I_0 + I_1 + I_2 = I_1 = \frac{E_a}{Z_1}$$

$$I_b = I_0 + a^2 I_1 + a I_2 = a^2 I_1 = \frac{a^2 E_a}{Z_1}$$

$$I_c = I_0 + a I_1 + a^2 I_2 = a I_1 = \frac{a E_a}{Z_1}$$

CHAPTER 06 중성점접지와 유도장해

1. 중성점접지의 목적과 종류

※ 변전소 접지목적 3가지 → 이상전압 방지
  • 외함의 이상전압을 방지하여 인체의 접지사고 및 화재 방지
  • 고·저압 혼촉으로 인한 저압 측의 이상전압 방지
  • 1선 지락 시 선로의 이상전압을 방지하여 기기의 절연보호
※ 접지의 일반적인 목적
  • 고·저압 혼촉으로 인한 저압 측의 이상전압 방지
  • 기기의 지락사고 발생 시 사람에 걸리는 분담전압의 억제
  • 선로로부터의 유도에 의한 감전 방지
  • 이상전압 억제에 의한 절연계급의 저감, 보호장치의 동작 확실화

(1) 중성점접지의 목적

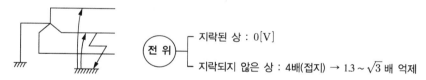

전 위 ┌ 지락된 상 : 0[V]
      └ 지락되지 않은 상 : 4배(접지) → $1.3 \sim \sqrt{3}$ 배 억제

① 1선 지락 시 전위상승을 억제하여 기계기구의 절연보호
② 단절연이 가능하므로 기기값이 저렴하다.
③ 과도안정도가 증진된다(소호리액터 접지방식).
④ 보호계전기의 동작이 신속하게 이용할 수 있다.
⑤ 아크를 소멸하여 이상전압 발생 방지

(2) 중성점접지방식 종류

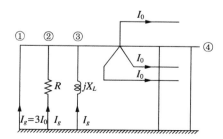

① $Z_n \fallingdotseq 0$ (직접접지)
② $Z_n = R$ (저항접지)
③ $Z_n = jX_L$ (소호리액터접지)
④ N (다중접지)

종 류	전위상승	지락전류	보호계전기 동작	통신선의 유도장해	과도안정도	절연레벨 애자개수 변압기
직접접지	1.3배(작다)	최 대	가장 확실	최 대	최소(고속차단 재폐로방식)	최저 단절연 가능
고저항 접지	약간 크다 (비접지보다 작다).	중간정도	확 실	중간정도	중간정도	비접지보다 낮다(전절연).
비접지	$\sqrt{3}$ 배	작다(송전거리가 길면 크다).	곤 란	작다.	작다.	최고(전절연)
소호리액터 접지	$\sqrt{3}$ 이상 (크다)	최 소	불가능	최 소	크다.	비접지보다 낮다(전절연).

(3) 비접지방식

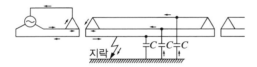

① 용도 : 저전압 단거리(20~30[kV]) 이하 단거리
② 전위 상승 : $\sqrt{3}$ 배
③ △결선운전 중 1대 고장 시 V결선 운전가능

    ㉠ V결선 출력비 $P_V = \sqrt{3}\, V_P I_P$

    ㉡ 이용률 $= \dfrac{\sqrt{3}}{2} = 0.866$

    ㉢ 출력비 $= \dfrac{1}{\sqrt{3}} = 0.577$

④ 지락전류 : $I_g = \dfrac{E}{Z} = \dfrac{\dfrac{V}{\sqrt{3}}}{\dfrac{1}{j3\omega C_S}} = j3\omega C_S \dfrac{V}{\sqrt{3}} = j\sqrt{3}\,\omega C_S V[\mathrm{A}]$

(4) 직접접지방식 : 154[kV] 이상 선로

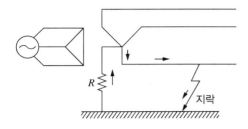

① 장 점
   ㉠ 1선 지락 시 전위상승이 가장 낮다.
   ㉡ 선로 및 기기의 절연레벨을 경감시킨다(변압기 단절연이 가능).
   ㉢ 기기값이 저렴하여 경제적이다.
   ㉣ 보호계전기의 동작이 신속, 확실하다.

② 단 점
   ㉠ 1선 지락 시 지락전류가 최대이다.
   ㉡ 영상분 전류로 인한 통신선의 유도장해가 가장 크다.
   ㉢ 대용량 차단기가 필요하다.
   ㉣ 과도안정도가 저하된다.

③ 유효접지 : 1선 지락 시 전위상승을 1.3배 이하가 되도록 중성점 임피던스를 조절하는 접지방식
   유효접지 조건식 : $R_0 \leq X_1$, $0 \leq X_0 \leq 3X_1$

(5) 소호리액터접지방식 : 66[kV](Petersen Coil)

제거 : $L - C$ 병렬관계(병렬공진)

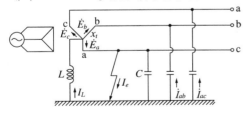

① 장 점
   ㉠ 1선 지락전류가 적으므로 계속적인 송전이 가능하다.
   ㉡ 과도안정도가 좋다.

ⓒ 통신선의 유도장해가 적다.

ⓔ 고장이 스스로 복구된다(순간정전인 경우).

② 단 점

　ⓐ 보호계전기 동작이 불확실하다.

　ⓑ 단선 고장 시 직렬공진에 의한 이상전압이 발생한다.

③ 합조도 : 완전공진에서 벗어난 정도

$$P = \frac{I_L - I_C}{I_C} \times 100\,[\%]$$

　ⓐ 과보상 : $I_L > I_C \left(\omega L < \dfrac{1}{3\omega C} \right) \rightarrow P = +$

　ⓑ 부족보상 : $I_L < I_C \left(\omega L > \dfrac{1}{3\omega C} \right) \rightarrow P = -$

　ⓒ 완전공진 : $I_L = I_C \left(\omega L = \dfrac{1}{3\omega C} \right) \rightarrow P = 0$

　∴ 과보상을 표준보상으로 해야 한다(이유 : 직렬공진에 의한 이상전압 발생 방지).

④ 병렬공진식 : $X_L + \dfrac{X_t}{3} = \dfrac{1}{3\omega C_S}$

　ⓐ 소호리액터의 리액턴스 : $X_L = \dfrac{1}{3\omega C_S} - \dfrac{X_t}{3}\,[\Omega]$

　ⓑ 소호리액터의 인덕턴스 : $L = \dfrac{1}{3\omega^2 C_S} - \dfrac{X_t}{3\omega}\,[\mathrm{H}]$

　ⓒ 소호리액터의 용량 : $Q_L = Q_C = 3\omega C_S E^2 \times 10^{-3}\,[\mathrm{kVA}]$

⑤ 잔류전압(이상전압, 영상전압)

$$E_n = \frac{\sqrt{C_a(C_a - C_b) + C_b(C_b - C_c) + C_c(C_c - C_a)}}{C_a + C_b + C_c} \times E$$

　ⓐ 정상운전 시 : $C_a = C_b = C_c \rightarrow E_n = 0$

　ⓑ 지락 시 : $C_a \neq C_b \neq C_c \rightarrow E_n \neq 0$

2. 유도장해

전력선에 통신선이 근접해 있는 경우 통신선에 전압, 전류가 유도되는 현상

(1) 정전유도장해 : 송전선로의 영상전압과 통신선과의 상호 정전용량의 불평형에 의해 통신선에 전압이 유도되는 현상

① 전력선과 통신선 간 이격거리가 같은 경우

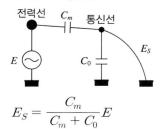

$$E_S = \frac{C_m}{C_m + C_0} E$$

여기서, C_m : 전 통신선 상호 정전용량

C_0 : 통신선 대지 정전용량

E : 전력선 대지전압

② 전력선 각 상과 통신선 간 이격거리가 모두 다른 경우

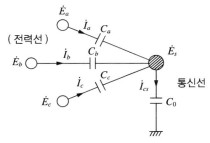

$$E_S = \frac{\sqrt{C_a(C_a - C_b) + C_b(C_b - C_c) + C_c(C_c - C_a)}}{C_a + C_b + C_c + C_0} \times \frac{V}{\sqrt{3}}$$

※ 각 전력선과 통신선 사이의 정전용량이 같고 대지전압이 동일한 경우

$$C_a = C_b = C_c = C, \ E_S = \frac{3C}{3C + C_0} E_0$$

(2) 전자유도장해 : 전력선과 통신선 사이의 상호인덕턴스에 의해 발생(영상전류)

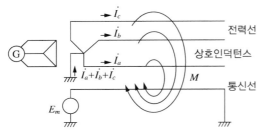

① 전력선과 통신선 병행 가설 시

$$E_m = j\omega Ml \times (I_a + I_b + I_c) = j\omega Ml \times 3I_0$$

(3) 유도장해 방지법

※ 근본대책
- 전력선과 통신선을 수직으로 교차시킨다.
- 전력선과 통신선과의 이격거리를 크게 한다.

① 전력선 측
    ㉠ 충분한 연가를 한다.
    ㉡ 소호리액터 접지방식을 채용한다.
    ㉢ 고속도 차단방식을 채용한다.
    ㉣ 이격거리를 크게 하여 상호인덕턴스값을 줄인다.
    ㉤ 차폐선을 설치한다.

② 통신선 측
    ㉠ 절연변압기 채용
    ㉡ 연피케이블을 사용
    ㉢ 특성이 양호한 피뢰기를 설치한다.
    ㉣ 통신장비 내에 배류코일을 설치한다.
    ㉤ 통신선 및 기기의 절연 강하

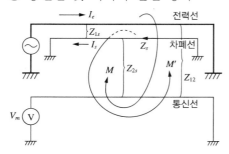

- Z_{12} : 전력선과 통신선 간의 상호임피던스
- Z_{1s} : 전력선과 차폐선 간의 상호임피던스
- Z_{2s} : 통신선과 차폐선 간의 상호임피던스
- Z_s : 차폐선의 자기임피던스

- 차폐계수 $\lambda = 1 - \dfrac{Z_{1s} Z_{2s}}{Z_s Z_{12}}$

핵 / 심 / 예 / 제

01 송전선로의 중성점접지의 주된 목적은? [2018년 1회 산업기사 / 2019년 1회 산업기사 / 2020년 3회 산업기사]

① 단락전류 제한

② 송전용량의 극대화

③ 전압강하의 극소화

④ 이상전압의 발생 방지

> **해설** 1선 지락 시 전위상승을 억제하여 기기의 절연을 보호한다.

02 송전선로의 중성점에 접지하는 목적이 아닌 것은? [2017년 1회 기사]

① 송전용량의 증가

② 과도안정도의 증진

③ 이상전압 발생의 억제

④ 보호계전기의 신속, 확실한 동작

> **해설** **직접접지(유효접지방식)** : 154[kV], 345[kV], 765[kV]의 송전선로에 사용
> - 장 점
>   - 1선 지락고장 시 건전상 전압상승이 거의 없다(대지전압의 1.3배 이하).
>   - 계통에 대해 절연레벨을 낮출 수 있다.
>   - 지락전류가 크므로 보호계전기 동작이 확실하다.
> - 단 점
>   - 1선 지락고장 시 인접 통신선에 대한 유도장해가 크다.
>   - 절연수준을 높여야 한다.
>   - 과도안정도가 나쁘다.
>   - 큰 전류를 차단하므로 차단기 등의 수명이 짧다.
>   - 통신유도장해가 최대가 된다.

03 송전계통의 중성점을 접지하는 목적으로 틀린 것은?   [2019년 3회 산업기사]

① 지락고장 시 전선로의 대지 전위상승을 억제하고 전선로와 기기의 절연을 경감시킨다.

② 소호리액터 접지방식에서는 1선 지락 시 지락점 아크를 빨리 소멸시킨다.

③ 차단기의 차단용량을 증대시킨다.

④ 지락고장에 대한 계전기의 동작을 확실하게 한다.

> 해설 **직접접지(유효접지방식)** : 154[kV], 345[kV], 765[kV]의 송전선로에 사용
> * 장 점
>   − 1선 지락고장 시 건전상 전압상승이 거의 없다(대지전압의 1.3배 이하).
>   − 계통에 대해 절연레벨을 낮출 수 있다.
>   − 지락전류가 크므로 보호계전기 동작이 확실하다.
> * 단 점
>   − 1선 지락고장 시 인접 통신선에 대한 유도장해가 크다.
>   − 절연수준을 높여야 한다.
>   − 과도안정도가 나쁘다.
>   − 큰 전류를 차단하므로 차단기 등의 수명이 짧다.
>   − 통신유도장해가 최대가 된다.

04 우리나라 22.9[kV] 배전선로에서 가장 많이 사용하는 배전방식과 중성점접지방식은?

[2016년 1회 산업기사]

① 3상 3선식 비접지

② 3상 4선식 비접지

③ 3상 3선식 다중접지

④ 3상 4선식 다중접지

> 해설 22.9[kV] 배전선로는 3상 4선식 다중접지, 송전선로는 3상 3선식 방식을 채용한다.

03 ③ 04 ④ **정답**

05 송전계통의 중성점을 직접접지할 경우 관계가 없는 것은? [2015년 3회 기사 / 2017년 1회 산업기사]

① 과도안정도 증진
② 계전기 동작 확실
③ 기기의 절연수준 저감
④ 단절연변압기 사용 가능

> **해설** **직접접지(유효접지방식)** : 154[kV], 345[kV], 765[kV]의 송전선로에 사용
> • 장 점
>   – 1선 지락고장 시 건전상 전압상승이 거의 없다(대지전압의 1.3배 이하).
>   – 계통에 대해 절연레벨을 낮출 수 있다.
>   – 지락전류가 크므로 보호계전기 동작이 확실하다.
> • 단 점
>   – 1선 지락고장 시 인접 통신선에 대한 유도장해가 크다.
>   – 절연수준을 높여야 한다.
>   – 과도안정도가 나쁘다.
>   – 큰 전류를 차단하므로 차단기 등의 수명이 짧다.
>   – 통신유도장해가 최대가 된다.

06 지락보호 계전기의 동작이 가장 확실한 송전계통방식은? [2014년 3회 기사 / 2018년 2회 산업기사]

① 고저항접지식
② 비접지식
③ 소호리액터접지식
④ 직접접지식

> **해설** **중성점접지방식**
>
> | 방 식 | 보호계전기 동작 | 지락 전류 | 전위 상승 | 과도 안정도 | 유도 장해 | 특 징 |
> |---|---|---|---|---|---|---|
> | 직접접지 22.9, 154, 345[kV] | 확 실 | 크다. | 1.3배 | 작다. | 크다. | 중성점 영전위 단절연 가능 |
> | 저항접지 | ↓ | ↓ | $\sqrt{3}$ 배 | ↓ | ↓ | |
> | 비접지 3.3, 6.6[kV] | × | ↓ | $\sqrt{3}$ 배 | ↓ | ↓ | 저전압 단거리 |
> | 소호리액터접지 66[kV] | 불확실 | 0 | $\sqrt{3}$ 배 이상 | 크다. | 작다. | 병렬 공진 |

07 1선 지락 시 건전상의 전압상승이 가장 적은 중성점접지방식은?

[2013년 1회 산업기사 / 2016년 1회 산업기사 / 2016년 3회 기사 / 2021년 1회 기사]

① 직접접지방식
② 비접지방식
③ 저항접지방식
④ 소호리액터접지방식

해설 **중성점접지방식**

방 식	보호계전기 동작	지락 전류	전위 상승	과도 안정도	유도 장해	특 징
직접접지 22.9, 154, 345[kV]	확 실	크다.	1.3배	작다.	크다.	중성점 영전위 단절연 가능
저항접지	↓	↓	$\sqrt{3}$ 배	↓	↓	
비접지 3.3, 6.6[kV]	×	↓	$\sqrt{3}$ 배	↓	↓	저전압 단거리
소호리액터접지 66[kV]	불확실	0	$\sqrt{3}$ 배 이상	크다.	작다.	병렬 공진

08 중성점 직접접지방식에 대한 설명으로 틀린 것은?

[2016년 3회 기사 / 2022년 2회 기사]

① 계통의 과도안정도가 나쁘다.
② 변압기의 단절연(段絶緣)이 가능하다.
③ 1선 지락 시 건전상의 전압은 거의 상승하지 않는다.
④ 1선 지락전류가 적어 차단기의 차단능력이 감소된다.

해설 7번 해설 참조

07 ① 08 ④ 정답

09 중성점 접지방식 중 직접접지 송전방식에 대한 설명으로 틀린 것은? [2021년 3회 기사]

① 1선 지락사고 시 지락전류는 타접지방식에 비하여 최대로 된다.
② 1선 지락사고 시 지락계전기의 동작이 확실하고 선택차단이 가능하다.
③ 통신선에서의 유도장해는 비접지방식에 비하여 크다.
④ 기기의 절연레벨을 상승시킬 수 있다.

해설 **직접접지(유효접지방식)** : 154[kV], 345[kV], 765[kV]의 송전선로에 사용
• 장 점
 − 1선 지락고장 시 건전상 전압상승이 거의 없다(대지전압의 1.3배 이하).
 − 계통에 대해 절연레벨을 낮출 수 있다.
 − 지락전류가 크므로 보호계전기 동작이 확실하다.
• 단 점
 − 1선 지락고장 시 인접 통신선에 대한 유도장해가 크다.
 − 절연수준을 높여야 한다.
 − 과도안정도가 나쁘다.
 − 큰 전류를 차단하므로 차단기 등의 수명이 짧다.
 − 통신유도장해가 최대가 된다.

10 중성점접지방식에서 직접접지방식을 다른 접지방식과 비교하였을 때 그 설명으로 틀린 것은?

[2016년 2회 산업기사]

① 변압기의 저감절연이 가능하다.
② 지락고장 시의 이상전압이 낮다.
③ 다중접지사고로의 확대 가능성이 대단히 크다.
④ 보호계전기의 동작이 확실하여 신뢰도가 높다.

해설 **중성점접지방식**

방 식	보호계전기 동작	지락 전류	전위 상승	과도 안정도	유도 장해	특 징
직접접지 22.9, 154, 345[kV]	확 실	크다.	1.3배	작다.	크다.	중성점 영전위 단절연 가능
저항접지	↓	↓	$\sqrt{3}$ 배	↓	↓	
비접지 3.3, 6.6[kV]	×	↓	$\sqrt{3}$ 배	↓	↓	저전압 단거리
소호리액터접지 66[kV]	불확실	0	$\sqrt{3}$ 배 이상	크다.	작다.	병렬 공진

11 전력계통의 중성점 다중 접지방식의 특징으로 옳은 것은? [2021년 3회 기사]

① 통신선의 유도장해가 적다.

② 합성 접지저항이 매우 높다.

③ 건전상의 전위상승이 매우 높다.

④ 지락보호 계전기의 동작이 확실하다.

해설 **직접접지(유효접지방식)** : 154[kV], 345[kV], 765[kV]의 송전선로에 사용
- 장 점
  - 1선 지락고장 시 건전상 전압상승이 거의 없다(대지전압의 1.3배 이하).
  - 계통에 대해 절연레벨을 낮출 수 있다.
  - 지락전류가 크므로 보호계전기 동작이 확실하다.
- 단 점
  - 1선 지락고장 시 인접 통신선에 대한 유도장해가 크다.
  - 절연수준을 높여야 한다.
  - 과도안정도가 나쁘다.
  - 큰 전류를 차단하므로 차단기 등의 수명이 짧다.
  - 통신유도장해가 최대가 된다.

12 22.9[kV-Y] 3상 4선식 중성선 다중접지계통의 특성에 대한 내용으로 틀린 것은?

[2016년 2회 기사]

① 1선 지락사고 시 1상 단락전류에 해당하는 큰 전류가 흐른다.

② 전원의 중성점과 주상변압기의 1차 및 2차를 공통의 중성선으로 연결하여 접지한다.

③ 각 상에 접속된 부하가 불평형일 때도 불완전 1선 지락고장의 검출감도가 상당히 예민하다.

④ 고저압 혼촉사고 시에는 중성선에 막대한 전위상승을 일으켜 수용가에 위험을 줄 우려가 있다.

해설 각 상에 접속된 부하가 불평형일 때도 불완전 1선 지락고장의 검출은 가능하고, 검출감도는 예민하지 않다.

13 중성점 비접지방식을 이용하는 것이 적당한 것은?

[2018년 3회 산업기사]

① 고전압 장거리

② 고전압 단거리

③ 저전압 장거리

④ 저전압 단거리

해설 △−△**결선** : 저전압 단거리 송전선로(20~30[kV] 이하)

14 △ 결선의 3상 3선식 배전선로가 있다. 1선이 지락하는 경우 건전상의 전위상승은 지락선의 몇 배인가?

[2012년 2회 기사 / 2013년 3회 산업기사 / 2017년 3회 기사]

① $\dfrac{\sqrt{3}}{2}$

② 1

③ $\sqrt{2}$

④ $\sqrt{3}$

해설 비접지방식(3.3[kV], 6.6[kV])
- 저전압 단거리, △−△ 결선을 많이 이용
- 1상 고장 시 V−V 결선 가능(고장 중 운전 가능)
- 1선 지락 시 $\sqrt{3}$ 배의 전위상승
- 지락전류 $I_g = \dfrac{E}{X_c} = \dfrac{E}{\dfrac{1}{j3\omega C_s}} = j3\omega C_s E$

15 배전선로에 3상 3선식 비접지방식을 채용할 경우 장점이 아닌 것은?

[2017년 2회 산업기사 / 2020년 4회 기사]

① 과도안정도가 크다.
② 1선 지락고장 시 고장전류가 작다.
③ 1선 지락고장 시 인접 통신선의 유도장해가 작다.
④ 1선 지락고장 시 건전상의 대지 전위상승이 작다.

해설 **직접접지(유효접지방식)** : 154[kV], 345[kV], 765[kV]의 송전선로에 사용
  • 장 점
    – 1선 지락고장 시 건전상 전압상승이 거의 없다(대지전압의 1.3배 이하).
    – 계통에 대해 절연레벨을 낮출 수 있다.
    – 지락전류가 크므로 보호계전기 동작이 확실하다.
  • 단 점
    – 1선 지락고장 시 인접 통신선에 대한 유도장해가 크다.
    – 절연수준을 높여야 한다.
    – 과도안정도가 나쁘다.
    – 큰 전류를 차단하므로 차단기 등의 수명이 짧다.
    – 통신유도장해가 최대가 된다.

16 일반적인 비접지 3상 송전선로의 1선 지락고장 발생 시 각 상의 전압은 어떻게 되는가?

[2015년 1회 기사]

① 고장상의 전압은 떨어지고, 나머지 두 상의 전압은 변동되지 않는다.
② 고장상의 전압은 떨어지고, 나머지 두 상의 전압은 상승한다.
③ 고장상의 전압은 떨어지고, 나머지 상의 전압도 떨어진다.
④ 고장상의 전압이 상승한다.

해설 **비접지방식(3.3[kV], 6.6[kV])**
  • 1선 지락 시 건전한 2상의 전위가 $\sqrt{3}$ 배 상승한다.
  • 대지와 1선 지락이 발생할 때 전위가 0에 가까워진다.

17 비접지식 3상 송배전계통에서 1선 지락고장 시 고장전류를 계산하는 데 사용되는 정전용량은?

[2019년 1회 기사]

① 작용정전용량
② 대지정전용량
③ 합성정전용량
④ 선간정전용량

해설 지락전류 $I_g = \dfrac{E}{X_C} = \dfrac{E}{\dfrac{1}{j3\omega C_s}} = j3\omega C_s E$

C_s = 대지정전용량

18 비접지식 송전선로에서 1선 지락고장이 생겼을 경우 지락점에 흐르는 전류는?

[2015년 3회 산업기사 / 2017년 1회 기사]

① 직선성을 가진 직류이다.
② 고장상의 전압과 동상의 전류이다.
③ 고장상의 전압보다 90° 늦은 전류이다.
④ 고장상의 전압보다 90° 빠른 전류이다.

해설 $I_g = \sqrt{3}\,\omega CV$ 에서 C만의 회로는 전류가 전압보다 90° 앞선다.

19 33[kV] 이하의 단거리 송배전선로에 적용되는 비접지방식에서 지락전류는 다음 중 어느 것을 말하는가?

[2019년 2회 기사]

① 누설전류
② 충전전류
③ 뒤진 전류
④ 단락전류

해설 $I_g = \sqrt{3}\,\omega CV$에서 C만의 회로는 전류가 전압보다 90° 앞서고 용량성(충전전류)이다.

20 중성점 저항접지방식에서 1선 지락 시의 영상전류를 I_0라고 할 때, 접지저항으로 흐르는 전류는?

[2019년 1회 산업기사]

① $\dfrac{1}{3}I_0$ 　　　　　　② $\sqrt{3}\,I_0$

③ $3I_0$ 　　　　　　　　④ $6I_0$

해설 고장별 대칭분 및 전류의 크기

고장종류	대칭분	전류의 크기
1선 지락	정상분, 역상분, 영상분	$I_0 = I_1 = I_2 \neq 0$
선간 단락	정상분, 영상분	$I_1 = -I_2 \neq 0,\ I_0 = 0$
3상 단락	정상분	$I_1 \neq 0,\ I_0 = I_2 = 0$

1선 지락전류 $I_g = 3I_0 = \dfrac{3E_a}{Z_0 + Z_1 + Z_2}$

21 66[kV], 60[Hz] 3상 3선식 선로에서 중성점을 소호리액터접지하여 완전 공진상태로 되었을 때 중섬점에 흐르는 전류는 몇 [A]인가?(단, 소호리액터를 포함한 영상회로의 등가저항은 200[Ω], 중성점 잔류전압은 4,400[V]라고 한다)

[2019년 3회 산업기사]

① 11 　　　　　　　　② 22
③ 33 　　　　　　　　④ 44

해설 공진상태이므로 $I = \dfrac{V}{R} = \dfrac{4,400}{200} = 22[\text{A}]$

22 정격전압 6,600[V], Y결선, 3상 발전기를 중성점을 1선 지락 시 지락전류를 100[A]로 제한하는 저항기로 접지하려고 한다. 저항기의 저항값은 몇 [Ω]인가?

[2014년 2회 기사 / 2020년 3회 기사]

① 44 　　　　　　　　② 41
③ 38 　　　　　　　　④ 35

해설

지락전류 $I_g = \dfrac{E}{R_g} = \dfrac{\dfrac{V}{\sqrt{3}}}{R}$ 에서 $R = \dfrac{\dfrac{V}{\sqrt{3}}}{I_g} = \dfrac{\dfrac{6,600}{\sqrt{3}}}{100} \fallingdotseq 38.11 \fallingdotseq 38[\Omega]$

여기서, E : 상전압

V : 선간전압

23 소호리액터접지방식에 대한 설명 중 옳지 못한 것은? [2012년 1회 산업기사 / 2016년 2회 산업기사]

① 전자유도장해가 경감된다.
② 지락 중에도 계속 송전이 가능하다.
③ 지락전류가 적다.
④ 선택지락계전기의 동작이 용이하다.

해설 중성점접지방식

방 식	보호계전기 동작	지락 전류	전위 상승	과도 안정도	유도 장해	특 징
직접접지 22.9, 154, 345[kV]	확 실	크다.	1.3배	작다.	크다.	중성점 영전위 단절연 가능
저항접지	↓	↓	$\sqrt{3}$ 배	↓	↓	
비접지 3.3, 6.6[kV]	×	↓	$\sqrt{3}$ 배	↓	↓	저전압 단거리
소호리액터접지 66[kV]	불확실	0	$\sqrt{3}$ 배 이상	크다.	작다.	병렬공진

24 소호리액터를 송전계통에 사용하면 리액터의 인덕턴스와 선로의 정전용량이 어떤 상태로 되어 지락전류를 소멸시키는가? [2018년 2회 기사 / 2022년 1회 기사]

① 병렬공진
② 직렬공진
③ 고임피던스
④ 저임피던스

해설 23번 해설 참조

25 중성점접지방식 중 1선 지락고장일 때 선로의 전압상승이 최대이고, 또한 통신장애가 최소인 것은? [2016년 2회 기사 / 2014년 1회 산업기사]

① 비접지방식
② 직접접지방식
③ 저항접지방식
④ 소호리액터접지방식

해설 23번 해설 참조

26 송전선로에서 1선 지락의 경우 지락전류가 가장 작은 중성점접지방식은?

[2012년 1회 기사 / 2019년 1회 기사]

① 비접지방식   ② 직접접지방식
③ 저항접지방식   ④ 소호리액터접지방식

해설 중성점접지방식

방 식	보호계전기 동작	지락 전류	전위 상승	과도 안정도	유도 장해	특 징
직접접지 22.9, 154, 345[kV]	확 실	크다.	1.3배	작다.	크다.	중성점 영전위 단절연 가능
저항접지	↓	↓	$\sqrt{3}$ 배	↓	↓	
비접지 3.3, 6.6[kV]	×	↓	$\sqrt{3}$ 배	↓	↓	저전압 단거리
소호리액터접지 66[kV]	불확실	0	$\sqrt{3}$ 배 이상	크다.	작다.	병렬공진

27 차단기의 차단능력이 가장 가벼운 것은?

[2016년 3회 기사]

① 중성점 직접접지계통의 지락전류 차단
② 중성점 저항접지계통의 지락전류 차단
③ 송전선로의 단락사고 시의 단락사고 차단
④ 중성점을 소호리액터로 접지한 장거리 송전선로의 지락전류 차단

해설 26번 해설 참조

28 소호리액터접지에 대한 설명으로 틀린 것은?

[2018년 2회 산업기사]

① 지락전류가 작다.
② 과도안정도가 높다.
③ 전자유도장애가 경감된다.
④ 선택지락계전기의 작동이 쉽다.

해설 26번 해설 참조

     26 ④   27 ④   28 ④   **정답**

29 3상 송전선로의 각 상의 대지 정전용량을 C_a, C_b 및 C_c라 할 때, 중성점 비접지 시의 중성점과 대지 간의 전압은?(단, E는 상전압이다)

[2015년 1회 기사]

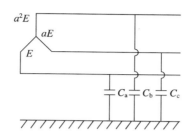

① $(C_a + C_b + C_c)E$

② $\dfrac{\sqrt{C_aC_b + C_bC_c + C_cC_a}}{C_a + C_b + C_c}E$

③ $\dfrac{\sqrt{C_a(C_a - C_b) + C_b(C_b - C_c) + C_c(C_c - C_a)}}{C_a + C_b + C_c}E$

④ $\dfrac{\sqrt{C_a(C_b - C_c) + C_b(C_c - C_a) + C_c(C_a - C_b)}}{C_a + C_b + C_c}E$

해설 중성점과 대지 간의 전압

$$V_n = \frac{\sqrt{C_a(C_a - C_b) + C_b(C_b - C_c) + C_c(C_c - C_a)}}{C_a + C_b + C_c} \times E$$

30 유도장해를 방지하기 위한 전력선 측의 대책으로 틀린 것은? [2017년 3회 기사]

① 차폐선을 설치한다.

② 고속도 차단기를 사용한다.

③ 중성점 전압을 가능한 높게 한다.

④ 중성점 접지에 고저항을 넣어서 지락전류를 줄인다.

해설 **통신선의 유도장해**
- 전력선 측
 - 상호인덕턴스 감소 : 차폐선을 설치(30~50[%] 경감), 송전선과 통신선 충분한 이격
 - 중성점 접지저항값 증가, 유도전류 감소 : 소호리액터 중성점 접지 채용
 - 고장지속시간 단축 : 고속도 지락보호계전방식 채용
 - 지락전류 감소 : 차폐감수 감소
- 통신선 측
 - 상호인덕턴스 감소 : 연피통신케이블 사용
 - 유도전압 감소 : 성능 우수한 피뢰기 설치
 - 병행길이 단축 : 통신선 도중 중계코일 설치
 - 통신잡음 단축 : 배류코일, 중화코일 등으로 접지

31 3상 1회선 송전선로의 소호리액터 용량[kVA]은? [2016년 1회 산업기사]

① 선로 충전용량과 같다.

② 선간 충전용량의 1/2이다.

③ 3선 일관의 대지 충전용량과 같다.

④ 1선과 중성점 사이의 충전용량과 같다.

해설 $Q_L = Q_C = 6\pi f C E^2 \times 10^{-3} = 2\pi f C V^2 \times 10^{-3} [\text{kVA}]$

32 1상의 대지정전용량이 0.5[μF], 주파수가 60[Hz]인 3상 송전선이 있다. 이 선로에 소호리액터를 설치한다면, 소호리액터의 공진리액턴스는 약 몇 [Ω]이면 되는가? [2020년 3회 기사]

① 970
② 1,370
③ 1,770
④ 3,570

해설 $X_L = \dfrac{1}{3\omega L} = \dfrac{1}{3 \times 2\pi \times 60 \times 0.5 \times 10^{-6}} \fallingdotseq 1,770[\Omega]$

33 송전전압 154[kV], 2회선 선로가 있다. 선로길이가 240[km]이고 선로의 작용정전용량이 0.02[μF/km]라고 한다. 이것을 자기여자를 일으키지 않고 충전하기 위해서는 최소한 몇 [MVA] 이상의 발전기를 이용하여야 하는가?(단, 주파수는 60[Hz]이다) [2016년 2회 기사]

① 78
② 86
③ 89
④ 95

해설 $Q_C = 3\omega C E^2 \times l \times$ 회선수

$= 3 \times 2\pi \times 60 \times 0.02 \times 10^{-6} \times \left(\dfrac{154,000}{\sqrt{3}}\right)^2 \times 10^{-6} \times 240 \times 2 \fallingdotseq 85.83 \fallingdotseq 86[\text{MVA}]$

34 선간전압이 V[kV]이고, 1상의 대지정전용량이 C[μF], 주파수가 f[Hz]인 3상 3선식 1회선 송전선의 소호리액터접지방식에서 소호리액터의 용량은 몇 [kVA]인가? [2018년 3회 산업기사]

① $6\pi f C V^2 \times 10^{-3}$
② $3\pi f C V^2 \times 10^{-3}$
③ $2\pi f C V^2 \times 10^{-3}$
④ $\sqrt{3}\,\pi f C V^2 \times 10^{-3}$

해설 $Q_C = 3\omega C E^2 = 3 \times (2\pi f) C E^2 = 6\pi f C \left(\dfrac{V}{\sqrt{3}}\right)^2 = 6\pi f \times C \times 10^{-6} \times \left(\dfrac{V \times 10^3}{\sqrt{3}}\right)^2 \times 10^{-3}$

$= 2\pi f C V^2 \times 10^{-3}[\text{kVA}]$

35 송전선로에 근접한 통신선에 유도장해가 발생하였다. 전자유도의 원인은?

[2014년 2회 산업기사 / 2015년 1회 기사 / 2016년 3회 기사, 산업기사 / 2017년 2회 산업기사 / 2019년 3회 산업기사]

① 역상전압 　　　　　　　　　② 정상전압
③ 정상전류 　　　　　　　　　④ 영상전류

해설

구 분	원 인	공 식	비 고
전자유도장해	영상전류, 상호인덕턴스	$V_m = -3I_0 \times j\omega Ml [\text{V}]$	주파수, 길이 비례
정전유도장해	영상전압, 상호정전용량	$V_0 = \dfrac{C_m}{C_m + C_s} \times V_s$	길이와 무관

36 다음 중 전력선에 의한 통신선의 전자유도장해의 주된 원인은? [2020년 3회 산업기사]

① 전력선과 통신선 사이의 상호정전용량
② 전력선의 불충분한 연가
③ 전력선의 1선 지락사고 등에 의한 영상전류
④ 통신선 전압보다 높은 전력선의 전압

해설 1선 지락사고 발생 시 영상전류에 의한 전자유도장해가 발생한다(영상전압에 의해 정전유도장해가 발생).

37 통신선과 평행인 주파수 60[Hz]의 3상 1회선 송전선이 있다. 1선 지락 때문에 영상전류가 100[A] 흐르고 있다면 통신선에 유도되는 전자유도전압은 약 몇 [V]인가?(단, 영상전류는 전 전선에 걸쳐서 같으며, 송전선과 통신선과의 상호인덕턴스는 0.06[mH/km], 그 평행 길이는 40[km]이다)

[2016년 3회 기사 / 2021년 1회 기사]

① 156.6

② 162.8

③ 230.2

④ 271.4

해설 $E_M = \omega M l \times 3I_0 = 2\pi \times 60 \times 0.06 \times 10^{-3} \times 40 \times 3 \times 100 \fallingdotseq 271.4[V]$

38 전력선 a의 충전전압을 E, 통신선 b의 대지정전용량을 C_b, $a-b$ 사이의 상호정전용량을 C_{ab}라고 하면 통신선 b의 정전유도전압 E_s는?

[2012년 3회 기사 / 2016년 2회 산업기사]

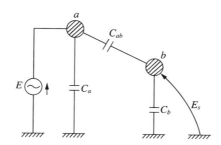

① $\dfrac{C_{ab} + C_b}{C_b} \times E$

② $\dfrac{C_{ab} + C_b}{C_{ab}} \times E$

③ $\dfrac{C_b}{C_{ab} + C_b} \times E$

④ $\dfrac{C_{ab}}{C_{ab} + C_b} \times E$

해설 C_a에 충전전압 E가 인가, 정전용량 C_{ab}와 C_b의 직렬회로이므로 전압이 분배된다.

정전유도전압 $E_s = \dfrac{C_{ab}}{C_{ab} + C_b} \times E$

39 그림과 같이 전력선과 통신선 사이에 차폐선을 설치하였다. 이 경우에 통신선의 차폐계수(K) 를 구하는 관계식은?(단, 차폐선을 통신선에 근접하여 설치한다) [2018년 1회 기사]

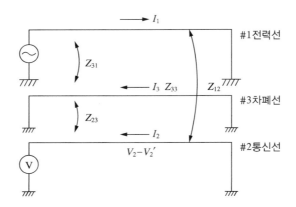

① $K = 1 + \dfrac{Z_{31}}{Z_{12}}$

② $K = 1 - \dfrac{Z_{31}}{Z_{33}}$

③ $K = 1 - \dfrac{Z_{23}}{Z_{33}}$

④ $K = 1 + \dfrac{Z_{23}}{Z_{33}}$

해설

차폐선의 차폐계수 : $K = 1 - \dfrac{Z_{31} Z_{23}}{Z_{33} Z_{12}}$

• 차폐선을 통신선에 접근해서 설치할 경우 $Z_{31} \fallingdotseq Z_{12}$로 되므로 $K = 1 - \dfrac{Z_{23}}{Z_{33}}$

• 차폐선을 전력선에 접근해서 설치할 경우 $Z_{12} \fallingdotseq Z_{23}$로 되므로 $K = 1 - \dfrac{Z_{31}}{Z_{33}}$

39 ③ 정답

CHAPTER 07 이상전압과 방호

1. 이상전압의 종류

(1) 내부이상전압

① 개폐서지 : 선로 개폐 시 전위상승(최대 4~4.5배 차단기를 무부하 시 개로시킬 때)
  → 차단기 내부에 저항기 설치(서지 억제 저항기)
② 1선 지락 시 전위상승 → 중성점 접지방식 채용
③ 무부하 시 전위상승(페란티 현상) → 분로(병렬)리액터 설치
④ 잔류전압에 의한 전위상승 → 연가

(2) 외부이상전압

① 직격뢰 : 선로에 직격되는 뇌
② 유도뢰 : 정전유도에 의해 뇌운이 대지로 방전 시 인접한 전선로에 유도되는 뇌

2. 이상전압 방호대책

(1) 가공지선

① 직격뢰 차폐 → 차폐각 : 30~45°(30° 이하 : 100[%], 45° : 97[%])
  차폐각이 작을수록 보호율은 크고 시설비는 고가
  ※ 2조 지선을 설치 시 차폐보호율이 좋아진다.
② 유도뢰 차폐
③ 통신선의 유도장해 경감

(2) 매설지선 : 철탑의 저항값을 감소시켜 역섬락 방지

※ 역섬락 : 뇌전류가 철탑에서 대지로 방전 시 철탑의 접지저항값이 클 경우 대지가 아닌 송전선에 섬락을 일으키는 현상

(3) 소호장치 : 아킹혼, 아킹링 → 뇌로부터 애자련을 보호

(4) 피뢰기 : 뇌전류를 방전, 속류를 차단하여 기계기구 절연보호

(5) 피뢰침

3. 뇌의 파형

(1) 측정기 : 자강편 → 뇌격도수 고속도 브라운관 오실로 그래프 → 뇌격도수, 뇌의 파형

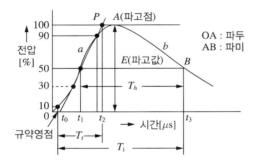

(2) 파두장, 파미장 : $1 \times 40[\mu\sec]$ 또는 $1.2 \times 50[\mu\sec]$

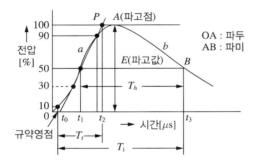

$$i_1 = \frac{e_1}{Z_1}, \ i_2 = \frac{e_2}{Z_1}, \ i_3 = \frac{e_3}{Z_2}$$

(3) 키르히호프의 법칙(1법칙) 적용 시($i = i_2 + i_3, \ e_3 = e_1 + e_2$)

   ① 투과계수 : $\gamma = \dfrac{2Z_2}{Z_1 + Z_2}$

     투과전압 : $e_3 = \gamma e_1$

② 반사계수 : $\beta = \dfrac{Z_2 - Z_1}{Z_1 + Z_2}$

　반사파전압 : $e_2 = \beta e_1$

③ 무반사 조건 : 입사파 = 투과파, 반사계수 = 0 $\therefore Z_1 = Z_2$

4. 피뢰기

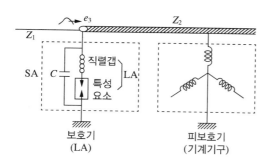

- LA : 정지기 보호(유입변압기)
- SA(LA + C) : 회전기 보호(발전기, 몰드변압기, 내부 이상전압 흡수)

(1) 피뢰기의 역할과 기능 : 이상전압 내습 시 뇌전류를 방전, 속류를 차단하여 기계기구의 절연보호

(2) 피뢰기의 구성

① **직렬갭** : 뇌전류를 방전하며 속류를 차단

② **특성요소** : 절연보호(최근에 피뢰기는 갭이 없는 less형)

③ **실드링** : 전·자기적 충격으로부터 보호

(3) 피뢰기의 설치장소

① 발·변전소 인입구 및 인출구 부근

② 배전용 변압기 고압 측 및 특고압 측 부근

③ 특고압·고압을 수전받는 수용가 인입구

④ 가공전선과 지중전선 접속점 부근

※ 피뢰기 구비조건
  • 상용주파 방전 개시전압은 높을 것
  • 충격방전 개시전압은 낮을 것
  • 제한전압은 낮을 것
  • 속류차단능력은 클 것

(4) 피뢰기의 정격전압

① 속류가 차단되는 교류의 최고전압 유효접지계(직접접지) : 선로공칭전압의 0.8~1배
  비유효접지계(소호, 저항접지) : 선로공칭전압의 1.4~1.6배
  ※ 1선 지락 시 전위 상승분이 틀리기 때문

② 피뢰기의 정격전압

전압[kV]	정격전압[kV]
345	288
154	144
66	75
22.9	18(21)
22	24
6.6	7.5
3.3	

( )는 변전소용임

(5) 피뢰기의 제한전압 : 피뢰기 동작 중 단자전압의 파고치

※ 절연협조의 기본이 되는 전압

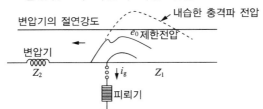

$$e_0 = 투과전압 - 방전전압$$
$$= \frac{2Z_2}{Z_1 + Z_2}e_1 - \left(\frac{Z_1 Z_2}{Z_1 + Z_2}\right)i_g$$

(6) 절연협조 : 보호기와 피보호기와의 상호절연 협력관계

※ 계통전체의 신뢰도를 높이고 경제적, 합리적인 설계를 한다.

① 여유도

$$여유도 = \frac{기기의\ 절연강도 - 제한전압}{제한전압} \times 100[\%]$$

② 절연협조 순서

LA → 변압기(코일-부싱) → 결합콘덴서 → 선로(애자)

③ 보호기와 피보호기 이격거리

    ㉠ 154[kV] : 65[m]

    ㉡ 22.9[kV] : 20[m]

④ BIL(기준충격 절연강도) : 기기의 절연을 표준화하고 통일된 절연체계를 구성하기 위한 절연계급 설정 → 피뢰기 제한전압 기준

    ※ 기준충격 절연강도 = (선로공칭전압 × 5배)±50

(7) 구매 시 고려사항

① 사용장소

② 정격전압

③ 공칭방전전류

④ 전압-전류특성

핵 / 심 / 예 / 제

01 송배전 계통에 발생하는 이상전압의 내부적 원인이 아닌 것은? [2015년 1회 기사]

① 선로의 개폐

② 직격뢰

③ 아크 접지

④ 선로의 이상 상태

해설

내부적인 요인	외부적인 요인
개폐서지	뇌서지(직격뢰, 유도뢰)
대책 : 개폐저항기	대책 : 서지흡수기

02 뇌해 방지와 관계가 없는 것은? [2015년 1회 산업기사 / 2018년 2회 산업기사 / 2019년 1회 산업기사]

① 매설지선 ② 가공지선

③ 소호각 ④ 댐 퍼

해설 댐퍼 : 송전선로의 진동을 억제하는 장치, 지지점 가까운 곳에 설치

03 이상전압에 대한 방호장치가 아닌 것은? [2016년 2회 기사]

① 피뢰기 ② 가공지선

③ 방전코일 ④ 서지흡수기

해설 방전코일 : 전력용 콘덴서의 BANK의 3요소 중 전원 개방 시 잔류전하를 방전하여 인체의 감전사고 방지 및 전원 재투입 시 과전압 발생 방지

01 ② 02 ④ 03 ③ **정답**

04 송배전 선로에서 내부이상전압에 속하지 않는 것은?

[2016년 2회 산업기사]

① 개폐 이상전압

② 유도뢰에 의한 이상전압

③ 사고 시의 과도 이상전압

④ 계통 조작과 고장 시의 지속 이상전압

해설

내부적인 요인	외부적인 요인
개폐서지	뇌서지(직격뢰, 유도뢰)
대책 : 개폐저항기	대책 : 서지흡수기

05 초고압용 차단기에서 개폐저항기를 사용하는 이유 중 가장 타당한 것은?

[2015년 1회 기사 / 2016년 2회 기사 / 2018년 3회 산업기사]

① 차단전류의 역률 개선　　② 차단전류 감소

③ 차단속도 증진　　④ 개폐서지 이상전압 억제

해설　　4번 해설 참조

06 다음 중 개폐서지의 이상전압을 감쇄할 목적으로 설치하는 것은?

[2012년 1회 기사 / 2017년 3회 기사 / 2020년 4회 기사]

① 단로기　　② 차단기

③ 리액터　　④ 개폐저항기

해설　　4번 해설 참조

정답　04 ②　05 ④　06 ④

07 개폐서지를 흡수할 목적으로 설치하는 것의 약어는? [2017년 2회 산업기사]

① CT ② SA

③ GIS ④ ATS

해설 ② SA : 서지흡수기
① CT : 계기용변류기
③ GIS : 가스개폐기
④ ATS : 자동전환개폐기

08 전력계통에서 내부이상전압의 크기가 가장 큰 경우는? [2016년 1회 기사 / 2021년 2회 기사]

① 유도성 소전류 차단 시

② 수차발전기의 부하 차단 시

③ 무부하선로 충전전류 차단 시

④ 송전선로의 부하차단기 투입 시

해설 개폐 이상전압은 회로의 폐로 때보다 개로할 때가 크며 또한 부하 개로할 때보다 무부하회로를
개로할 때가 더 크다. 개폐 이상전압은 상규 대지전압이 3.5배 이하로서 4배를 넘는 경우는 거의
없다. 앞선 무효분 정전용량에 의한 충전전류를 차단 시 이상전압이 크게 발생된다.

09 변전소, 발전소 등에 설치하는 피뢰기에 대한 설명 중 틀린 것은?

[2014년 2회 기사 / 2019년 2회 기사]

① 정격전압은 상용주파 정현파전압의 최고한도를 규정한 순시값이다.

② 피뢰기의 직렬갭은 일반적으로 저항으로 되어 있다.

③ 방전전류는 뇌충격전류의 파고값으로 표시한다.

④ 속류란 방전현상이 실질적으로 끝난 후에도 전력계통에서 피뢰기에 공급되어 흐르는 전류
를 말한다.

해설 정격전압은 속류를 차단할 수 있는 교류의 최댓값에 대한 실횻값이다.

10 직격뢰에 대한 방호설비로 가장 적당한 것은? [2018년 2회 기사 / 2021년 2회 기사]

① 복도체
② 가공지선
③ 서지흡수기
④ 정전방전기

> **[해설]** **가공지선의 역할**
> • 직격뢰 및 유도뢰 차폐
> • 통신선에 대한 전자유도장해 경감

11 송전선로에 낙뢰를 방지하기 위하여 설치하는 것은? [2015년 3회 산업기사 / 2019년 3회 산업기사]

① 댐 퍼
② 초호환
③ 가공지선
④ 애 자

> **[해설]** ③ 가공지선 : 직격뢰 및 유도뢰 차폐, 통신선에 대한 전자유도장해 경감
> ① 댐퍼 : 송전선로의 진동을 억제하는 장치, 지지점 가까운 곳에 설치
> ② 아킹혼(초호환, 초호각, 소호각) : 뇌로부터 애자련 보호, 애자의 전압 분담 균일화
> ④ 애자 : 전선로 지지 및 절연

12 송전선로에 가공지선을 설치하는 목적은? [2014년 3회 산업기사 / 2019년 2회 산업기사]

① 코로나 방지
② 뇌에 대한 차폐
③ 선로정수의 평행
④ 철탑지지

> **[해설]** **이상전압의 방지대책**
> • 매설지선 : 역섬락 방지, 철탑 접지저항의 저감
> • 가공지선 : 직격뢰 차폐
> • 피뢰기 : 이상전압에 대한 기계, 기구 보호

13 송전선에서의 뇌격에 대한 차폐 등으로 가선하는 가공지선에 대한 설명 중 옳은 것은?

[2014년 3회 기사 / 2020년 3회 기사]

① 차폐각은 보통 15~30° 정도로 하고 있다.
② 차폐각이 클수록 벼락에 대한 차폐효과가 크다.
③ 가공지선을 2선으로 하면 차폐각이 작아진다.
④ 가공지선으로는 연동선을 주로 사용한다.

해설 차폐각이 작을수록 보호율이 우수하다.
  • 보호율 : 97[%]
  • 가공지선 2선 : 차폐각이 작아진다(비용증가).
  • 차폐각 : 일반 건조물 60°, 위험 건조물 45°

14 가공지선의 설치 목적이 아닌 것은?

[2017년 2회 기사]

① 전압강하의 방지
② 직격뢰에 대한 차폐
③ 유도뢰에 대한 정전차폐
④ 통신선에 대한 전자유도장해 경감

해설 **가공지선의 역할**
  • 직격뢰 및 유도뢰 차폐
  • 통신선에 대한 전자유도장해 경감

15 송전선로에서 가공지선을 설치하는 목적이 아닌 것은?

[2020년 1, 2회 기사]

① 뇌(雷)의 직격을 받을 경우 송전선 보호
② 유도뢰에 의한 송전선의 고전위 방지
③ 통신선에 대한 전자유도장해 경감
④ 철탑의 접지저항 경감

해설 • 가공지선의 설치목적 : 직격뢰 차폐, 유도뢰 차폐, 통신선에 대한 전기유도장해 경감
  • 매설지선 : 철탑의 접지저항을 줄여 역섬락 방지

13 ③ 14 ① 15 ④ **정답**

16 가공지선에 대한 설명 중 틀린 것은? [2019년 3회 기사]

① 유도뢰 서지에 대하여도 그 가설구간 전체에 사고 방지의 효과가 있다.

② 직격뢰에 대하여 특히 유효하며 탑 상부에 시설하므로 뇌는 주로 가공지선에 내습한다.

③ 송전선의 1선 지락 시 지락전류의 일부가 가공지선에 흘러 차폐작용을 하므로 전자유도장해를 적게 할 수 있다.

④ 가공지선 때문에 송전선로의 대지정전용량이 감소하므로 대지 사이에 방전할 때 유도전압이 특히 커서 차폐효과가 좋다.

> **해설** • 가공지선의 설치목적 : 직격뢰 차폐, 유도뢰 차폐, 통신선에 대한 전기유도장해 경감
> • 매설지선 : 철탑의 접지저항을 줄여 역섬락 방지

17 유도뢰에 대한 차폐에서 가공지선이 있을 경우 전선상에 유기되는 전하를 q_1, 가공지선이 없을 때 유기되는 전하를 q_0라 할 때 가공지선의 보호율을 구하면? [2017년 1회 산업기사]

① $\dfrac{q_0}{q_1}$

② $\dfrac{q_1}{q_0}$

③ $q_1 \times q_0$

④ $q_1 - \mu_s q_0$

> **해설** 보호율 $= \dfrac{\text{가공지선이 있을 경우 유기되는 전하}}{\text{가공지선이 없을 때 유기되는 전하}}$

18 철탑의 탑각 접지저항이 커질 때 생기는 문제점은? [2013년 1회 산업기사 / 2020년 3회 산업기사]

① 속류 발생

② 역섬락 발생

③ 코로나 증가

④ 가공지선의 차폐각 증가

> **해설** 매설지선 : 탑각의 접지저항값을 낮춰 역섬락을 방지한다.

19 송전선로에서 매설지선을 사용하는 주된 목적은?

[2012년 3회 기사 / 2014년 3회 산업기사 / 2022년 2회 기사]

① 코로나 전압을 저감시키기 위하여
② 뇌해를 방지하기 위하여
③ 탑각 접지저항을 줄여서 역섬락을 방지하기 위하여
④ 인축의 감전사고를 막기 위하여

해설 **매설지선** : 탑각의 접지저항값을 낮춰 역섬락을 방지한다.

20 송전선로에 매설지선을 설치하는 주된 목적은? [2017년 3회 기사]

① 철탑 기초의 강도를 보강하기 위하여
② 직격뢰로부터 송전선을 차폐보호하기 위하여
③ 현수애자 1연의 전압분담을 균일화하기 위하여
④ 철탑으로부터 송전선로의 역섬락을 방지하기 위하여

해설 19번 해설 참조

21 접지봉으로 탑각의 접지저항값을 희망하는 접지저항값까지 줄일 수 없을 때 사용하는 것은?

[2015년 1회 기사 / 2021년 1회 기사]

① 가공지선
② 매설지선
③ 크로스본드선
④ 차폐선

해설 19번 해설 참조

19 ③ 20 ④ 21 ② 정답

22 송전선로에서 역섬락을 방지하는 유효한 방법은?

[2013년 3회 산업기사 / 2015년 1회 산업기사 / 2015년 2회 산업기사 / 2020년 1, 2회 산업기사 / 2020년 3회 기사]

① 가공지선을 설치한다.
② 소호각을 설치한다.
③ 탑각 접지저항을 작게 한다.
④ 피뢰기를 설치한다.

해설　**매설지선** : 탑각의 접지저항값을 낮춰 역섬락을 방지한다.

23 다음 중 송전선로의 역섬락을 방지하기 위한 대책으로 가장 알맞은 방법은? [2020년 4회 기사]

① 가공지선 설치
② 피뢰기 설치
③ 매설지선 설치
④ 소호각 설치

해설　22번 해설 참조

24 임피던스 Z_1, Z_2 및 Z_3를 그림과 같이 접속한 선로의 A 쪽에서 전압파 E가 진행해 왔을 때 접속점 B에서 무반사로 되기 위한 조건은?　　　　　[2015년 1회 기사 / 2019년 1회 기사]

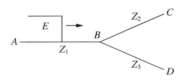

① $Z_1 = Z_2 + Z_3$

② $\dfrac{1}{Z_3} = \dfrac{1}{Z_1} + \dfrac{1}{Z_2}$

③ $\dfrac{1}{Z_1} = \dfrac{1}{Z_2} + \dfrac{1}{Z_3}$

④ $\dfrac{1}{Z_2} = \dfrac{1}{Z_1} + \dfrac{1}{Z_3}$

해설

구 분	특 징	
	투과파	반사파
$Z_1 \neq Z_2$	$e_3 = \dfrac{2Z_2}{Z_1 + Z_2} e_1$	$e_3 = \dfrac{Z_2 - Z_1}{Z_1 + Z_2} e_1$
$Z_1 = Z_2$	진행파 모두 투과	무반사
$Z_2 = 0$ 종단 접지	투과계수 2	반사계수 1
$Z_2 = \infty$ 종단 개방	투과계수 0	반사계수 −2

25 서지파(진행파)가 서지임피던스 Z_1의 선로 측에서 서지임피던스 Z_2의 선로 측으로 입사할 때 투과계수(투과파 전압÷입사파 전압) b를 나타내는 식은?　　　　　[2018년 3회 기사]

① $b = \dfrac{Z_2 - Z_1}{Z_1 + Z_2}$

② $b = \dfrac{2Z_2}{Z_1 + Z_2}$

③ $b = \dfrac{Z_1 - Z_2}{Z_1 + Z_2}$

④ $b = \dfrac{2Z_1}{Z_1 + Z_2}$

해설

구 분	특 징	
	투과파	반사파
$Z_1 \neq Z_2$	$e_3 = \dfrac{2Z_2}{Z_1 + Z_2} e_1$	$e_3 = \dfrac{Z_2 - Z_1}{Z_1 + Z_2} e_1$
$Z_1 = Z_2$	진행파 모두 투과	무반사

26 파동임피던스 $Z_1 = 500[\Omega]$인 선로에 파동임피던스 $Z_2 = 1,500[\Omega]$인 변압기가 접속되어 있다. 선로로부터 600[kV]의 전압파가 들어왔을 때, 접속점에서의 투과파 전압[kV]은?

[2020년 4회 기사]

① 300
② 600
③ 900
④ 1,200

해설 투과파전압

$$e_2 = \frac{2Z_2}{Z_1 + Z_2} \times e_1 = \frac{2 \times 1,500}{500 + 1,500} \times 600 = 900[\text{kV}]$$

27 이상전압의 파고치를 저감시켜 기기를 보호하기 위하여 설치하는 것은?

[2015년 1회 기사 / 2019년 1회 기사]

① 리액터
② 피뢰기
③ 아킹혼(Arcing Horn)
④ 아머로드(Armour Rod)

해설 이상전압의 방지대책
- 매설지선 : 역섬락 방지, 철탑 접지저항의 저감
- 가공지선 : 직격뢰 차폐
- 피뢰기 : 이상전압에 대한 기계, 기구 보호
- 코로나 방지(송전용량 증가) : 복도체

28 피뢰기의 직렬갭(Gap)의 작용으로 가장 옳은 것은?

[2015년 1회 기사]

① 이상전압의 진행파를 증가시킨다.
② 상용주파수의 전류를 방전시킨다.
③ 이상전압이 내습하면 뇌전류를 방전하고, 상용주파수의 속류를 차단하는 역할을 한다.
④ 뇌전류 방전 시의 전위상승을 억제하여 절연 파괴를 방지한다.

해설 피뢰기의 구성
- 직렬갭 : 이상전압 시 대지로 방전, 속류 차단
- 특성요소 : 임피던스 성분 이용, 방전전류의 크기 제한
- 실드링 : 전·자기적 충격 완화

29 피뢰기가 구비하여야 할 조건으로 거리가 먼 것은? [2013년 3회 기사 / 2017년 1회 기사]

① 충격방전 개시전압이 낮을 것
② 상용주파 방전 개시전압이 낮을 것
③ 제한전압이 낮을 것
④ 속류의 차단능력이 클 것

해설　**피뢰기의 구비조건**
• 속류차단능력이 클 것
• 제한전압이 낮을 것
• 충격방전 개시전압이 낮을 것
• 상용주파 방전 개시전압이 높을 것
• 방전내량이 클 것
• 내구성 및 경제성이 있을 것

30 피뢰기의 구비조건이 아닌 것은? [2018년 1회 산업기사]

① 속류의 차단능력이 충분할 것
② 충격방전 개시전압이 높을 것
③ 상용주파 방전 개시전압이 높을 것
④ 방전내량이 크고, 제한전압이 낮을 것

해설　29번 해설 참조

　　　　　　　　　　　　　　　　　　　　　29 ② 30 ② **정답**

31 피뢰기가 그 역할을 잘하기 위하여 구비되어야 할 조건으로 틀린 것은? [2016년 1회 기사]

① 속류를 차단할 것
② 내구력이 높을 것
③ 충격방전 개시전압이 낮을 것
④ 제한전압은 피뢰기의 정격전압과 같게 할 것

> **해설** **피뢰기의 구비조건**
> • 속류차단능력이 클 것
> • 제한전압이 낮을 것
> • 충격방전 개시전압이 낮을 것
> • 상용주파 방전 개시전압이 높을 것
> • 방전내량이 클 것
> • 내구성 및 경제성이 있을 것

32 피뢰기가 방전을 개시할 때 단자전압의 순시값을 방전개시전압이라 한다. 피뢰기 방전 중 단자전압의 파고값을 무슨 전압이라고 하는가? [2015년 2회 산업기사 / 2017년 2회 기사]

① 뇌전압
② 상용주파교류전압
③ 제한전압
④ 충격절연강도전압

> **해설** **제한전압** : 피뢰기 동작 중에 계속해서 걸리고 있는 단자전압의 파고값

33 피뢰기의 제한전압에 대한 설명으로 옳은 것은? [2017년 1회 산업기사]

① 방전을 개시할 때의 단자전압의 순시값
② 피뢰기 동작 중 단자전압의 파고값
③ 특성요소에 흐르는 전압의 순시값
④ 피뢰기에 걸린 회로전압

> **해설** 32번 해설 참조

34 피뢰기의 제한전압이란? [2014년 3회 산업기사 / 2016년 1회 기사 / 2016년 2회 산업기사 / 2020년 3회 산업기사]

① 상용주파 전압에 대한 피뢰기의 충격방전 개시전압

② 충격파 침입 시 피뢰기의 충격방전 개시전압

③ 피뢰기가 충격파 방전 종료 후 언제나 속류를 확실히 차단할 수 있는 상용주파 최대전압

④ 충격파 전류가 흐르고 있을 때의 피뢰기 단자전압

> **해설** 제한전압 : 피뢰기 동작 중에 계속해서 걸리고 있는 단자전압의 파고값

35 피뢰기의 충격방전 개시전압은 무엇으로 표시하는가? [2018년 1회 기사 / 2022년 2회 기사]

① 직류전압의 크기

② 충격파의 평균치

③ 충격파의 최대치

④ 충격파의 실효치

> **해설** 충격전압이 가해져 방전전류가 흐르기 시작할 때 도달할 수 있는 최고전압값을 충격방전 개시전압이라 하며 충격파의 최대치로 나타낸다.

36 유효접지계통에서 피뢰기의 정격전압을 결정하는 데 가장 중요한 요소는? [2014년 1회 기사]

① 선로 애자련의 충격섬락전압

② 내부이상전압 중 과도이상전압의 크기

③ 유도뢰의 전압의 크기

④ 1선 지락고장 시 건전상의 대지전위

> **해설** 피뢰기 정격전압
> - 선로단자와 접지단자 간에 인가할 수 있는 상용주파 최대허용전압의 실횻값
> - 속류가 차단되는 교류 최고전압(공칭전압＝지속성 이상전압＝1선 지락고장 시 건전상의 대지전위)

37 외뢰(外雷)에 대한 주 보호장치로서 송전계통의 절연협조의 기본이 되는 것은?

[2017년 2회 산업기사]

① 애 자
② 변압기
③ 차단기
④ 피뢰기

해설 피뢰기의 제한전압은 절연협조의 기본이 되는 부분으로 가장 낮게 잡으며 피뢰기의 제1보호대상은 변압기이다.
절연협조 배열 : 피뢰기의 제한전압 < 변압기 < 부싱, 차단기 < 결합콘덴서 < 선로애자

38 송전계통에서 절연협조의 기본이 되는 것은?

[2015년 3회 기사]

① 애자의 섬락전압
② 권선의 절연내력
③ 피뢰기의 제한전압
④ 변압기 부상의 섬락전압

해설 37번 해설 참조

39 송전계통의 절연협조에 있어 절연레벨을 가장 낮게 잡고 있는 기기는?

[2015년 3회 기사 / 2020년 1, 2회 기사]

① 차단기
② 피뢰기
③ 단로기
④ 변압기

해설 37번 해설 참조

40 345[kV] 송전계통의 절연협조에서 충격절연내력의 크기순으로 나열한 것은?

[2019년 2회 산업기사]

① 선로애자 > 차단기 > 변압기 > 피뢰기
② 선로애자 > 변압기 > 차단기 > 피뢰기
③ 변압기 > 차단기 > 선로애자 > 피뢰기
④ 변압기 > 선로애자 > 차단기 > 피뢰기

해설 피뢰기의 제한전압은 절연협조의 기본이 되는 부분으로 가장 낮게 잡으며 피뢰기의 제1보호대상은
변압기이다.
절연협조 배열 : 피뢰기의 제한전압 < 변압기 < 부싱, 차단기 < 결합콘덴서 < 선로애자

41 송전선로의 절연설계에 있어서 주된 결정사항으로 옳지 않은 것은? [2014년 3회 산업기사]
① 애자련의 개수
② 전선과 지지물과의 이격거리
③ 전선 굵기
④ 가공지선의 차폐각도

해설 송전선로의 절연설계는 선로에 흐르는 전류의 크기와 허용전압강하 등을 고려하여 결정하며, 전선
의 굵기와는 무관하다.

40 ① 41 ③ **정답**

수전설비(보호계전기 및 개폐기)

1. 간이수전설비(옥외 : 옥상, 주상) : PF형

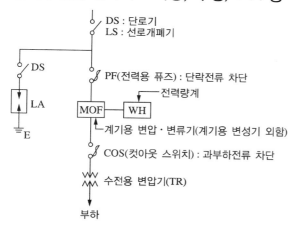

DS : 단로기
LS : 선로개폐기

DS

LA

E

PF(전력용 퓨즈) : 단락전류 차단

전력량계

MOF WH

계기용 변압·변류기(계기용 변성기 외함)

COS(컷아웃 스위치) : 과부하전류 차단

수전용 변압기(TR)

부하

(1) 전력용 퓨즈의 장단점(차단기와 비교)

① 장 점
  ㉠ 가격이 싸다.
  ㉡ 소형, 경량이다.
  ㉢ 고속 차단된다.
  ㉣ 보수가 간단하다.
  ㉤ 차단능력이 크다.

② 단 점
  ㉠ 재투입이 불가능하다.
  ㉡ 과도전류에 용단되기 쉽다.
  ㉢ 계전기를 자유로이 조정할 수 없다.
  ㉣ 한류형은 과전압을 발생한다.
  ㉤ 고임피던스 접지사고는 보호할 수 없다.

2. PF-CB : 6.6[kV]

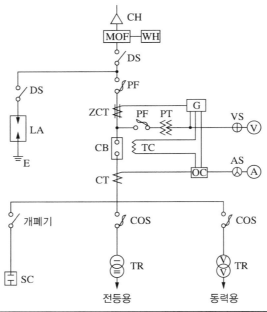

명 칭	약 호	심 벌 (단선도)	용도(역할)	명 칭	약 호	심 벌 (단선도)	용도(역할)
케이블 헤드	CH		가공전선과 테이블 단말(종단) 접속	트립코일	TC		사고전류에 의해 차단기 개로
단로기	DS		수리점검 시 무부하 전류 개폐	계기용 변류기	CT		대전류를 소전류로 변류
피뢰기	LA		뇌전류를 대지로 방전하고 속류 차단	접지(단락) 계전기	GR	GR	영상전류에 의해 동작하여 트립코일여자
접 지			이상전압 방지	과전류 계전기	OCR	OC	과전류에 의해 동작하여 트립여자
전력퓨즈	PF		단락전류 차단	전압절환 개폐기	VS	⊕	3φ 전압을 1φ 전압으로 절환 측정
계기용 변압 변류기	MOF	MOF	전력량계 전원 공급	전류절환 개폐기	AS	Ⓧ	3φ 전류를 1φ 전류로 절환 측정
				전압계	V	Ⓥ	전압 측정
				전류계	A	Ⓐ	전류 측정
영상 변류기	ZCT		영상전류 검출	전력용 콘덴서	SC		무효전력 공급하여 부하와 역률 개선
계기용 변압기	PT		고전압을 저전압으로 변성	방전코일	DC		잔류전하 방전
				직렬리엑터	SR		제5고조파 제기
교류 차단기	CB		사고전류 차단 및 부하전류 개폐	컷아웃 스위치	COS		과부하전류 차단

3. 보호계전기

(1) 보호계전기의 구비조건

① 고장의 정도 및 위치를 정확히 파악할 것
② 고장 개소를 정확히 선택할 것
③ 동작이 예민하고 오동작이 없을 것
④ 소비전력이 적고, 경제적일 것
⑤ 후비보호능력이 있을 것

(2) 차단기 소호매질에 의한 분류

① 유입차단기(OCB) : 절연유 사용, 소음은 발생하지만 방음장치가 필요 없다.

② 공기차단기(ABB) : 수십 기압의 압축공기를 이용(15~30기압)
　※ 차단과 투입에 압축공기를 이용 → 임펄스 차단기

③ 가스차단기(GCB) : SF_6가스 사용

　㉠ 무색, 무취, 무해
　㉡ 불연성이다.
　㉢ 소호능력이 크다.
　㉣ 절연내력이 크다.

④ 진공차단기(VCB) : 진공상태에서 전류개폐

⑤ 자기차단기(MBB) : 전자력을 이용

※ ACB(기중차단기) : 옥내 간선 보호
　NFB(배선용차단기) : 옥내 분기선 보호

※ 차단기 동작책무에 의한 분류
　• 일반형
　　– 갑호 : O → 1분 → CO → 3분 → CO
　　– 을호 : CO → 15초 → CO
　• 고속도형 : O → 임의의 시간 t → CO → 1분 → CO

※ 정격차단시간 : 트립코일여자로부터 완전 불꽃이 소호될 때까지의 걸리는 시간
(3~8[C/sec])

(3) 동작시간에 의한 분류

① 순한시 계전기 : 규정된 이상의 전류가 흐르면 즉시 동작(0.3초 이내)

　　※ 고속도 계전기 : 0.5~2[Hz] 내에 동작하는 계전기

② 정한시 계전기 : 규정된 이상의 전류가 흐를 때 전류의 크기와 관계없이 일정시간 후 동작

③ 반한시 계전기 : 전류가 크면 동작시간은 짧고, 전류가 작으면 동작시간은 길어지는 계전기

④ 반한시-정한시 계전기 : 전류가 작은 구간은 반한시 특성, 전류가 일정범위를 넘으면 정한시 특성을 갖는 계전기

(4) 기능(용도)상의 분류

① 단락보호용

　㉠ 과전류 계전기 → OCR, 51

　㉡ 과전압 계전기 → OVR, 59

　㉢ 부족전압 계전기 → UVR, 27

　㉣ 단락방향 계전기 → DSR, 67S

　㉤ 선택단락 계전기 → SSR, 50S

　㉥ 거리 계전기 → 임피던스(선로) 계전기

② 지락보호용

　㉠ 지락 계전기(GR) : 1회선 6.6[kV]

　㉡ 선택지락 계전기(SGR) : 2회선(다회선) 22.9[kV]

　㉢ 방향지락 계전기(DGR) : 154[kV]

③ 발전기·변압기(모선)

　㉠ 차동 계전기

　㉡ 비율차동 계전기

　㉢ 부흐홀츠 계전기

　㉣ 과전류 계전기

　※ 변압기만 : 차동 계전기, 부흐홀츠 계전기, 과전류 계전기, 온도 계전기, 압력 계전기

(5) 개폐장치 : 사고 발생 시 사고구간을 신속하게 구분, 제거

① 개폐장치의 종류

　㉠ 단로기(DS) : 전류 개폐능력 없음, 기기점검 시 전원으로부터 분리·접속 변경

　㉡ 유입개폐기(OS) : 부하전류 개폐능력 있음

　㉢ 차단기(CB) : 고장전류 차단

구 분	무부하전류	부하전류	고장전류
단로기	○	X	X
유입차단기	○	○	X
차단기	○	○	○

② 차단기와 단로기 조작 순서

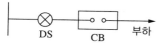

　㉠ 정전 : CB → DS

　㉡ 급전 : DS → CB

　※ 인터로크 : 차단기가 열려 있어야만 단로기 개폐 가능(상대 동작 금지회로)

핵 / 심 / 예 / 제

01 차단기의 개폐에 의한 이상전압의 크기는 대부분의 경우 송전선 대지전압의 최고 몇 배 정도인가?

[2015년 1회 산업기사]

① 2배

② 4배

③ 6배

④ 8배

> **해설** 무부하 송전 시 상규 대지전압의 약 2배 이하가 많고 충전전류를 차단할 경우에는 4배 이하이며 4.5배를 넘는 경우도 있다.

02 차단기의 정격투입전류란 투입되는 전류의 최초 주파수의 어느 값을 말하는가?

[2018년 1회 산업기사]

① 평균값

② 최댓값

③ 실횻값

④ 직류값

> **해설** 정격투입전류란 최초 주파수의 최댓값으로 표시한다.

03 차단기가 전류를 차단할 때 재점호가 일어나기 쉬운 차단전류는?

[2014년 3회 산업기사 / 2019년 1회 산업기사 / 2022년 1회 기사]

① 동상전류

② 지상전류

③ 진상전류

④ 단락전류

> **해설** 재점호전류는 커패시터회로의 무부하 충전전류(진상전류)에 의해 발생한다.

01 ② 02 ② 03 ③ **정답**

04 선로의 커패시턴스와 무관한 것은? [2016년 1회 산업기사]

① 전자유도
② 개폐서지
③ 중성점 잔류전압
④ 발전기 자기여자현상

> **해설** **전자유도** : L, M(인덕턴스, 상호인덕턴스와의 관계)

05 차단기의 정격차단시간에 대한 정의로서 옳은 것은?

[2016년 1회 기사 / 2016년 3회 산업기사 / 2018년 2회 기사 / 2022년 1회 기사]

① 고장 발생부터 소호까지의 시간
② 트립코일 여자부터 소호까지의 시간
③ 가동접촉자 개극부터 소호까지의 시간
④ 가동접촉자 시동부터 소호까지의 시간

> **해설** **정격차단시간** : 트립코일 여자로부터 불꽃이 완전 소호할 때까지 걸리는 시간(3~8[C/sec])

06 차단기의 정격차단시간을 설명한 것으로 옳은 것은? [2019년 2회 산업기사]

① 계기용 변성기로부터 고장전류를 감지한 후 계전기가 동작할 때까지의 시간
② 차단기가 트립 지령을 받고 트립 장치가 동작하여 정류차단을 완료할 때까지의 시간
③ 차단기의 개극(발호)부터 이동행정 종료 시까지의 시간
④ 차단기 가동접촉자 시동부터 아크 소호가 완료될 때까지의 시간

> **해설** 5번 해설 참조

07 차단기에서 정격차단시간의 표준이 아닌 것은? [2019년 3회 산업기사]

① 3[Hz] ② 5[Hz]

③ 8[Hz] ④ 10[Hz]

해설 정격차단시간 : 트립코일 여자로부터 불꽃이 완전 소호할 때까지 걸리는 시간(3~8[C/sec])

08 다음 중 부하전류의 차단에 사용되지 않는 것은?

[2013년 3회 기사 / 2014년 1회 기사 / 2018년 2회 기사 / 2019년 3회 기사 / 2021년 2회 기사]

① ABB ② OCB

③ VCB ④ DS

해설 단로기(DS)는 소호기능이 없다. 부하전류나 사고전류를 차단할 수 없다. 무부하상태, 즉 차단기가
열려 있어야만 전로개방 및 모선접속을 변경할 수 있다(인터로크).

09 단로기에 대한 설명으로 틀린 것은? [2014년 3회 기사 / 2020년 1, 2회 기사]

① 소호장치가 있어 아크를 소멸시킨다.

② 무부하 및 여자전류의 개폐에 사용된다.

③ 배전용 단로기는 보통 디스커넥팅바로 개폐한다.

④ 회로의 분리 또는 계통의 접속 변경 시 사용한다.

해설 8번 해설 참조

10 부하전류가 흐르는 전로는 개폐할 수 없으나 기기의 점검이나 수리를 위하여 회로를 분리하거나, 계통의 접속을 바꾸는 데 사용하는 것은? [2017년 1회 기사 / 2022년 2회 기사]

① 차단기
② 단로기
③ 전력용 퓨즈
④ 부하개폐기

해설 단로기(DS)는 소호기능이 없다. 부하전류나 사고전류를 차단할 수 없다. 무부하상태, 즉 차단기가 열려 있어야만 전로개방 및 모선접속을 변경할 수 있다(인터로크).

11 개폐장치 중에서 고장전류의 차단능력이 없는 것은? [2013년 1회 기사]

① 진공차단기
② 유입개폐기
③ 리클로저
④ 전력퓨즈

해설 개폐기 : OS, AS, 인터럽트 스위치(50~100[kVA]), 고장전류의 차단 능력이 없다.

12 부하전류 및 단락전류를 모두 개폐할 수 있는 스위치는? [2016년 1회 산업기사 / 2019년 3회 산업기사]

① 단로기
② 차단기
③ 선로개폐기
④ 전력퓨즈

해설 ② 차단기 : 부하전류 개폐, 사고전류 차단
① 단로기, ③ 선로개폐기 : 무부하전류 개폐
④ 전력퓨즈 : 단락전류 차단

13 분기회로용으로 개폐기 및 자동차단기의 2가지 역할을 수행하는 것은? [2018년 2회 산업기사]

① 기중차단기

② 진공차단기

③ 전력용 퓨즈

④ 배선용 차단기

해설 배선용 차단기는 부하전류 개폐 및 사고전류를 자동적으로 전로를 차단한다.

14 변전소의 가스차단기에 대한 설명으로 틀린 것은? [2019년 1회 기사]

① 근거리 차단에 유리하지 못하다.

② 불연성이므로 화재의 위험성이 적다.

③ 특고압 계통의 차단기로 많이 사용된다.

④ 이상전압의 발생이 적고, 절연회복이 우수하다.

해설 SF$_6$ 가스의 성질
- 무색, 무취, 무독, 불활성(난연성) 기체이다.
- 절연내력은 공기의 약 3배로 절연내력이 우수하다.
- 차단기의 소형화가 가능하다.
- 소호능력이 공기의 약 100~200배로 우수하다.
- 밀폐구조이므로 소음이 없고 신뢰도 우수하다.

15 SF$_6$ 가스차단기의 설명으로 틀린 것은? [2012년 1회 산업기사 / 2014년 2회 산업기사 / 2015년 2회 산업기사]

① 밀폐구조이므로 개폐 시 소음이 작다.

② SF$_6$ 가스는 절연내력이 공기보다 크다.

③ 근거리 고장 등 가혹한 재기전압에 대해서 성능이 우수하다.

④ 아크에 의해 SF$_6$ 가스는 분해되어 유독가스를 발생시킨다.

해설 가스차단기

소호매질	용량	특징
SF$_6$ 가스	대용량	• 절연내력 공기의 2~3배가 된다. • 불연성이다. • 밀폐형 구조라 소음이 거의 없다. • 소호능력이 크다. • SF$_6$의 성질 : 무색, 무취, 무해

13 ④ 14 ① 15 ④ **정답**

16 SF$_6$ 가스차단기에 대한 설명으로 틀린 것은? [2018년 1회 기사]

① SF$_6$ 가스 자체는 불활성 기체이다.
② SF$_6$ 가스는 공기에 비하여 소호능력이 약 100배 정도이다.
③ 절연거리를 적게 할 수 있어 차단기 전체를 소형, 경량화 할 수 있다.
④ SF$_6$ 가스를 이용한 것으로서 독성이 있으므로 취급에 유의하여야 한다.

해설 가스차단기

소호매질	용량	특징
SF$_6$ 가스	대용량	• 절연내력 공기의 2~3배가 된다. • 불연성이다. • 밀폐형 구조라 소음이 거의 없다. • 소호능력이 크다. • SF$_6$의 성질 : 무색, 무취, 무해

17 전력계통에서 사용되고 있는 GCB(Gas Circuit Breaker)용 가스는? [2017년 2회 기사]

① N$_2$ 가스 ② SF$_6$ 가스
③ 아르곤 가스 ④ 네온 가스

해설 16번 해설 참조

18 최근에 우리나라에서 많이 채용되고 있는 가스절연개폐설비(GIS)의 특징으로 틀린 것은? [2018년 3회 기사]

① 대기 절연을 이용한 것에 비해 현저하게 소형화할 수 있으나 비교적 고가이다.
② 소음이 적고 충전부가 완전한 밀폐형으로 되어 있기 때문에 안정성이 높다.
③ 가스 압력에 대한 엄중 감시가 필요하며 내부 점검 및 부품 교환이 번거롭다.
④ 한랭지, 산악 지방에서도 액화 방지 및 산화 방지 대책이 필요 없다.

해설 GIS(Gas Insulated Switchgear)의 방식
• 충전부가 대기에 노출되지 않아 기기의 안정성, 신뢰성이 우수하다.
• 감전사고 위험이 작다.
• 소형화가 가능하다.
• 밀폐형이므로 배기소음이 없다.
• 보수, 점검이 용이하다.

19 접촉자가 외기(外氣)로부터 격리되어 있어 아크에 의한 화재의 염려가 없으며 소형, 경량으로 구조가 간단하고 보수가 용이하며 진공 중의 아크소호능력을 이용하는 차단기는?

[2016년 2회 산업기사]

① 유입차단기 ② 진공차단기
③ 공기차단기 ④ 가스차단기

해설 **차단기 소호매질**
- 공기차단기 - 압축공기
- 가스차단기 - SF_6 가스
- 진공차단기 - 진공
- 유입차단기 - 절연유
- 자기차단기 - 전자력

20 다음 중 VCB의 소호원리로 맞는 것은?

[2017년 1회 산업기사]

① 압축된 공기를 아크에 불어넣어서 차단
② 절연유 분해가스의 흡부력을 이용해서 차단
③ 고진공에서 전자의 고속도 확산에 의해 차단
④ 고성능 절연특성을 가진 가스를 이용하여 차단

해설 **차단기 종류**
- GCB(가스차단기) : SF_6로 소호
- OCB(유입차단기) : 절연유로 소호
- MBB(자기차단기) : 전자력에 의해 소호
- VCB(진공차단기) : 진공 소호
- ABB(공기차단기) : 수십 기압의 압축공기로 소호

21 6[kV]급의 소내 전력공급용 차단기로서 현재 가장 많이 채택하는 것은? [2016년 3회 산업기사]

① OCB

② GCB

③ VCB

④ ABB

해설 현재 154[kV] 계통 이상에서는 GCB(가스차단기)를 사용하고, 22.9[kV] 이하 계통에서는 VCB(진공 차단기)를 사용한다.

차단기 종류
- GCB(가스차단기) : SF_6로 소호
- OCB(유입차단기) : 절연유로 소호
- MBB(자기차단기) : 전자력에 의해 소호
- VCB(진공차단기) : 진공 소호
- ABB(공기차단기) : 수십 기압의 압축공기로 소호
- ACB(기중차단기) : 옥내 간선
- MCCB(배선용 차단기) : 옥내 분기선

22 차단기와 아크 소호원리가 바르지 않은 것은? [2017년 2회 기사]

① OCB : 절연유에 분해 가스 흡부력 이용

② VCB : 공기 중 냉각에 의한 아크 소호

③ ABB : 압축공기를 아크에 불어 넣어서 차단

④ MBB : 전자력을 이용하여 아크를 소호실 내로 유도하여 냉각

해설 21번 해설 참조

23 배전계통에서 사용하는 고압용 차단기의 종류가 아닌 것은? [2018년 1회 기사]

① 기중차단기(ACB)

② 공기차단기(ABB)

③ 진공차단기(VCB)

④ 유입차단기(OCB)

해설 21번 해설 참조

정답 21 ③ 22 ② 23 ①

24 전력계통 설비인 차단기와 단로기는 전기적 및 기계적으로 인터로크를 설치하여 연계하여 운전하고 있다. 인터로크(Interlock)의 설명으로 알맞은 것은?

[2013년 1회 기사 / 2014년 2회 기사 / 2016년 1회 기사 / 2019년 3회 기사]

① 부하통전 시 단로기를 열 수 없다.
② 차단기가 열려 있어야 단로기를 닫을 수 있다.
③ 차단기가 닫혀 있어야 단로기를 열 수 있다.
④ 부하투입 시에는 차단기를 우선 투입한 후 단로기를 투입한다.

해설 단로기(DS)는 소호기능이 없다. 부하전류나 사고전류를 차단할 수 없다. 무부하 상태, 즉 차단기가 열려 있어야만 전로개방 및 모선접속 시 변경할 수 있다(인터로크).

25 변전소에서 수용가로 공급되는 전력을 차단하고 소내 기기를 점검할 경우, 차단기와 단로기의 개폐 조작 방법으로 옳은 것은?

[2019년 1회 산업기사]

① 점검 시에는 차단기로 부하회로를 끊고 난 다음에 단로기를 열어야 하며, 점검 후에는 단로기를 넣은 후 차단기를 넣어야 한다.
② 점검 시에는 단로기를 열고 난 후 차단기를 열어야 하며, 점검 후에는 단로기를 넣고 난 다음에 차단기로 부하회로를 연결하여야 한다.
③ 점검 시에는 차단기로 부하회로를 끊고 단로기를 열어야 하며, 점검 후에는 차단기로 부하회로를 연결한 후 단로기를 넣어야 한다.
④ 점검 시에는 단로기를 열고 난 후 차단기를 열어야 하며, 점검이 끝난 경우에는 차단기를 부하에 연결한 다음에 단로기를 넣어야 한다.

해설
• 정전 : CB Off → DS Off
• 급전 : DS On → CB On
※ 인터로크 : 차단기가 열려 있어야만 단로기 개폐 가능(상대 동작 금지회로)

26 배전선로용 퓨즈(Power Fuse)는 주로 어떤 전류의 차단을 목적으로 사용하는가?

[2016년 2회 산업기사 / 2018년 2회 산업기사 / 2021년 1회 기사]

① 충전전류　　　　　　　　　　② 단락전류
③ 부하전류　　　　　　　　　　④ 과도전류

해설　전력 퓨즈(Power Fuse)는 특고압 기기의 단락전류 차단을 목적으로 설치한다.
　　　• 장점 : 소형 및 경량, 차단용량이 큼, 고속 차단, 보수가 간단, 가격이 저렴, 정전용량이 작음
　　　• 단점 : 재투입이 불가능

27 전력용 퓨즈의 설명으로 옳지 않은 것은?

[2017년 1회 산업기사]

① 소형으로 큰 차단용량을 갖는다.
② 가격이 싸고 유지 보수가 간단하다.
③ 밀폐형 퓨즈는 차단 시에 소음이 없다.
④ 과도전류에 의해 쉽게 용단되지 않는다.

해설　**전력용 퓨즈 장단점**

장 점	단 점
• 가격이 저렴하다.	• 재투입이 불가능하다.
• 소형 · 경량이다.	• 과도전류에 용단되기 쉽다.
• 고속차단이다.	• 계전기를 자유로이 조정할 수 없다.
• 보수가 간단하다.	• 한류형은 과전압이 발생된다.
• 차단능력이 크다.	• 고임피던스 접지사고는 보호할 수 없다.

28 고장 즉시 동작하는 특성을 갖는 계전기는?　　[2015년 1회 기사 / 2018년 3회 기사 / 2020년 1, 2회 기사]

① 순한시 계전기

② 정한시 계전기

③ 반한시 계전기

④ 반한시성 정한시 계전기

> **해설**　시한 특성
> • 순한시 계전기 : 최소동작전류 이상의 전류가 흐르면 즉시 동작, 고속도 계전기(0.5~2[Cycle])
> • 정한시 계전기 : 동작전류의 크기에 관계없이 일정시간에 동작
> • 반한시 계전기 : 동작전류가 작을 때는 동작시간이 길고, 동작전류가 클 때는 동작시간이 짧다.
> • 반한시성 정한시 계전기 : 반한시 + 정한시 특성

29 정정된 값 이상의 전류가 흘렀을 때 동작전류의 크기와 상관없이 항상 정해진 시간이 경과한 후에 동작하는 보호계전기는?　　[2018년 2회 산업기사]

① 순시 계전기

② 정한시 계전기

③ 반한시 계전기

④ 반한시성 정한시 계전기

> **해설**　28번 해설 참조

30 과전류계전기의 반한시 특성이란?　　[2015년 3회 산업기사 / 2017년 1회 산업기사]

① 동작전류가 커질수록 동작시간이 짧아진다.

② 동작전류가 적을수록 동작시간이 짧아진다.

③ 동작전류가 관계없이 동작시간은 일정하다.

④ 동작전류가 커질수록 동작시간이 길어진다.

> **해설**　28번 해설 참조

31 반한시성 과전류계전기의 전류-시간 특성에 대한 설명으로 옳은 것은? [2020년 1, 2회 산업기사]

① 계전기 동작시간은 전류의 크기와 비례한다.
② 계전기 동작시간은 전류의 크기와 관계없이 일정하다.
③ 계전기 동작시간은 전류의 크기와 반비례한다.
④ 계전기 동작시간은 전류의 크기의 제곱에 비례한다.

해설 **시한 특성**
• 순한시 계전기 : 최소동작전류 이상의 전류가 흐르면 즉시 동작, 고속도 계전기(0.5~2[Cycle])
• 정한시 계전기 : 동작전류의 크기에 관계없이 일정시간에 동작
• 반한시 계전기 : 동작전류가 작을 때는 동작시간이 길고, 동작전류가 클 때는 동작시간이 짧다.
• 반한시성 정한시 계전기 : 반한시 + 정한시 특성

32 보호계전기 동작속도에 관한 사항으로 한시 특성 중 반한시형을 바르게 설명한 것은?

[2017년 3회 산업기사]

① 입력 크기에 관계없이 정해진 한시에 동작하는 것
② 입력이 커질수록 짧은 한시에 동작하는 것
③ 일정 입력(200[%])에서 0.2초 이내로 동작하는 것
④ 일정 입력(200[%])에서 0.04초 이내로 동작하는 것

해설 31번 해설 참조

33 동작전류의 크기가 커질수록 동작시간이 짧게 되는 특성을 가진 계전기는?

[2018년 2회 기사 / 2021년 1회 기사]

① 순한시 계전기
② 정한시 계전기
③ 반한시 계전기
④ 반한시 정한시 계전기

해설 31번 해설 참조

정답 31 ③ 32 ② 33 ③

34 보호계전기의 반한시·정한시 특성은? [2015년 3회 기사 / 2019년 1회 기사 / 2022년 2회 기사]

① 동작전류가 커질수록 동작시간이 짧게 되는 특성

② 최소동작전류 이상의 전류가 흐르면 즉시 동작하는 특성

③ 동작전류의 크기에 관계없이 일정한 시간에 동작하는 특성

④ 동작전류가 작은 동안에는 동작전류가 커질수록 동작시간이 짧아지고 어떤 전류 이상이 되면 동작전류의 크기에 관계없이 일정한 시간에서 동작하는 특성

> **해설** **시한 특성**
> • 순한시 계전기 : 최소동작전류 이상의 전류가 흐르면 즉시 동작, 고속도 계전기(0.5~2[Cycle])
> • 정한시 계전기 : 동작전류의 크기에 관계없이 일정시간에 동작
> • 반한시 계전기 : 동작전류가 작을 때는 동작시간이 길고, 동작전류가 클 때는 동작시간이 짧다.
> • 반한시성 정한시 계전기 : 반한시 + 정한시 특성

35 동작시간에 따른 보호계전기의 분류와 이에 대한 설명으로 틀린 것은? [2021년 3회 기사]

① 순한시 계전기는 설정된 최소동작전류 이상의 전류가 흐르면 즉시 동작한다.

② 반한시 계전기는 동작시간이 전류값의 크기에 따라 변하는 것으로 전류값이 클수록 느리게 동작하고 반대로 전류값이 작아질수록 빠르게 동작하는 계전기이다.

③ 정한시 계전기는 설정된 값 이상의 전류가 흘렀을 때 동작 전류의 크기와는 관계없이 항상 일정한 시간 후에 동작하는 계전기이다.

④ 반한시·정한시 계전기는 어느 전류값까지는 반한시성이지만 그 이상이 되면 정한시로 동작하는 계전기이다.

> **해설** 34번 해설 참조

36 보호계전기의 기본기능이 아닌 것은? [2016년 3회 산업기사]

① 확실성 ② 선택성

③ 유동성 ④ 신속성

> **해설** **보호계전기의 기본기능** : 확실성, 선택성, 신속성

34 ④ 35 ② 36 ③ **정답**

37 보호계전기의 구비조건으로 틀린 것은?

[2017년 3회 산업기사]

① 고장상태를 신속하게 선택할 것
② 조정범위가 넓고 조정이 쉬울 것
③ 보호동작이 정확하고 감도가 예민할 것
④ 접점의 소모가 크고, 열적 기계적 강도가 클 것

> **해설** **보호계전기의 구비조건**
> • 고장의 정도 및 위치를 정확히 파악할 것
> • 고장 개소를 정확히 선택할 것
> • 동작이 예민하고 오동작이 없을 것
> • 소비전력이 적고, 경제적일 것
> • 후비보호능력이 있을 것

38 보호계전방식의 구비조건이 아닌 것은?

[2019년 2회 산업기사]

① 여자돌입전류에 동작할 것
② 고장구간의 선택 차단을 신속 정확하게 할 수 있을 것
③ 과도 안정도를 유지하는 데 필요한 한도 내의 동작 시한을 가질 것
④ 적절한 후비보호능력이 있을 것

> **해설** **보호계전기의 구비조건**
> • 고장의 정도 및 위치를 정확히 파악할 것
> • 고장 개소를 정확히 선택할 것
> • 동작이 예민하고 오동작이 없을 것
> • 소비전력이 적고, 경제적일 것
> • 후비보호능력이 있을 것

39 22.9[kV], Y결선된 자가용 수전설비의 계기용변압기의 2차 측 정격전압은 몇 [V]인가?

[2015년 3회 기사 / 2018년 2회 기사]

① 110
② 190
③ $110\sqrt{3}$
④ $190\sqrt{3}$

> **해설** • 계기용 변압기(PT) : 고전압을 저전압으로 변성하여 계기나 계전기에 공급, 2차 측 정격전압 110[V]
> • 계기용 변류기(CT) : 대전류를 소전류로 변성하여 계기나 계전기에 공급, 2차 측 정격전류 5[A]

40 변성기의 정격부담을 표시하는 단위는? [2019년 3회 기사]

① [W]   ② [S]

③ [dyne]   ④ [VA]

> **해설** 변성기의 정격부담을 정격용량이라 표현함
> **변성기의 부담[VA]**
> 1[dyne] = 10^{-5}[N](질량 1[g]인 자유물체에 1[cm/s^2]의 가속도를 주는 힘)

41 다음 보호계전기 회로에서 박스 (A) 부분의 명칭은? [2019년 1회 산업기사]

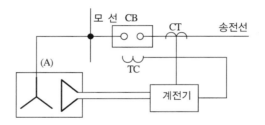

① 차단코일   ② 영상변류기

③ 계기용 변류기   ④ 계기용 변압기

> **해설** 계기용 변압기(PT) ⇒ 계전기 및 계기에 전원 공급

42 변류기 개방 시 2차 측을 단락하는 이유는?

[2015년 2회 산업기사 / 2018년 2회 산업기사 / 2018년 3회 기사 / 2019년 3회 산업기사 / 2020년 3회 산업기사]

① 2차 측 절연보호

② 2차 측 과전류 보호

③ 측정오차 방지

④ 1차 측 과전류 방지

> **해설** **변류기(CT)는 2차 측 개방 불가** : 과전압 유기 및 절연파괴되므로 반드시 2차 측을 단락해야 한다.

43 배전반에 접속되어 운전 중인 계기용 변압기(PT) 및 변류기(CT)의 2차 측 회로를 점검할 때 조치사항으로 옳은 것은?

[2019년 1회 기사]

① CT만 단락시킨다.
② PT만 단락시킨다.
③ CT와 PT 모두를 단락시킨다.
④ CT와 PT 모두를 개방시킨다.

> **해설**
> • PT : 2차 측 개방 ⇒ 과전류에 의한 과열소손 방지
> • CT : 2차 측 단락 ⇒ 과전압에 의한 절연파괴 방지

44 3상으로 표준전압 3[kV], 용량 600[kW], 역률 0.85로 수전하는 공장의 수전회로에 시설할 계기용 변류기의 변류비로 적당한 것은?(단, 변류기의 2차 전류는 5[A]이며, 여유율은 1.5배로 한다)

[2020년 3회 산업기사]

① 10 ② 20
③ 30 ④ 40

> **해설**
> $$I = \frac{P}{\sqrt{3}\,V\cos\theta} \times 1.5$$
> $$= \frac{600}{\sqrt{3} \times 3 \times 0.85} \times 1.5 \fallingdotseq 203.77 \fallingdotseq 200$$
> $$CT비 = \frac{200}{5} = 40$$

45 영상 변류기를 사용하는 계전기는?

[2014년 1회 산업기사 / 2017년 1회 기사 / 2018년 3회 산업기사]

① 과전류 계전기 ② 지락 계전기
③ 차동 계전기 ④ 과전압 계전기

> **해설** **사고별 보호계전기**
> • 단락사고 : 과전류 계전기(OCR)
> • 지락사고 : 선택접지 계전기(SGR), 접지 변압기(GPT) – 영상전압 검출, 영상 변류기(ZCT) – 영상전류 검출

46 선택지락 계전기의 용도를 옳게 설명한 것은? [2015년 1회 기사 / 2017년 1회 기사 / 2019년 2회 기사]

① 단일 회선에서 지락고장 회선의 선택 차단

② 단일 회선에서 지락전류의 방향 선택 차단

③ 병행 2회선에서 지락고장 회선의 선택 차단

④ 병행 2회선에서 지락고장의 지속시간 선택 차단

해설 선택접지(지락) 계전기는 병행 2회선에서 1회선이 접지고장이나 지락이 발생할 때 회선의 선택 차단 시 사용한다.

47 송배전선로에서 선택지락 계전기(SGR)의 용도는? [2020년 1, 2회 기사]

① 다회선에서 접지고장회선의 선택

② 단일 회선에서 접지전류의 대소 선택

③ 단일 회선에서 접지전류의 방향 선택

④ 단일 회선에서 접지사고의 지속시간 선택

해설 46번 해설 참조

48 중성점 저항 접지방식의 병행 2회선 송전선로의 지락사고 차단에 사용되는 계전기는?

[2013년 2회 산업기사 / 2016년 3회 기사]

① 선택접지 계전기　　　　　② 거리 계전기

③ 과전류 계전기　　　　　　④ 역상 계전기

해설 **사고별 보호계전기**
- 단락사고 : 과전류 계전기(OCR)
- 지락사고 : 선택접지 계전기(SGR), 접지 변압기(GPT) – 영상전압 검출, 영상 변류기(ZCT) – 영상전류 검출

49 거리 계전기의 종류가 아닌 것은? [2017년 1회 산업기사]

① 모(Mho)형
② 임피던스(Impedance)형
③ 리액턴스(Reactance)형
④ 정전용량(Capacitance)형

해설 계전기 쪽에서 본 송전선의 임피던스가 일정값 이하면 작동한다. 이 임피던스는 사고지점까지의 거리에 대응한다. 정전용량과는 관계가 없다.
※ 거리 계전기＝임피던스 계전기

50 보호계전기와 그 사용 목적이 잘못된 것은? [2017년 1회 기사]

① 비율차동 계전기 : 발전기 내부 단락 검출용
② 전압평형 계전기 : 발전기 출력 측 PT 퓨즈 단선에 의한 오작동 방지
③ 역상과전류 계전기 : 발전기 부하불평형 회전자 과열소손
④ 과전압 계전기 : 과부하 단락사고

해설 과부하 단락사고에는 과전류 계전기를 사용한다.

51 전원이 양단에 있는 환상선로의 단락보호에 사용되는 계전기는?

[2012년 1회 기사 / 2014년 1회 기사 / 2020년 4회 기사 / 2021년 3회 기사]

① 방향거리 계전기
② 부족전압 계전기
③ 선택접지 계전기
④ 부족전류 계전기

해설 **환상선로**
• 전원이 1단에만 존재 : 방향단락 계전기
• 전원이 양단에 존재 : 방향거리 계전기

52 단락 보호방식에 관한 설명으로 틀린 것은?   [2022년 2회 기사]

① 방사상 선로의 단락 보호방식에서 전원이 양단에 있을 경우 방향단락계전기와 과전류계
   전기를 조합시켜서 사용한다.
② 전원이 1단에만 있는 방사상 송전선로에서의 고장전류는 모두 발전소로부터 방사상으
   로 흘러나간다.
③ 환상 선로의 단락 보호방식에서 전원이 두 군데 이상 있는 경우에는 방향거리계전기를
   사용한다.
④ 환상 선로의 단락 보호방식에서 전원이 1단에만 있을 경우 선택단락계전기를 사용한다.

> **해설** • 환상 선로에서 전원이 1단에만 있을 경우 방향단락계전기를 사용
> • 환상 선로에서 전원이 두 군데 이상 있을 경우 방향거리계전기를 사용

53 변전소에서 지락사고의 경우 사용되는 계전기에 영상전류를 공급하기 위하여 설치하는 것은?

[2012년 1회 기사 / 2014년 2회 기사 / 2019년 1회 기사 / 2020년 1, 2회 기사]

① PT   ② ZCT
③ GPT   ④ CT

> **해설** **사고별 보호계전기**
> • 단락사고 : 과전류 계전기(OCR)
> • 지락사고 : 선택접지 계전기(SGR), 접지 변압기(GPT) – 영상전압 검출, 영상 변류기(ZCT) –
>   영상전류 검출

54 송전선로의 보호방식으로 지락에 대한 보호는 영상전류를 이용하여 어떤 계전기를 동작시키는
가?   [2017년 2회 산업기사]

① 선택지락 계전기   ② 전류차동 계전기
③ 과전압 계전기   ④ 거리 계전기

> **해설** 53번 해설 참조

55 영상 변류기와 관계가 가장 깊은 계전기는? [2018년 1회 산업기사]

① 차동 계전기 ② 과전류 계전기
③ 과전압 계전기 ④ 선택접지 계전기

해설 **사고별 보호계전기**
- 단락사고 : 과전류 계전기(OCR)
- 지락사고 : 선택접지 계전기(SGR), 접지 변압기(GPT) - 영상전압 검출, 영상 변류기(ZCT) - 영상전류 검출

56 변전소에서 접지를 하는 목적으로 적절하지 않은 것은? [2019년 2회 기사]

① 기기의 보호
② 근무자의 안전
③ 차단 시 아크의 소호
④ 송전시스템의 중성점 접지

해설 **변전소 접지목적 3가지**
- 외함의 이상전압을 방지하여 인체의 접지사고 및 화재 방지
- 고·저압 혼촉으로 인한 저압 측의 이상전압 방지
- 1선 지락 시 선로의 이상전압을 방지하여 기기의 절연보호

57 어느 일정한 방향으로 일정한 크기 이상의 단락전류가 흘렀을 때 동작하는 보호계전기의 약어는? [2017년 3회 산업기사]

① ZR ② UFR
③ OVR ④ DOCR

해설 **보호계전기의 약어**
- ZR : 거리 계전기
- UFR : 저주파수 계전기
- OVR : 과전압 계전기
- DOCR : 방향 과전류 계전기

58 방향성을 갖지 않는 계전기는? [2016년 2회 기사]

① 전력 계전기
② 과전류 계전기
③ 비율차동 계전기
④ 선택지락 계전기

해설 **방향성을 갖고 있지 않은 계전기** : 과전류 계전기, 과전압 계전기, 부족전압 계전기, 거리 계전기, 지락 계전기

59 전압요소가 필요한 계전기가 아닌 것은? [2019년 3회 기사]

① 주파수 계전기
② 동기탈조 계전기
③ 지락 과전류 계전기
④ 방향성 지락 과전류 계전기

해설 • 지락 과전류 계전기 : 과전류 계전기보다 동작전류가 작고 배전선이나 기기의 지락보호용으로 사용
• 방향성 지락 과전류 계전기 : 고장전류의 방향을 영상전압을 기준으로 해서 판정하도록 하여 방향성을 갖도록 하는 것
• 동기탈조 계전기 : 병렬 교류 전원들 또는 계통들 간의 동기탈조 이상 발생 시 동작하여 전력계통을 보호(임피던스궤적형, 전력반전형, 전압계전기조합형 등이 있다)
• 주파수 계전기 : 정해진 주파수값에 도달했을 때 동작하는 계전기(주파수가 규정값을 벗어나거나 상승하거나 저하한 것을 검출한다)

60 전압이 정정값 이하로 되었을 때 동작하는 것으로서 단락 시 고장 검출용으로도 사용되는 계전기는? [2012년 2회 산업기사 / 2013년 1회 산업기사 / 2014년 2회 산업기사 / 2016년 2회 산업기사]

① 재폐로 계전기
② 역상 계전기
③ 부족전류 계전기
④ 부족전압 계전기

해설 • 부족전압 계전기(UVR) : 전압이 정정값 이하 시 동작
• 과전압 계전기(OVR) : 전압이 정정값 초과 시 동작

61 전압이 일정값 이하로 되었을 때 동작하는 것으로서 단락 시 고장 검출용으로도 사용되는 계전기는?

[2020년 1, 2회 산업기사]

① OVR

② OVGR

③ NSR

④ UVR

해설 • 부족전압 계전기(UVR) : 전압이 정정값 이하 시 동작
• 과전압 계전기(OVR) : 전압이 정정값 초과 시 동작

62 송전선로의 단락보호 계전방식이 아닌 것은?

[2015년 1회 산업기사 / 2021년 3회 기사]

① 과전류 계전방식

② 방향단락 계전방식

③ 거리 계전방식

④ 과전압 계전방식

해설 **선로의 보호계전기**
과전류 계전기, 방향단락 계전기, 방향거리 계전기

63 다음 중 동작속도가 가장 느린 계전방식은?

[2022년 1회 기사]

① 전류차동보호 계전방식

② 거리보호 계전방식

③ 전류위상비교보호 계전방식

④ 방향비교보호 계전방식

해설 **거리 계전기**
계전기가 설치된 위치로부터 고장점까지의 전기적 거리에 비례하여 한시동작으로 복잡한 계통의 단락보호에 과전류계전기 대용으로 쓰임

64 다음 중 모선 보호용 계전기로 사용하면 가장 유리한 것은? [2013년 2회 기사 / 2017년 3회 기사]

① 재폐로 계전기   ② 과전류 계전기

③ 역상 계전기   ④ 거리 계전기

> **해설**   **모선 보호용 계전기의 종류** : 전류차동 계전방식, 전압차동 계전방식, 위상비교 계전방식, 방향거리
> 계전방식

65 모선 보호에 사용되는 계전방식이 아닌 것은? [2013년 3회 기사 / 2018년 1회 기사]

① 선택접지 계전방식   ② 방향거리 계전방식

③ 위상 비교방식   ④ 전류차동 보호방식

> **해설**   64번 해설 참조

66 발전기나 주변압기의 내부고장에 대한 보호용으로 가장 적합한 것은?

[2014년 3회 기사 / 2017년 2회 산업기사 / 2018년 3회 기사, 산업기사 / 2020년 1, 2회 산업기사 / 2022년 1회 기사]

① 온도 계전기   ② 과전류 계전기

③ 비율차동 계전기   ④ 과전압 계전기

> **해설**

발 · 변압기 보호	
전기적 이상	• 차동 계전기(소용량) • 비율차동 계전기(대용량) • 반한시 과전류 계전기(외부)

기계적 이상	• 부흐홀츠 계전기
	  – 가스 온도 이상 검출
	  – 주탱크와 콘서베이터 사이에 설치
	• 온도 계전기
	• 압력 계전기(서든프레서)

67 변압기 등 전력설비 내부고장 시 변류기에 유입하는 전류와 유출하는 전류의 차로 동작하는 보호계전기는?

[2018년 1회 기사]

① 차동 계전기
② 지락 계전기
③ 과전류 계전기
④ 역상전류 계전기

해설 차동 계전기는 보호구간에 유입하는 전류와 유출하는 전류의 벡터차를 검출해서 동작하는 계전기이다.

68 변압기의 보호방식에서 차동 계전기는 무엇에 의하여 동작하는가?

[2014년 1회 산업기사 / 2019년 2회 산업기사]

① 정상전류와 역상전류의 차로 동작한다.
② 정상전류와 영상전류의 차로 동작한다.
③ 전압과 전류의 배수의 차로 동작한다.
④ 1, 2차 전류의 차로 동작한다.

해설 변압기가 △-Y결선된 경우에는 1, 2차 간의 위상차가 30° 발생하므로 이를 보상하기 위하여 차동 계전기를 Y-△로 결선한다.

변압기 결선	비율차동 계전기 결선
△-Y	Y-△
Y-△	△-Y

69 변압기 보호용 비율차동 계전기를 사용하여 △-Y 결선의 변압기를 보호하려고 한다. 이때 변압기 1, 2차 측에 설치하는 변류기의 결선방식은?(단, 위상 보정기능이 없는 경우이다)

[2021년 3회 기사]

① △-△
② △-Y
③ Y-△
④ Y-Y

해설 68번 해설 참조

정답 67 ① 68 ④ 69 ③

70 송전선로의 후비보호계전방식의 설명으로 틀린 것은? [2019년 2회 산업기사]

① 주보호계전기가 그 어떤 이유로 정지해 있는 구간의 사고를 보호한다.
② 주보호계전기에 결함이 있어 정상 동작을 할 수 없는 상태에 있는 구간 사고를 보호한다.
③ 차단기 사고 등 주보호계전기로 보호할 수 없는 장소의 사고를 보호한다.
④ 후비보호계전기의 정정값은 주보호계전기와 동일하다.

> 해설 후비보호계전기의 정정값은 주보호계전기보다 크게 설정한다.

71 충전된 콘덴서의 에너지에 의해 트립되는 방식으로 정류기, 콘덴서 등으로 구성되어 있는 차단
기의 트립방식은? [2013년 2회 산업기사 / 2017년 3회 산업기사]

① 과전류 트립방식 ② 직류전압 트립방식
③ 콘덴서 트립방식 ④ 부족전압 트립방식

> 해설 **차단기의 트립방식**
> • 과전류 트립방식 : 차단기의 주회로에 접속된 변류기의 2차 전류에 의해 차단기가 트립되는 방식
> • 직류전압 트립방식 : 별도로 설치된 축전지 등의 제어용 직류전원의 에너지에 의하여 트립되는
> 방식
> • 콘덴서 트립방식 : 충전된 콘덴서의 에너지에 의해 트립되는 방식
> • 부족전압 트립방식 : 부족전압 트립장치에 인가되어 있는 전압의 저하에 의해 차단기가 트립되는
> 방식

72 송전계통에서 자동재폐로방식의 장점이 아닌 것은? [2016년 2회 기사]

① 신뢰도 향상
② 공급 지장시간의 단축
③ 보호계전방식의 단순화
④ 고장상의 고속도 차단, 고속도 재투입

> 해설 신뢰도 향상, 공급 지장시간의 단축, 보호계전방식의 복잡화, 고장상의 고속도 차단, 고속도 재투입

73 공통 중성선 다중접지방식의 배전선로에서 Recloser(R), Sectionalizer(S), Line fuse(F)의 보호협조가 가장 적합한 배열은?(단, 보호협조는 변전소를 기준으로 한다)   [2019년 2회 기사]

① S - F - R

② S - R - F

③ F - S - R

④ R - S - F

해설   **보호협조의 배열**
- 리클로저(R) - 섹셔널라이저(S) - 전력 퓨즈(F)
- 섹셔널라이저는 고장전류 차단능력이 없으므로 리클로저와 직렬로 조합하여 사용한다.

74 다중접지 계통에 사용되는 재폐로 기능을 갖는 일종의 차단기로서 과부하 또는 고장전류가 흐르면 순시동작하고, 일정시간 후에는 자동적으로 재폐로하는 보호기기는?   [2019년 1회 기사]

① 라인퓨즈

② 리클로저

③ 섹셔널라이저

④ 고장구간 자동개폐기

해설   **리클로저(재폐로차단기)** : 고장전류를 검출 후 고속차단하고 자동 재폐로 동작을 수행하여 고장구간 분리 및 재송전하는 장치이다.

75 선로고장 발생 시 고장전류를 차단할 수 없어 리클로저와 같이 차단기능이 있는 후비보호장치와 직렬로 설치되어야 하는 장치는?   [2015년 1회 기사 / 2021년 3회 기사]

① 배선용 차단기

② 유입개폐기

③ 컷아웃 스위치

④ 섹셔널라이저

해설   73번 해설 참조

정답   73 ④   74 ②   75 ④

76 배전선로에서 사고범위의 확대를 방지하기 위한 대책으로 적당하지 않은 것은?

[2018년 3회 기사]

① 선택접지계전방식 채택
② 자동고장 검출장치 설치
③ 진상콘덴서 설치하여 전압보상
④ 특고압의 경우 자동구분개폐기 설치

해설 배전선로에서 콘덴서가 과대하면 계통은 진상이 되어 이상전압을 발생할 가능성이 증가하고 사고 시 사고범위가 확대될 수 있다.

77 주상변압기의 고장이 배전선로에 파급되는 것을 방지하고 변압기의 과부하 소손을 예방하기 위하여 사용되는 개폐기는?

[2019년 1회 산업기사]

① 리클로저　　　　　　　　　　② 부하개폐기
③ 컷아웃 스위치　　　　　　　　④ 섹셔널라이저

해설
명 칭	약 호	용도(역할)
컷아웃 스위치	COS	변압기 과부하 보호

78 콘덴서형 계기용 변압기의 특징에 속하지 않은 것은?　　[2012년 3회 산업기사 / 2015년 3회 산업기사]

① 권선형에 비해 오차가 작고 특성이 좋다.
② 절연의 신뢰도가 권선형에 비해 크다.
③ 고압 회로용의 경우는 권선형에 비해 소형 경량이다.
④ 전력선 반송용 결합콘덴서와 공용할 수 있다.

해설 **콘덴서형 계기용 변압기(CPD)의 특징**
• 권선형에 비해 소형, 경량이고 가격이 싸다.
• 절연의 신뢰도가 권선형에 비해 크다.
• 전력선 반송용 결합콘덴서와 공용할 수 있다.
• 전자형에 비해 오차가 많고 특성이 나쁘다.

　　　　　　　　　　　　　　　　76 ③　77 ③　78 ①　정답

79 보호계전기의 보호방식 중 표시선 계전방식이 아닌 것은? [2016년 3회 기사]

① 방향비교방식　　　　　　　② 위상비교방식
③ 전압방향방식　　　　　　　④ 전류순환방식

해설　• 표시선 계전방식 : 방향비교방식, 전압방향방식, 전류순환방식
　　　• 반송보호 계전방식 : 방향비교 반송방식, 위상비교 반송방식, 반송 트립방식

80 다음 중 전력선 반송보호 계전방식의 장점이 아닌 것은? [2013년 3회 산업기사 / 2019년 3회 산업기사]

① 저주파 반송전류를 중첩시켜 사용하므로 계통의 신뢰도가 높아진다.
② 고장구간의 선택이 확실하다.
③ 동작이 예민하다.
④ 고장점이나 계통의 여하에 불구하고 선택차단개소를 동시에 고속도 차단할 수 있다.

해설　전력선 보호계전방식 : 200~300[kHz]의 고주파 반송전류를 중첩시켜 이것으로 각 단자에 있는 계전기를 제어하는 방식으로 초고압 송전선 및 간선에 많이 쓰이고 고장구간의 선택이 확실하고, 동작이 예민하다는 장점이 있어 신뢰도가 높은 계전방식

81 3상 결선 변압기의 단상운전에 의한 소손방지 목적으로 설치하는 계전기는? [2016년 1회 기사]

① 단락 계전기　　　　　　　② 결상 계전기
③ 지락 계전기　　　　　　　④ 과전압 계전기

해설　• 3상 선로나 발전기 등에서 1상 또는 2상의 결상(단선 등)이나 저전압 또는 역상 등의 사고가 발생하였을 때 사고의 확대 및 파급의 방지를 위하여 차단기를 차단시키거나 경보를 하기 위하여 사용
　　　• 3상 변압기가 단상으로 운전되면 역상분이 존재하므로 역상 계전기로 결상을 검출한다.
　　　• 변압기의 단상운전에 의한 소손방지목적 계전기는 결상 계전기, 역상 계전기

82 3상 결선 변압기의 단상운전에 의한 소손방지 목적으로 설치하는 계전기는? [2018년 1회 기사]

① 차동 계전기
② 역상 계전기
③ 단락 계전기
④ 과전류 계산기

해설 • 3상 선로나 발전기 등에서 1상 또는 2상의 결상(단선 등)이나 저전압 또는 역상 등의 사고가 발생하였을 때 사고의 확대 및 파급의 방지를 위하여 차단기를 차단시키거나 경보를 하기 위하여 사용
• 3상 변압기가 단상으로 운전되면 역상분이 존재하므로 역상 계전기로 결상을 검출한다.
• 변압기의 단상운전에 의한 소손방지목적 계전기는 결상 계전기, 역상 계전기

83 송전계통에서 발생한 고장 때문에 일부 계통의 위상각이 커져서 동기를 벗어나려고 할 경우 이것을 검출하고 계통을 분리하기 위해서 차단하지 않으면 안 될 경우에 사용되는 계전기는?

[2018년 1회 산업기사]

① 한시 계전기
② 선택단락 계전기
③ 탈조보호 계전기
④ 방향거리 계전기

해설 송전계통에 발생한 고장 때문에 일부 계통의 위상각이 커져서 동기를 벗어나려고 할 경우 이것을 검출하고 그 계통을 분리하기 위해서 차단하지 않으면 안 될 경우에 사용한다.

수전설비 계산(변압기 및 전기적 특성)

1. 변압기 용량계산

(1) 수용률

$$수용률 = \frac{최대전력[kW]}{설비용량[kW]} \times 100[\%]$$

(2) 부하율

$$부하율(F) = \frac{평균전력[kW]}{최대전력[kW]} \times 100[\%] = \frac{사용전력량[kWh]/시간[h]}{최대전력[kW]} \times 100[\%]$$

(3) 부등률 : 전력소비기기를 동시에 사용되는 정도

$$부등률 = \frac{개별수용 최대전력의 합[kW]}{합성최대전력[kW]} \geq 1$$

(4) 변압기 용량계산

$$합성최대전력 = \frac{개별수용 최대전력의 합[kW]}{부등률 \times \cos\theta \times 효율}[kVA]$$

(5) 부하율(F)과 손실계수(H)와의 관계식

- 부하율$(F) = \dfrac{평균전력[kW]}{최대전력[kW]} = \dfrac{사용전력량[kWh]/시간[h]}{최대전력[kW]}$

- 손실계수$(H) = \dfrac{평균전력손실[kW]}{최대전력손실[kW]} = \dfrac{전력손실량[kWh]/시간[h]}{최대전력손실[kW]}$

  손실계수$(H) = \alpha F + (1-\alpha)F^2$

  $\therefore \ 1 \geq F \geq H \geq F^2 \geq 0$

2. 각 점의 전위계산

(1) 집중부하인 경우

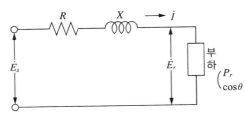

① 교류공급방식

　㉠ 1φ2W

　　• 1선당 $e = 2I(R\cos\theta + X\sin\theta)$

　　• 왕복선 $e = I(R\cos\theta + X\sin\theta)$

　㉡ 3φ3W : $e = \sqrt{3}\,I(R\cos\theta + X\sin\theta)$

　※ 직류공급방식은 무효분 $\sin\theta = 0$으로 보고 해석한다.

(2) 분포부하인 경우

① 직류공급방식

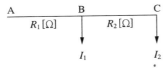

　㉠ 왕복선

　　• B점의 전위 : $V_B = V_A - (I_1 + I_2)R_1$

　　• C점의 전위 : $V_C = V_B - I_2 R_2$

　㉡ 1선당

　　• B점의 전위 : $V_B = V_A - 2(I_1 + I_2)R_1$

　　• C점의 전위 : $V_C = V_B - 2I_2 R_2$

② 교류공급방식 : $3\phi 3W$

   A R_1 B R_2 C
      X_1 X_2

         I_1 I_2
   $\cos\theta_1, \sin\theta_1$ $\cos\theta_2, \sin\theta_2$

    ⓐ B점의 전위 : $V_B = V_A - \sqrt{3}\left((I_1\cos\theta_1 + I_2\cos\theta_2)R_1 + (I_1\sin\theta_1 + I_2\sin\theta_2)X_1\right)$

    ⓑ C점의 전위 : $V_C = V_B - \sqrt{3}\,I_2(R_2\cos\theta_2 + X_2\sin\theta_2)$

(3) 부하의 종별

부하 종별	부하 분포도	전압강하	전력손실
말단집중부하		e	P_l
균등부하 (가로등 부하)		$e' = \dfrac{1}{2}e$	$P_l' = \dfrac{1}{3}P_l$
송전단일수록 커지는 분산부하		$e' = \dfrac{1}{3}e$	$P_l' = \dfrac{1}{5}P_l$

01 전력설비의 수용률을 나타낸 것으로 옳은 것은?

[2014년 2회 기사 / 2020년 1, 2회 기사 / 2021년 1회 기사]

① 수용률 $= \dfrac{\text{평균전력[kW]}}{\text{부하설비용량[kW]}} \times 100[\%]$

② 수용률 $= \dfrac{\text{부하설비용량[kW]}}{\text{평균전력[kW]}} \times 100[\%]$

③ 수용률 $= \dfrac{\text{최대수용전력[kW]}}{\text{부하설비용량[kW]}} \times 100[\%]$

④ 수용률 $= \dfrac{\text{부하설비용량[kW]}}{\text{최대수용전력[kW]}} \times 100[\%]$

해설
수용률 $= \dfrac{\text{최대수용전력[kW]}}{\text{부하설비용량[kW]}} \times 100[\%]$

02 어느 수용가의 부하설비는 전등설비가 500[W], 전열설비가 600[W], 전동기 설비가 400[W], 기타설비가 100[W]이다. 이 수용가의 최대수용전력이 1,200[W]이면 수용률은 몇 [%]인가?

[2019년 3회 기사]

① 55 　　　　　　　　　　　　　② 65

③ 75 　　　　　　　　　　　　　④ 85

해설
수용률 $= \dfrac{\text{최대전력[kW]}}{\text{설비용량[kW]}} \times 100[\%]$

$= \dfrac{1,200}{500+600+400+100} \times 100 = 75[\%]$

03 전력 사용의 변동 상태를 알아보기 위한 것으로 가장 적당한 것은? [2020년 3회 산업기사]

① 수용률

② 부등률

③ 부하율

④ 역률

> **해설** **부하율** : 전기설비가 얼마나 유효하게 이용되는지를 나타내는 척도
>
> $$부하율 = \frac{평균전력[kW]}{최대전력[kW]} \times 100$$

04 연간 전력량이 E[kWh]이고, 연간 최대전력이 W[kW]인 연부하율은 몇 [%]인가?

[2013년 1회 기사 / 2016년 1회 기사]

① $\dfrac{E}{W} \times 100$

② $\dfrac{W}{E} \times 100$

③ $\dfrac{8,760\,W}{E} \times 100$

④ $\dfrac{E}{8,760\,W} \times 100$

> **해설**
> $$연부하율 = \frac{연간전력량/(365 \times 24)}{연간최대전력} \times 100$$
> $$= \frac{E}{8,760\,W} \times 100\,[\%]$$

05 수전용량에 비해 첨두부하가 커지면 부하율은 그에 따라 어떻게 되는가?

[2012년 1회 산업기사 / 2012년 3회 산업기사]

① 높아진다.

② 낮아진다.

③ 변하지 않고 일정하다.

④ 부하의 종류에 따라 달라진다.

> **해설**
> $$1일의 부하율 = \frac{평균전력}{최대전력} \times 100$$
> 여기서, 최대전력이 첨두부하와 같을 때 부하율이 낮아진다.

정답 03 ③   04 ④   05 ②

06 다음 중 배전선로의 부하율이 F일 때 손실계수 H와의 관계로 옳은 것은?

[2017년 3회 산업기사]

① $H = F$

② $H = \dfrac{1}{F}$

③ $H = F^3$

④ $0 \leq F^2 \leq H \leq F \leq 1$

해설 $0 \leq F^2 \leq H \leq F \leq 1$

07 배전계통에서 부등률이란?

[2014년 1회 기사 / 2019년 2회 산업기사]

① $\dfrac{\text{최대수용전력}}{\text{부하설비용량}}$

② $\dfrac{\text{부하의 평균전력의 합}}{\text{부하설비의 최대전력}}$

③ $\dfrac{\text{최대부하 시의 설비용량}}{\text{정격용량}}$

④ $\dfrac{\text{각 수용가의 최대수용전력의 합}}{\text{합성최대수용전력}}$

해설 부등률 $= \dfrac{\text{개별수용가 최대전력의 합}}{\text{합성최대수용전력}} \geq 1$

08 최대전력의 발생시각 또는 발생시기의 분산을 나타내는 지표는?

[2018년 3회 산업기사]

① 부등률

② 부하율

③ 수용률

④ 전일효율

해설
- 부등률 : 최대전력의 발생시각 또는 시기의 분산을 나타내는 척도
- 부하율 : 전기설비가 얼마나 유효하게 이용되는지를 나타내는 척도
- 수용률 : 수요를 예측하고 상정할 경우 경우를 나타내는 척도
- 전일효율 : 하루 동안의 에너지 효율을 이르는 것으로, 24시간 중의 출력에 상당한 전력량을 전력량과 그 날의 손실전력의 합으로 나눈 것

09 일반적인 경우 그 값이 1 이상인 것은?

[2012년 2회 산업기사 / 2013년 2회 산업기사 / 2017년 2회 산업기사 / 2018년 1회 산업기사 / 2020년 4회 기사]

① 부등률

② 전압강하율

③ 부하율

④ 수용률

해설

$$부등률 = \frac{개별수용가\ 최대전력의\ 합}{합성최대수용전력} \geq 1$$

10 각 수용가의 수용률 및 수용가 사이의 부등률이 변화할 때 수용가군 총합의 부하율에 대한 설명으로 옳은 것은?

[2012년 2회 기사 / 2015년 3회 기사 / 2016년 3회 산업기사]

① 수용률에 비례하고 부등률에 반비례한다.

② 부등률에 비례하고 수용률에 반비례한다.

③ 부등률과 수용률에 모두 반비례한다.

④ 부등률과 수용률에 모두 비례한다.

해설

$$부하율 = \frac{평균전력}{합성최대전력} = \frac{평균전력}{개별수용\ 최대전력의\ 합/부등률}$$

$$= \frac{평균전력}{설비용량의\ 합계 \times 수용률/부등률} = \frac{평균전력 \times 부등률}{설비용량의\ 합계 \times 수용률}$$

11 부하설비용량 600[kW], 부등률 1.2, 수용률 60[%]일 때의 합성최대수용전력은 몇 [kW]인가?

[2014년 3회 기사 / 2019년 1회 산업기사]

① 240

② 300

③ 432

④ 833

해설

$$합성최대수용전력 = \frac{설비용량 \times 수용률}{\cos\theta \times 부등률} = \frac{600 \times 0.6}{1 \times 1.2} = 300[\text{kW}]$$

12 설비용량이 360[kW], 수용률 0.8, 부등률 1.2일 때 최대수용전력은 몇 [kW]인가?

[2018년 1회 기사]

① 120　　　　　　　　　　　　② 240

③ 360　　　　　　　　　　　　④ 480

해설 최대수용전력 $= \dfrac{설비용량 \times 수용률}{부등률 \times 역률} = \dfrac{360 \times 0.8}{1.2} = 240[kW]$

13 총부하설비가 160[kW], 수용률이 60[%], 부하역률이 80[%]인 수용가에 공급하기 위한 변압기용량[kVA]은?

[2016년 1회 산업기사]

① 40　　　　　　　　　　　　② 80

③ 120　　　　　　　　　　　　④ 160

해설 변압기용량$[kVA] = \dfrac{개별수용\ 최대전력의\ 합}{역률 \times 부등률} = \dfrac{설비용량 \times 수용률}{역률 \times 부등률}$

$$= \dfrac{160 \times 0.6}{0.8} = 120[kVA]$$

14 어떤 건물에서 총설비부하용량이 700[kW], 수용률이 70[%]라면, 변압기용량은 최소 몇 [kVA]로 하여야 하는가?(단, 여기서 설비부하의 종합역률은 0.8이다) [2017년 1회 산업기사]

① 425.9　　　　　　　　　　　② 513.8

③ 612.5　　　　　　　　　　　④ 739.2

해설 변압기용량$[kVA] = \dfrac{설비용량[kW] \times 수용률}{역률}$

$$= \dfrac{700 \times 0.7}{0.8} = 612.5[kVA]$$

15 설비용량 800[kW], 부등률 1.2, 수용률 60[%]일 때, 변전시설 용량은 최저 약 몇 [kVA] 이상 이어야 하는가?(단, 역률은 90[%] 이상 유지되어야 한다) [2016년 2회 산업기사]

① 450

② 500

③ 550

④ 600

> **해설**
>
> $$변압기용량[kVA] = \frac{개별수용\ 최대전력의\ 합}{역률 \times 부등률} = \frac{설비용량 \times 수용률}{역률 \times 부등률}$$
>
> $$= \frac{800 \times 0.6}{1.2 \times 0.9} \fallingdotseq 444[kVA]$$

16 최대수용전력이 3[kW]인 수용가가 3세대, 5[kW]인 수용가가 6세대라고 할 때, 이 수용가군에 전력을 공급할 수 있는 주상변압기의 최소용량[kVA]은?(단, 역률은 1, 수용가 간의 부등률은 1.3이다) [2021년 2회 기사]

① 25

② 30

③ 35

④ 40

> **해설**
>
> $$TR = \frac{개별수용\ 최대전력의\ 합[kW]}{역률 \times 부등률 \times 효율}$$
>
> $$= \frac{3 \times 3 + 5 \times 6}{1.3} = 30[kVA]$$

17 각 수용가의 수용설비용량이 50[kW], 100[kW], 80[kW], 60[kW], 150[kW]이며, 각각의 수용률이 0.6, 0.6, 0.5, 0.5, 0.4일 때 부하의 부등률이 1.30이라면 변압기 용량은 약 몇 [kVA]가 필요한가?(단, 평균부하역률은 80[%]라고 한다) [2012년 1회 기사 / 2016년 2회 기사]

① 142

② 165

③ 183

④ 212

> **해설**
>
> $$변압기용량 = \frac{개별수용\ 최대전력의\ 합}{부등률 \times 역률 \times 효율}[kVA]$$
>
> $$= \frac{50 \times 0.6 + 100 \times 0.6 + 80 \times 0.5 + 60 \times 0.5 + 150 \times 0.4}{1.3 \times 0.8} \fallingdotseq 211.54[kVA]$$

18 단상 변압기 3대를 △ 결선으로 운전하던 중 1대의 고장으로 V결선한 경우 V결선과 △ 결선의
출력비는 약 몇 [%]인가?

[2016년 3회 기사]

① 52.2   ② 57.7

③ 66.7   ④ 86.6

해설 • 이용률 : 86.6[%]

• 고장률(출력비) : 57.7[%]

19 100[kVA] 단상 변압기 3대로 3상 전력을 공급하던 중 변압기 1대가 고장났을 때 공급가능전
력은 몇 [kVA]인가?

[2014년 1회 산업기사 / 2016년 1회 산업기사]

① 200   ② 100

③ 173   ④ 150

해설 단상 변압기 상용 3대 중 1대 고장 시

공급가능전력 $P = \sqrt{3}\,P_V = \sqrt{3} \times 100 ≒ 173.2[\text{kVA}]$

20 정격용량 150[kVA]인 단상 변압기 두 대로 V결선을 했을 경우 최대 출력은 약 몇 [kVA]인가?

[2019년 3회 산업기사]

① 170   ② 173

③ 260   ④ 280

해설 $P_V = \sqrt{3}\,V_p I_p = \sqrt{3} \times 150 ≒ 259.81[\text{kVA}]$

18 ②   19 ③   20 ③   정답

21 150[kVA] 단상 변압기 3대를 △−△ 결선으로 사용하다가 1대의 고장으로 V−V결선하여 사용하면 약 몇 [kVA] 부하까지 걸 수 있겠는가?

[2016년 1회 기사]

① 200

② 220

③ 240

④ 260

해설 V결선

3상 최대출력 $P = \sqrt{3}\,P_V = \sqrt{3} \times 150 \fallingdotseq 260[\text{kVA}]$

22 400[kVA] 단상 변압기 3대를 △−△ 결선으로 사용하다가 1대의 고장으로 V−V결선을 하여 사용하면 약 몇 [kVA] 부하까지 걸 수 있겠는가?

[2018년 2회 기사]

① 400

② 566

③ 693

④ 800

해설 단상 변압기 상용 3대 중 1대 고장 시

공급가능전력 $P = \sqrt{3}\,P_V = \sqrt{3} \times 400 = 692.82[\text{kVA}] \fallingdotseq 693[\text{kVA}]$

23 500[kVA]의 단상 변압기 상용 3대(결선 △−△), 예비 1대를 갖는 변전소가 있다. 부하의 증가로 인하여 예비 변압기까지 동원해서 사용한다면 응할 수 있는 최대부하[kVA]는 약 얼마인가?

[2021년 2회 기사]

① 2,000

② 1,730

③ 1,500

④ 830

해설 $P_V = \sqrt{3}\,V_P I_P = \sqrt{3} \times 500 \fallingdotseq 866$

$P = 2P_V = 2 \times 866 = 1,732[\text{kVA}]$

24 1,000[kVA]의 단상 변압기 3대를 △−△ 결선의 1뱅크로 하여 사용하는 변전소가 부하 증가로 다시 1대의 단상 변압기를 증설하여 2뱅크로 사용하면 최대 약 몇 [kVA]의 3상 부하에 적용할 수 있는가?　　　　[2017년 2회 산업기사]

① 1,730　　　　　　　　　② 2,000
③ 3,460　　　　　　　　　④ 4,000

해설　$\sqrt{3}\times1,000\times2 ≒ 3,464[\text{kVA}]$

25 200[kVA] 단상 변압기 3대를 △ 결선에 의하여 급전하고 있는 경우 1대의 변압기가 소손되어 V결선으로 사용하였다. 이때의 부하가 516[kVA]라고 하면 변압기는 약 몇 [%]의 과부하가 되는가?　　　　[2016년 2회 산업기사]

① 119　　　　　　　　　② 129
③ 139　　　　　　　　　④ 149

해설　$P_V = \sqrt{3}\,V_P I_P = \sqrt{3}\times200 ≒ 346[\text{kVA}]$

$\dfrac{516}{346} ≒ 1.49,\ 1.49\times100 ≒ 149[\%]$

26 주상변압기의 1차 측 전압이 일정할 경우, 2차 측 부하가 증가하면 주상변압기의 동손과 철손은 어떻게 되는가?　　　　[2013년 2회 산업기사 / 2016년 3회 산업기사]

① 동손은 감소하고 철손은 증가한다.
② 동손은 증가하고 철손은 감소한다.
③ 동손은 증가하고 철손은 일정하다.
④ 동손과 철손은 모두 일정하다.

해설　변압기에서는 고정손(철손)과 가변손(동손)으로 되어 있다.

27 단상 변압기 3대에 의한 △결선에서 1대를 제거하고 동일 전력을 V결선으로 보낸다면 동손은 약 몇 배가 되는가? [2018년 1회 기사]

① 0.67

② 2.0

③ 2.7

④ 3.0

해설 $\dfrac{P_{cV}}{P_{c\triangle}} = \dfrac{I_l^2 \times 2}{\left(\dfrac{I_l}{\sqrt{3}}\right)^2 \times 3} = 2$배(V결선은 TR 2대, △결선은 TR 3배)

28 용량 20[kVA]인 단상 주상 변압기에 걸리는 하루 동안의 부하가 처음 14시간 동안은 20[kW], 다음 10시간 동안은 10[kW]일 때, 이 변압기에 의한 하루 동안의 손실량[Wh]은?(단, 부하의 역률은 1로 가정하고, 변압기의 전 부하동손은 300[W], 철손은 100[W]이다) [2021년 1회 기사]

① 6,850

② 7,200

③ 7,350

④ 7,800

해설 24시간 철손 $P_i' = 24 \times 100 = 2,400$[Wh]

24시간 동손 $P_c' = 14 \times \left(\dfrac{20}{20}\right)^2 \times 300 + 10 \times \left(\dfrac{10}{20}\right)^2 \times 300 = 4,950$[Wh]

∴ 손실 $P_i' + P_c' = 7,350$[Wh]

29 변압기의 손실 중 철손의 감소대책이 아닌 것은? [2014년 3회 산업기사 / 2018년 3회 산업기사]

① 자속밀도의 감소

② 고배향성 규소 강판 사용

③ 아몰퍼스 변압기의 채용

④ 권선의 단면적 증가

해설 ④ 권선의 단면적 증가 : 동손 감소

철손 = 히스테리시스손 + 와전류손

• 히스테리시스손 감소 : 규소강판을 사용한다.

– 루프면적을 작게 한다.

• 와류손 감소 : 성층철심을 사용한다.

히스테리시스손	와류손
$P_h = \eta f B_m^{1.6 \sim 2} [\text{W}]$	$P_e = \delta f^2 B_m^2 t^2 [\text{W}]$
전압 일정할 때	
$P_h \propto f \times \left(\dfrac{1}{f}\right)^2 \rightarrow P_h \propto \dfrac{1}{f}$	$P_e \propto f^2 \times \left(\dfrac{1}{f}\right)^2 \rightarrow P_e$는 f와 무관

30 3상 3선식 변압기 결선방식이 아닌 것은? [2016년 3회 산업기사]

① △ 결선　　　　　　② V결선

③ T결선　　　　　　④ Y결선

해설 • 3ϕ : △, Y, V결선

• T(스코트결선) : 1ϕ 대용량 부하가 2개일 때 사용

31 그림과 같은 단상 2선식 배선에서 인입구 A점의 전압이 220[V]라면 C점의 전압[V]은?(단, 저항값은 1선의 값이며 AB 간은 0.05[Ω], BC 간은 0.1[Ω]이다) [2017년 3회 산업기사]

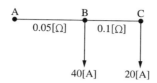

① 214

② 210

③ 196

④ 192

해설
$$V_B = V_A - 2IR = 220 - 2 \times 60 \times 0.05 = 214[\text{V}]$$
$$V_C = V_B - 2IR = 214 - 2 \times 20 \times 0.1 = 210[\text{V}]$$

32 단상 2선식 교류 배전선로가 있다. 전선의 1가닥 저항이 0.15[Ω]이고, 리액턴스는 0.25[Ω]이다. 부하는 순저항부하이고 100[V], 3[kW]이다. 급전점의 전압[V]은 약 얼마인가?

[2020년 1, 2회 산업기사]

① 105

② 110

③ 115

④ 124

해설
$$V_s = V_R + 2IR = 100 + 2 \times \frac{3,000}{100} \times 0.15 = 109[\text{V}]$$

33 전선의 굵기가 균일하고 부하가 균등하게 분산 분포되어 있는 배전선로의 전력손실은 전체 부하가 송전단으로부터 전체 전선로 길이의 어느 지점에서 집중되어 있을 경우의 손실과 같은가?

[2013년 1회 산업기사 / 2015년 1회 기사 / 2018년 3회 기사 / 2022년 2회 기사]

① $\frac{3}{4}$ ② $\frac{2}{3}$

③ $\frac{1}{3}$ ④ $\frac{1}{2}$

해설 집중부하와 분산부하

구 분	전력손실	전압강하
말단집중부하	$I^2 RL$	$I RL$
평등분산부하	$\frac{1}{3} I^2 RL$	$\frac{1}{2} I RL$

∴ $\dfrac{\text{평등분산부하의 전력손실}}{\text{말단집중부하의 전력손실}} = \dfrac{1}{3}$

34 배전선에서 균등하게 분포된 부하일 경우 배전선 말단의 전압강하는 모든 부하가 배전선의 어느 지점에 집중되어 있을 때의 전압강하와 같은가?

[2016년 1회 산업기사 / 2019년 1회 산업기사]

① $\frac{1}{2}$ ② $\frac{1}{3}$

③ $\frac{2}{3}$ ④ $\frac{1}{5}$

해설 33번 해설 참조

∴ $\dfrac{\text{평등분산부하의 전압강하}}{\text{말단집중부하의 전압강하}} = \dfrac{1}{2}$

35 그림과 같이 부하가 균일한 밀도로 도중에서 분기되어 선로전류가 송전단에 이를수록 직선적으로 증가할 경우 선로의 전압강하는 이 송전단전류와 같은 전류의 부하가 선로의 말단에만 집중되어 있을 경우의 전압강하보다 어떻게 되는가?(단, 부하역률은 모두 같다고 한다)

[2016년 3회 기사]

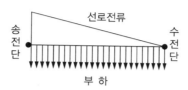

① $\dfrac{1}{3}$

② $\dfrac{1}{2}$

③ 1

④ 2

해설 집중부하와 분산부하

구 분	전력손실	전압강하
말단집중부하	I^2RL	IRL
평등분산부하	$\dfrac{1}{3}I^2RL$	$\dfrac{1}{2}IRL$

36 전선의 굵기가 균일하고 부하가 송전단에서 말단까지 균일하게 분포되어 있을 때 배전선말단에서 전압강하는?(단, 배전선 전체저항 R, 송전단의 부하전류는 I이다)   [2018년 2회 기사]

① $\dfrac{1}{2}RI$

② $\dfrac{1}{\sqrt{2}}RI$

③ $\dfrac{1}{\sqrt{3}}RI$

④ $\dfrac{1}{3}RI$

해설 35번 해설 참조

CHAPTER 10 배전선로의 구성

1. 배전계통의 구성

(1) 계통도

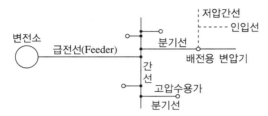

① 급전선(Feeder) : 발·변전소에서 수용가에 이르는 배전선로 중 부하가 없는 선로
② 간선(Distributing Main Line) : 부하분포에 따라 급전선에 접속하여 각 수용가에 공급하는 주요 배전선
③ 분기선(Branch Line) : 간선과 실제 부하 사이의 선로

(2) 배전방식의 종류

① 가지식(수지상식) : 농·어촌 지역 적당(대용량 화학공장)

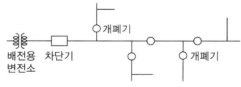

㉠ 특 징
- 인입선의 길이가 길다.
- 전압강하가 크다.
- 전력손실이 크다.
- 정전범위가 넓다.
- 플리커 현상 발생

② 환상식(Loop식) : 수용밀도가 큰 지역(중, 소도시)

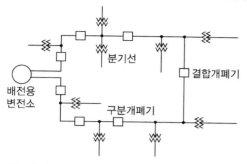

㉠ 장점 : 가지식에 비해 전압강하 및 정전의 범위가 작고, 고장 개소의 분리 조작이
용이하다.

㉡ 단점 : 설비가 복잡하고 증설이 어렵다.

③ 저압 뱅킹방식 : 2대 이상 변압기 저압 측을 병렬로 접속하는 방식(부하가 밀집된 시가지)

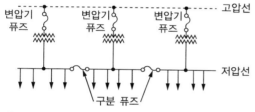

㉠ 장 점
- 부하의 융통성을 도모
- 전압변동, 전력손실 경감
- 변압기 용량 절감
- 공급신뢰도 향상

㉡ 단점 : 캐스케이딩 현상 발생

※ 캐스케이딩 현상 : 저압선의 고장으로 인한 변압기 일부 또는 전부가 차단되는
현상

※ 대책 : 자동고장 구분개폐기 설치

④ 저압 네트워크방식(망상식) : 2회선 이상의 급전선으로 공급(대규모 빌딩)

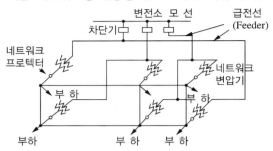

㉠ 장 점
- 무정전공급 가능
- 공급신뢰도 우수
- 전압변동 및 전력손실 감소
- 기기의 이용률 향상

㉡ 단 점
- 건축비가 비싸다.
- 인축의 접지사고가 많다.
- 고장 시 전류 역류현상 발생(대책 : 네트워크 프로텍터 설치)
  ※ 네트워크 프로텍터 3요소 : 방향성 전류 계전기, 저압 차단기(ACB), 저압 퓨즈 (캐치홀더)

2. 저압 배전선로의 전기방식 비교

전기방식	가닥수	전 력	전력손실	1선당 전력	$1\phi2W$기준 (전력)	중량 비교
$1\phi2W$	2W	$VI\cos\theta$	$2I^2R$	$0.5\,VI\cos\theta$	1(100[%])	1
$1\phi3W$	3W	$2VI\cos\theta$	$2I^2R$	$0.67\,VI\cos\theta$	1.33(133[%])	3/8
$3\phi3W$	3W	$\sqrt{3}\,VI\cos\theta$	$3I^2R$	$0.57\,VI\cos\theta$	1.15(115[%])	3/4
$3\phi4W$	4W	$3VI\cos\theta$	$3I^2R$	$0.75\,VI\cos\theta$	1.5(150[%])	1/3

(1) 1선당 공급전력 비교(1φ2W)

① 1φ2W

$$P = VI\cos\theta$$

1선당 전력 $P' = \dfrac{VI\cos\theta}{2} = \dfrac{1}{2}VI = 0.5\,VI$

② 1φ3W

$$P = 2\,VI\cos\theta$$

1선당 전력 $P'' = \dfrac{2\,VI\cos\theta}{3} = \dfrac{2}{3}VI \fallingdotseq 0.67\,VI$

비교 $= \dfrac{P''}{P'} = \dfrac{0.67\,VI}{0.5\,VI} = 1.33$ 배

③ 3φ3W

$$P = \sqrt{3}\,VI\cos\theta$$

1선당 전력 $P'' = \dfrac{\sqrt{3}\,VI\cos\theta}{3} = \dfrac{\sqrt{3}}{3}VI \fallingdotseq 0.57\,VI$

비교 $= \dfrac{P''}{P'} = \dfrac{0.57\,VI}{0.5\,VI} = 1.15$ 배

④ 3φ4W

$$P = 3\,VI\cos\theta$$

1선당 전력 $P'' = \dfrac{3\,VI\cos\theta}{4} = \dfrac{3}{4}VI = 0.75\,VI$

비교 $= \dfrac{P''}{P'} = \dfrac{0.75\,VI}{0.5\,VI} = 1.5$ 배

(2) 전류비, 저항비, 중량 비교

① 1ϕ2W − 1ϕ3W 중량 비교

중량 : $W = \sigma \cdot \alpha = \sigma \cdot A \cdot l = A$

$\therefore W = A$

$$\frac{3W_3}{2W_1} = \frac{3}{2} \times \frac{A_3}{A_1} = \frac{3}{2} \times \frac{R_1}{R_3} \quad \cdots\cdots\cdots\cdots\cdots\cdots ⓐ$$

저항비 : 전력손실을 같게 놓고 푼다.

$$2I_1^2 R_1 = 2I_3^2 R_3 \text{에서} \quad \frac{R_1}{R_3} = \left(\frac{I_3}{I_1}\right)^2 \quad \cdots\cdots\cdots\cdots ⓑ$$

전류비 : 전력을 같게 놓고 푼다.

$VI_1\cos\theta = 2VI_3\cos\theta \text{에서}$

$$\frac{I_3}{I_1} = \frac{1}{2} \quad \cdots\cdots\cdots\cdots\cdots\cdots\cdots\cdots\cdots ⓒ$$

ⓒ → ⓑ 대입하면 $\dfrac{R_1}{R_3} = \left(\dfrac{1}{2}\right)^2 = \dfrac{1}{4}$ $\cdots\cdots\cdots\cdots ⓓ$

ⓓ → ⓐ 대입하면 $\dfrac{3}{2} \times \dfrac{1}{4} = \dfrac{3}{8} = 0.375$

$\therefore 37.5[\%]$

3. 1ϕ3W 전기방식

(1) 결선조건 3가지

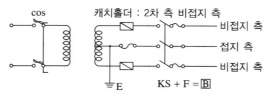

① 개폐기는 동시 동작형 개폐기를 설치할 것
② 중성선은 퓨즈를 넣지 말고 직결시킬 것

(2) 장 점

① 2종의 전원을 얻을 수 있다.

② 전압강하가 적다.

③ 전력손실이 적다.

④ 공급전력이 크다.

⑤ 전선의 단면적이 적다.

⑥ 1선당 공급전력이 크다.

⑦ 전선의 소요중량이 적다.

(3) 단 점

① 부하 불평형으로 인한 전력손실이 크다.

불평형일 경우	평형일 경우
$I_1 = \dfrac{P_1}{V} = \dfrac{100}{100} = 1[\text{A}]$ $I_2 = \dfrac{P_2}{V} = \dfrac{400}{100} = 4[\text{A}]$ $I_N = I_2 - I_1 = 4 - 1 = 3[\text{A}]$	$I_1 = \dfrac{P_1}{V} = \dfrac{250}{100} = 2.5[\text{A}]$ $I_2 = \dfrac{P_2}{V} = \dfrac{250}{100} = 2.5[\text{A}]$ $I_N = 2.5 - 2.5 = 0[\text{A}]$
전체전류 8[A]	전체전류 5[A]

∴ 동일한 부하를 사용하는데 평형일 때는 불평형일 때보다 전체 전류값이 작다. 그래서 불평형일 때 전력손실이 커진다($P_l \propto I^2$).

② 중성선 단선 시 전압의 불평형이 생긴다(경부하 측 전위상승).

$$R_1 I = V_1 = V\frac{R_1}{R_1 + R_2} = 200 \times \frac{100}{100 + 25} = 160[\text{V}]$$

$$R_2 I = V_2 = V\frac{R_2}{R_1 + R_2} = 200 \times \frac{25}{100 + 25} = 40[\text{V}]$$

$R = \dfrac{V^2}{P}$ 에서

$R_1 = \dfrac{100^2}{100} = 100\,[\Omega]$

$R_2 = \dfrac{100^2}{400} = 25\,[\Omega]$

※ 대책 : 저압 밸런서를 설치한다(중성선 단선 시 각 단자전압의 불평형 방지).

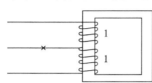

01 플리커 경감을 위한 전력공급 측의 방안이 아닌 것은? [2016년 1회 기사 / 2019년 3회 기사]

① 공급전압을 낮춘다.
② 전용변압기로 공급한다.
③ 단독 공급계통을 구성한다.
④ 단락용량이 큰 계통에서 공급한다.

> **해설** **플리커 방지책**
> • 수용가 측
>   – 전원계통에 리액터분을 보상
>   – 전압강하를 보상
>   – 부하의 무효전력 변동분을 흡수
> • 전력공급 측
>   – 단락용량이 큰 계통에서 공급
>   – 공급전압 승압
>   – 전용변압기로 공급
>   – 단독 공급계통을 구성

02 고압 배전선로 구성방식 중, 고장 시 자동적으로 고장 개소의 분리 및 건전선로에 폐로하여 전력을 공급하는 개폐기를 가지며, 수요 분포에 따라 임의의 분기선으로부터 전력을 공급하는 방식은? [2019년 2회 기사]

① 환상식
② 망상식
③ 뱅킹식
④ 가지식(수지식)

> **해설** 루프 배전선의 이점은 선로의 도중에 고장 발생 시, 고장 개소의 분리조작이 용이하여 그 부분을 빨리 분리시킬 수 있고 전류의 통로에 융통성이 있으므로 전력손실과 전압강하가 적다.

03 저압 뱅킹방식에서 저전압의 고장에 의하여 건전한 변압기의 일부 또는 전부가 차단되는 현상은? [2019년 1회 기사 / 2019년 2회 산업기사]

① 아킹(Arcing)
② 플리커(Flicker)
③ 밸런스(Balance)
④ 캐스케이딩(Cascading)

해설　**캐스케이딩 현상**
• 저압선의 일부 고장으로 건전한 변압기의 일부 또는 전부가 차단되어 고장이 확대되는 현상
• 대책 : 뱅킹 퓨즈(구분 퓨즈) 사용

04 저압 뱅킹(Banking) 배전방식이 적당한 곳은? [2018년 2회 산업기사]

① 농 촌
② 어 촌
③ 화학공장
④ 부하 밀집지역

해설　• 가지식방식 → 농·어촌 화학공장
• 저압 뱅킹방식 → 부하밀집지역

05 저압 배전계통을 구성하는 방식 중, 캐스케이딩(Cascading)을 일으킬 우려가 있는 방식은? [2018년 2회 기사]

① 방사상방식
② 저압 뱅킹방식
③ 저압 네트워크방식
④ 스포트 네트워크방식

해설　**저압 뱅킹방식**
• 전압변동이 작다.
• 부하증가에 대한 융통성이 향상된다.
• 플리커 현상이 경감되고, 변압기용량이 저감된다.
• 캐스케이딩 현상이 발생한다.

06 저압 뱅킹방식에 대한 설명 중 맞지 않는 것은? [2012년 1회 산업기사 / 2014년 1회 산업기사]

① 전압동요가 작다.
② 캐스케이딩 현상에 의해 고장확대가 축소된다.
③ 부하증가에 대해 융통성이 좋다.
④ 고장보호방식이 적당할 때 공급신뢰도는 향상된다.

> **해설** **저압 뱅킹방식**
> • 전압변동이 작다.
> • 부하증가에 대한 융통성이 향상된다.
> • 플리커 현상이 경감되고, 변압기용량이 저감된다.
> • 캐스케이딩 현상이 발생한다.

07 저압 네트워크 배전방식의 장점이 아닌 것은? [2014년 3회 기사 / 2015년 1회 기사 / 2017년 2회 기사]

① 인축의 접지사고가 적어진다.
② 부하 증가 시 적응성이 양호하다.
③ 무정전 공급이 가능하다.
④ 전압변동이 작다.

> **해설** **저압 네트워크방식**
> • 무정전 공급방식으로 공급신뢰도가 가장 좋다.
> • 공급신뢰도가 가장 좋고 변전소의 수를 줄일 수 있다.
> • 전압강하, 전력손실이 적다.
> • 부하 증가 시 대응이 우수하다.
> • 설비비가 고가이다.
> • 인축의 접지사고가 있을 수 있다.
> • 고장 시 고장전류가 역류할 수 있다.
> • 대책 : 네트워크 프로텍터(저압용 차단기, 저압용 퓨즈, 전력방향 계전기)

08 망상(Network) 배전방식에 대한 설명으로 옳은 것은? [2018년 3회 기사]

① 전압 변동이 대체로 크다.
② 부하 증가에 대한 융통성이 적다.
③ 방사상 방식보다 무정전 공급의 신뢰도가 더 높다.
④ 인축에 대한 감전사고가 적어서 농촌에 적합하다.

> **해설** **망상식 배전방식**
> • 전압강하 및 전력손실이 경감된다.
> • 무정전 전력공급이 가능하다.
> • 공급신뢰도가 가장 좋고 부하증설이 용이하다.
> • 네트워크 변압기나 네트워크 프로텍터 설치에 따른 설비비가 비싸다.
> • 대형 빌딩가와 같은 고밀도 부하밀집지역에 적합하다.

09 다음 중 환상(루프) 방식과 비교할 때 방사상 배전선로 구성방식에 해당되는 사항은? [2022년 1회 기사]

① 전력 수요 증가 시 간선이나 분기선을 연장하여 쉽게 공급이 가능하다.
② 전압 변동 및 전력손실이 작다.
③ 사고 발생 시 다른 간선으로의 전환이 쉽다.
④ 환상방식보다 신뢰도가 높은 방식이다.

> **해설** • 방사상식은 계통상 수지상식(가지식) 방식이다.
> • 전압 변동 및 손실이 크다.
> • 사고 발생 시 다른 간선으로 전환이 어렵다.
> • 신뢰도가 낮다.

10 배전선로의 손실을 경감하기 위한 대책으로 적절하지 않은 것은? [2016년 3회 기사]

① 누전차단기 설치
② 배전전압의 승압
③ 전력용 콘덴서 설치
④ 전류밀도의 감소와 평형

> **해설** **누전차단기 : 지락사고 시 보호**

08 ③ 09 ① 10 ① **정답**

11 배전선로의 용어 중 틀린 것은?

[2018년 1회 산업기사]

① 궤전점 : 간선과 분기선의 접속점
② 분기선 : 간선으로 분기되는 변압기에 이르는 선로
③ 간선 : 급전선에 접속되어 부하로 전력을 공급하거나 분기선을 통하여 배전하는 선로
④ 급전선 : 배전용 변전소에서 인출되는 배전선로에서 최초의 분기점까지의 전선으로 도중에 부하가 접속되어 있지 않은 선로

> **해설** 궤전점 : 전차 등에 전력을 공급하기 위하여 곳곳에 두어 여기에 궤전분기선을 접속한다. 이것을 궤전점이라고 한다.

12 22.9[kV-Y], 가공배전선로에서 주공급선로의 정전사고 시 예비전원선로로 자동전환되는 개폐장치는?

[2015년 3회 기사 / 2020년 1, 2회 기사]

① 기중부하 개폐기
② 고장구간 자동 개폐기
③ 자동선로 구분 개폐기
④ 자동부하 전환 개폐기

> **해설** 가공배전선로에서 주선로의 정전 시 예비선로로 자동전환되는 개폐기로 자동부하 전환 개폐기(ALTS ; Automatic Load Transfer Switch)를 사용한다.

13 배전선로의 고장 또는 보수 점검 시 정전구간을 축소하기 위하여 사용되는 것은?

[2020년 3회 기사]

① 단로기
② 컷아웃스위치
③ 계자저항기
④ 구분개폐기

> **해설** 배전선로에서 수용가와의 책임 분계점에 설치하여 고장구간을 자동적으로 구분·분리하는 개폐기

14 저압뱅킹 배전방식에서 캐스케이딩 현상을 방지하기 위하여 인접 변압기를 연락하는 저압선의 중간에 설치하는 것으로 알맞은 것은? [2022년 2회 기사]

① 구분 퓨즈 ② 리클로저
③ 섹셔널라이저 ④ 구분 개폐기

> **해설** 저압뱅킹 배선방식은 캐스케이딩 현상의 우려가 있어 고장구간을 축소하기 위하여 변압기 2차측 저압선의 중간에 구분 퓨즈를 설치한다.

15 배전선로에서 사고범위의 확대를 방지하기 위한 대책으로 적당하지 않은 것은? [2013년 1회 기사]

① 배전계통의 루프화
② 선택접지계전방식 채택
③ 구분개폐기 설치
④ 선로용 콘덴서 설치

> **해설** 배전선로에서 콘덴서가 과대하면 계통은 진상이 되어 이상전압을 발생할 가능성이 증가하고 사고 시 사고범위가 확대될 수 있다.

16 폐쇄 배전반을 사용하는 주된 이유는 무엇인가? [2015년 1회 기사]

① 보수의 편리 ② 사람에 대한 안전
③ 기기의 안전 ④ 사고파급 방지

> **해설** 폐쇄 배전반은 주회로 기기 및 감시 제어장치를 수용하고 그 외주의 전후좌우 및 윗면을 접지 금속벽 으로 덮은 것으로 사람의 안전을 도모함이 목적이다.

17 송전전력, 송전거리, 전선로의 전력손실이 일정하고 같은 재료의 전선을 사용한 경우 단상 2선식에 대한 3상 3선식의 1선당의 전력비는 얼마인가?

[2012년 3회 기사 / 2016년 2회 산업기사 / 2020년 4회 기사 / 2021년 3회 기사 / 2022년 1회 기사]

① 0.7   ② 1.0

③ 1.15   ④ 1.33

> **해설** 전기방식별 비교(전력 손실비 = 전선 중량비)
>
> | 종 별 | 전력(P) | 1선당 공급전력 | 1선당 공급전력비교 | 전력 손실비 | 손 실 |
> |---|---|---|---|---|---|
> | 1φ2W | $VI\cos\theta$ | $1/2P = 0.5P$ | $100[\%]$ | 24 | $2I^2R$ |
> | 1φ3W | $2VI\cos\theta$ | $2/3P = 0.67P$ | $133[\%]$ | 9 | |
> | 3φ3W | $\sqrt{3}\,VI\cos\theta$ | $\sqrt{3}/3P = 0.57P$ | $115[\%]$ | 18 | $3I^2R$ |
> | 3φ4W | $3VI\cos\theta$ | $3/4P = 0.75P$ | $150[\%]$ | 8 | |

18 선간전압, 부하역률, 선로손실, 전선중량 및 배전거리가 같다고 할 경우 단상 2선식과 3상 3선식의 공급전력의 비(단상/3상)는?

[2018년 1회 산업기사]

① $\dfrac{3}{2}$ ② $\dfrac{1}{\sqrt{3}}$

③ $\sqrt{3}$ ④ $\dfrac{\sqrt{3}}{2}$

> **해설**
> $$W_0 = 2W_1 = 3W_3 = 2A_1 l = 3A_3 l$$
> $$\frac{A_3}{A_1} = \frac{2}{3} = \frac{R_1}{R_3} \rightarrow \frac{R_3}{R_1} = \frac{3}{2}$$
> $$2I_1^2 R_1 = 3I_3^2 R_3 \Rightarrow \left(\frac{I_1}{I_3}\right)^2 = \frac{3}{2}\frac{R_3}{R_1} = \frac{3}{2} \times \frac{3}{2} \rightarrow \frac{I_1}{I_3} = \frac{3}{2}$$
> $$\frac{P_1}{P_3} = \frac{VI_1}{\sqrt{3}\,VI_3} = \frac{1}{\sqrt{3}}\frac{I_1}{I_3} = \frac{1}{\sqrt{3}} \times \frac{3}{2} = \frac{\sqrt{3}}{2}$$

19 단상 2선식과 3상 3선식의 부하전력, 전압을 같게 하였을 때 단상 2선식의 선로전류를 100[%]로 보았을 경우, 3상 3선식의 선로전류는?   [2013년 2회 산업기사 / 2020년 제1, 2회 기사]

① 38[%]   ② 48[%]

③ 58[%]   ④ 68[%]

해설   단상 전력 $P = VI_1 \cos\theta\,[\mathrm{W}]$

3상 전력 $P = \sqrt{3}\,VI_3 \cos\theta\,[\mathrm{W}]$

[조건] 부하전력과 전압이 같다. 단상 2선식 선로전류 : 100

$VI_1 = \sqrt{3}\,VI_3$ 에서 $\dfrac{I_3}{I_1} = \dfrac{1}{\sqrt{3}} \times 100 \fallingdotseq 57.73[\%]$

20 동일 전력을 동일 선간전압, 동일 역률로 동일 거리에 보낼 때 사용하는 전선의 총중량이 같으면, 단상 2선식과 3상 3선식의 전력 손실비(3상 3선식/단상 2선식)는?

[2015년 1회 산업기사 / 2017년 2회 산업기사 / 2019년 1회 기사]

① $\dfrac{1}{3}$ ② $\dfrac{1}{2}$

③ $\dfrac{3}{4}$ ④ 1

해설   전기방식별 비교(전력 손실비 = 전선 중량비)

종 별	전력(P)	1선당 공급전력	1선당 공급전력비교	전력 손실비	손 실
1φ2W	$VI\cos\theta$	$1/2P = 0.5P$	100[%]	24	$2I^2R$
1φ3W	$2VI\cos\theta$	$2/3P = 0.67P$	133[%]	9	
3φ3W	$\sqrt{3}\,VI\cos\theta$	$\sqrt{3}/3P = 0.57P$	115[%]	18	$3I^2R$
3φ4W	$3VI\cos\theta$	$3/4P = 0.75P$	150[%]	8	

전력 손실비 $\dfrac{3\phi3\mathrm{W}}{1\phi2\mathrm{W}} = \dfrac{18}{24} = \dfrac{3}{4}$

21 송전전력, 부하역률, 송전거리, 전력손실, 선간전압이 동일할 때 3상 3선식에 의한 소요전선량 은 단상 2선식의 몇 [%]인가? [2017년 3회 기사]

① 50

② 67

③ 75

④ 87

해설

방 식		1φ2W 소요 전선량 100[%]
1φ3W	중성선 굵기 동일	37.5[%]
	중성선 굵기 1/2	31.3[%]
3φ3W	—	75[%]
3φ4W	중성선 굵기 동일	33.3[%]
	중성선 굵기 1/2	29.2[%]

22 3상 3선식의 전선 소요량에 대한 3상 4선식의 전선 소요량의 비는 얼마인가?(단, 배전거리, 배전전력 및 전력손실은 같고, 4선식의 중성선의 굵기는 외선의 굵기와 같으며, 외선과 중성선 간의 전압은 3선식의 선간전압과 같다) [2016년 3회 기사]

① $\frac{4}{9}$

② $\frac{2}{3}$

③ $\frac{3}{4}$

④ $\frac{1}{3}$

해설

$$\frac{3상\ 4선식}{3상\ 3선식} = \frac{\frac{1}{3}}{\frac{3}{4}} = \frac{4}{9}$$

23 단상 2선식에 비하여 단상 3선식의 특징으로 옳은 것은? [2018년 3회 산업기사]

① 소요 전선량이 많아야 한다.
② 중성선에는 반드시 퓨즈를 끼워야 한다.
③ 110[V] 부하 외에 220[V] 부하의 사용이 가능하다.
④ 전압 불평형을 줄이기 위하여 저압선의 말단에 전력용 콘덴서를 설치한다.

> **해설** **단상 3선식의 특징**
> • 장 점
>   - 전선 소모량이 단상 2선식에 비해 37.5[%](경제적)
>   - 110/220[V]의 2종류의 전압을 얻을 수 있다.
>   - 단상 2선식에 비해 효율이 높고 전압강하가 작다.
> • 단 점
>   - 중성선이 단선되면 전압의 불평형이 생기기 쉽다.
>   - 대책 : 저압 밸런서(여자 임피던스가 크고 누설 임피던스가 작고 권수비가 1:1인 단권 변압기)
> • 주의 사항
>   - 개폐기는 동시 동작형
>   - 중성선에 퓨즈를 설치하지 말 것

24 부하의 밸런스가 필요로 하는 배전방식은?

[2013년 2회 기사 / 2014년 1회 산업기사 / 2016년 1회 기사 / 2018년 2회 산업기사 / 2022년 2회 기사]

① 3상 3선식   ② 3상 4선식
③ 단상 2선식   ④ 단상 3선식

> **해설** 23번 해설 참조

25 배전선로에 관한 설명으로 틀린 것은? [2017년 2회 기사 / 2021년 2회 기사]

① 밸런서는 단상 2선식에 필요하다.
② 저압 뱅킹방식은 전압 변동을 경감할 수 있다.
③ 배전선로의 부하율이 F일 때 손실계수는 F와 F^2의 사이의 값이다.
④ 수용률이란 최대수용전력을 설비용량으로 나눈 값을 퍼센트로 나타낸다.

> **해설** 23번 해설 참조

26 같은 선로와 같은 부하에서 교류 단상 3선식은 단상 2선식에 비하여 전압강하와 배전효율은 어떻게 되는가?

[2015년 1회 기사 / 2019년 3회 기사 / 2020년 1, 2회 산업기사]

① 전압강하는 작고, 배전효율은 높다.
② 전압강하는 크고, 배전효율은 낮다.
③ 전압강하는 작고, 배전효율은 낮다.
④ 전압강하는 크고, 배전효율은 높다.

|해설| **단상 3선식의 특징**
- 장 점
  - 전선 소모량이 단상 2선식에 비해 37.5[%] 적다(경제적).
  - 110/220[V]의 2종류의 전압을 얻을 수 있다.
  - 단상 2선식에 비해 효율이 높고 전압강하가 작다.
- 단 점
  - 중성선이 단선되면 전압의 불평형이 생기기 쉽다.
  - 대책 : 저압 밸런서(여자 임피던스가 크고 누설 임피던스가 작고 권수비가 1:1인 단권 변압기)
- 주의 사항
  - 개폐기는 동시 동작형
  - 중성선에 퓨즈를 설치하지 말 것

27 배전선로의 주상변압기에서 고압 측-저압 측에 주로 사용되는 보호장치의 조합으로 적합한 것은?

[2021년 1회 기사]

① 고압 측 : 컷아웃 스위치, 저압 측 : 캐치홀더
② 고압 측 : 캐치홀더, 저압 측 : 컷아웃 스위치
③ 고압 측 : 리클로저, 저압 측 : 라인퓨즈
④ 고압 측 : 라인퓨즈, 저압 측 : 리클로저

|해설|
- 고압 측 : 컷아웃 스위치 ⇒ 변압기 고장으로부터 배전선로 보호
- 저압 측 : 캐치홀더 ⇒ 수용가 사고 시 변압기 보호

28 주상변압기의 2차 측 접지는 어느 것에 대한 보호를 목적으로 하는가? [2020년 1, 2회 산업기사]

① 1차 측의 단락

② 2차 측의 단락

③ 2차 측의 전압강하

④ 1차 측과 2차 측의 혼촉

해설   고저압 혼촉 시 수용가에 침입하는 상승전압을 억제하기 위해서이다.

29 다중접지 3상 4선식 배전선로에서 고압 측(1차 측) 중성선과 저압 측(2차 측) 중성선을 전기적
으로 연결하는 목적은?   [2014년 2회 기사 / 2015년 1회 기사 / 2016년 3회 산업기사]

① 저압 측의 단락사고를 검출하기 위하여

② 저압 측의 지락사고를 검출하기 위하여

③ 주상변압기의 중성선 측 부싱을 생략하기 위하여

④ 고압 측 혼촉 시 수용가에 침입하는 상승전압을 억제하기 위하여

해설   고저압 혼촉 시 수용가에 침입하는 상승전압을 억제하기 위해서 고압 측의 중성선과 저압 측의
중성선을 전기적으로 연결한다.

30 배전선로의 손실을 경감시키는 방법이 아닌 것은?   [2016년 3회 산업기사 / 2020년 3회 기사]

① 전압 조정

② 역률 개선

③ 다중접지방식 채용

④ 부하의 불평형 방지

해설 $P_L = 3I^2R = \dfrac{P^2R}{V^2\cos^2\theta} = \dfrac{P^2\rho l}{V^2\cos^2\theta\,A}$ [W], 부하 불평형 시 전류값이 커져 손실이 증가한다.

31 옥내배선의 전선 굵기를 결정할 때 고려해야 할 사항으로 틀린 것은? [2019년 2회 기사]

① 허용전류
② 전압강하
③ 배선방식
④ 기계적 강도

해설 전선 굵기 3요소 : 허용전류, 전압강하, 기계적 강도

32 전기공급 시 사람의 감전, 전기 기계류의 손상을 방지하기 위한 시설물이 아닌 것은?

[2015년 1회 기사]

① 보호용 개폐기
② 축전지
③ 과전류 차단기
④ 누전 차단기

해설 축전지(=콘덴서) : 충전과 방전을 하는 기기

33 감전방지 대책으로 적합하지 않은 것은? [2016년 1회 산업기사]

① 외함접지
② 아크혼 설치
③ 2중 절연기기
④ 누전차단기 설치

해설 아크혼 : 뇌로부터 애자련을 보호

수력발전 (위치 E → 운동 E → 기계 E → 전기 E)

1. 이론 수력, 발전소 출력

(1) 이론 수력 : $P = 9.8QH[\text{kW}]$

(2) 발전소 출력 : $P = 9.8QH\,\eta_t\eta_g[\text{kW}]$

여기서, Q : 유량[m^3/s]

H : 유효낙차[m]

η_t : 수차의 효율

η_g : 발전기의 효율

2. 낙차를 얻는 방법에 의한 분류

발전소	용 도
수로식	유량이 적고 하천의 기울기가 큰 자연낙차 이용하여 발전
댐 식	유량이 많고 낙차가 작은 장소에 발전
댐 수로식	댐으로부터 수로를 통해 낙차가 큰 지점까지 물을 유도하는 발전
유역 변경식	인공적으로 수로를 만들어 큰 낙차를 얻어 발전

※ 우리나라는 댐식이 가장 많다.

3. 수두의 종류

(1) 위치수두 : $H[\text{m}]$

(2) 압력수두 : $H_p = \dfrac{P}{\omega}[\text{m}]$

여기서, P : 압력[kg/m^2]

ω : 1[m^3]당의 물의 무게 $1,000[\text{kg}/\text{m}^3]$

(3) 속도수두 : $H_V = \dfrac{V^2}{2g}$

여기서, V : 속도[m/s]

g : 중력가속도 $9.8[\text{m/s}^2]$

(4) 베르누이의 정리 : $H_0 = H + H_P + H_V = $ 일정

$= H + \dfrac{P}{\omega} + \dfrac{V^2}{2g} = $ 일정

4. 연평균유량($Q[\text{m}^3/\text{s}]$)

$Q = \dfrac{\text{하천의 면적}[\text{m}^2] \times \text{강수량}[\text{mm}] \times 10^{-3}}{365 \times 24 \times 60 \times 60} \times \text{유출계수}$

유출계수 $= \dfrac{\text{유출량}}{\text{강수량}}$

5. 특유속도

1[m]의 낙차로 1[kW]의 출력을 얻는 데 필요한 1분 동안의 회전수

(1) $N_S = N \dfrac{P^{\frac{1}{2}}}{H^{\frac{5}{4}}}[\text{rpm}]$

여기서, N : 발전기 회전수

P : 출력[kW]

H : 유효낙차[m]

(2) 크기순서

튜블러수차 > 프로펠러(카플란)수차 > 프란시스(사류) > 펠턴수차

6. 낙차변화에 의한 특성변화

(1) 속도에 의한 변화 : $\dfrac{N_2}{N_1} = \left(\dfrac{H_2}{H_1}\right)^{\frac{1}{2}}$

(2) 유량에 의한 변화 : $\dfrac{Q_2}{Q_1} = \left(\dfrac{H_2}{H_1}\right)^{\frac{1}{2}}$

(3) 출력에 의한 변화 : $\dfrac{P_2}{P_1} = \left(\dfrac{H_2}{H_1}\right)^{\frac{3}{2}}$

7. 연속의 정의

(1) 유량 : $Q = A_1 V_1 = A_2 V_2 \,[\mathrm{m}^3/\mathrm{s}]$

① 유량도 : 매일의 유량을 그래프로 나타낸 값

② 유황곡선 : 매일의 유량을 누가해서 나타내는 그래프

※ 적산유량곡선은 저수지용량을 결정한다.

8. 댐의 부속설비

(1) 취수구 : 유량을 도입

① 제수문 : 유량을 도입
② 스크린 : 불순물 제거

(2) 수 로

① 무압수로 : 기울기 $\dfrac{1}{500} \sim \dfrac{1}{1,500}$

② 압력수로 : 기울기 $\dfrac{1}{300} \sim \dfrac{1}{400}$

③ 역사이펀 : 폭이 넓은 도로나 철도를 횡단(지하도 역할)
④ 수로교 : 하천을 횡단할 경우 사용(다리 역할)

(3) 침사지 : 유입한 물에 함유된 토사를 제거

① 평균유속 : 0.25[m/s]
② 배수문 : 침전된 토사를 제거

(4) 수조 : 도수로 말단에 설치됨

① 차동조압 수조 : 수조 내부에 상승관을 설치하여 수격작용 완화
② 수실조압 수조 : 저수지 이용수심이 클 때 사용
※ 헤드탱크 : 무압수로 종단에 있는 수조로 수차의 부하 급증 시 물을 보충하고 감소 시 잉여수를 배제한다.

(5) 조속기 : 부하변동에 따른 속도 변화를 감지하여 입력 수량을 자동으로 조절하는 장치

① 조속기 동작순서 : 평속기(회전단자) → 배압밸브 → 서브모터 → 복원기구
② 조속기의 부동시간 : 부하에 변동이 생겨 서브모터의 피스톤이 움직이기 시작할 때까지의 시간

핵 / 심 / 예 / 제

01 수력발전소의 취수방법에 따른 분류로 틀린 것은?

[2015년 2회 기사 / 2018년 3회 산업기사 / 2020년 4회 기사]

① 댐 식
② 수로식
③ 역조정지식
④ 유역 변경식

해설

발전소	용 도
수로식	유량이 적고 하천의 기울기가 큰 자연낙차 이용하여 발전
댐 식	유량이 많고 낙차가 작은 장소에 발전
댐 수로식	댐으로부터 수로를 통해 낙차가 큰 지점까지 물을 유도하는 발전
유역 변경식	인공적으로 수로를 만들어 큰 낙차를 얻어 발전

02 수력발전소의 분류 중 낙차를 얻는 방법에 의한 분류방법이 아닌 것은?　[2019년 3회 기사]

① 댐식 발전소
② 수로식 발전소
③ 양수식 발전소
④ 유역 변경식 발전소

해설
- 낙차를 얻는 방법에 의한 분류 : 수로식 발전소, 댐식 발전소, 댐 수로식 발전소, 유역 변경식 발전소
- 유량에 의한 분류 : 저수지식 발전소, 조정지식 발전소, 역조정지식 발전소, 양수식 발전소

03 양수발전의 주된 목적으로 옳은 것은?　[2019년 3회 산업기사]

① 연간 발전량을 늘이기 위하여
② 연간 평균 손실 전력을 줄이기 위하여
③ 연간 발전비용을 줄이기 위하여
④ 연간 수력발전량을 늘이기 위하여

해설　첨두부하 시에 사용되므로 연간 발전비용을 줄일 수 있다.

01 ③　02 ③　03 ③　**정답**

04 전력계통의 경부하 시나 또는 다른 발전소의 발전전력에 여유가 있을 때, 이 잉여전력을 이용하여 전동기로 펌프를 돌려서 물을 상부의 저수지에 저장하였다가 필요에 따라 이 물을 이용해서 발전하는 발전소는? [2020년 1, 2회 산업기사]

① 조력 발전소
② 양수식 발전소
③ 유역변경식 발전소
④ 수로식 발전소

해설 양수식 발전은 조정지식 또는 저수지식 발전소의 일종으로 잉여전력을 이용하여 하부저수지의 물을 상부저수지로 올려 저장하였다가 첨두부하 시에 발전한다.

05 어떤 수력발전소의 수압관에서 분출되는 물의 속도와 직접적인 관련이 없는 것은? [2012년 1회 산업기사 / 2019년 3회 산업기사]

① 수면에서의 연직거리
② 관의 경사
③ 관의 길이
④ 유 량

해설 **토리첼리의 정리**
유속 $v = c_v \sqrt{2gH}$
여기서, c_v : 유속계수
g : 중력가속도
H : 유효낙차

06 유효낙차 400[m]의 수력발전소에서 펠턴수차의 노즐에서 분출하는 물의 속도를 이론값의 0.95배로 한다면 물의 분출속도는 약 몇 [m/s]인가? [2015년 2회 산업기사]

① 42.3
② 59.5
③ 62.6
④ 84.1

해설 **토리첼리의 정리**
유속 $v = c_v \sqrt{2gH} = 0.95\sqrt{2 \times 9.8 \times 400} ≒ 84.12[\text{m/s}]$
여기서, c_v : 유속계수
g : 중력가속도
H : 유효낙차

07 그림과 같이 "수류가 고체에 둘러싸여 있고 A로부터 유입되는 수량과 B로부터 유출되는 수량이 같다"고 하는 이론은? [2018년 1회 기사]

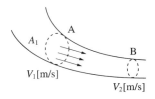

① 수두이론 ② 연속의 원리

③ 베르누이의 정리 ④ 토리첼리의 정리

해설 연속의 정리 $Q = A_1 V_1 = A_2 V_2$

08 수압철관의 안지름이 4[m]인 곳에서의 유속이 4[m/s]이다. 안지름이 3.5[m]인 곳에서의 유속[m/s]은 약 얼마인가? [2021년 3회 기사]

① 4.2 ② 5.2

③ 6.2 ④ 7.2

해설 $Q = A_1 v_1 = A_2 v_2$

$\dfrac{\pi}{4} d_1^2 v_1 = \dfrac{\pi}{4} d_2^2 v_2$

$d_1^2 v_1 = d_2^2 v_2$

$4^2 \times 4 = 3.5^2 v_2$

$v_2 ≒ 5.22 [\text{m/s}]$

09 유량의 크기를 구분할 때 갈수량이란? [2015년 3회 기사 / 2017년 1회 산업기사]

① 하천의 수위 중에서 1년을 통하여 355일간 이보다 내려가지 않는 수위

② 하천의 수위 중에서 1년을 통하여 275일간 이보다 내려가지 않는 수위

③ 하천의 수위 중에서 1년을 통하여 185일간 이보다 내려가지 않는 수위

④ 하천의 수위 중에서 1년을 통하여 95일간 이보다 내려가지 않는 수위

해설 ① 갈수량, ② 저수량, ③ 평수량, ④ 풍수량

07 ② 08 ② 09 ① 정답

10 1년 365일 중 185일은 이 양 이하로 내려가지 않는 유량은? [2018년 3회 기사]

① 평수량　　　　　　　　　　　② 풍수량

③ 고수량　　　　　　　　　　　④ 저수량

> **해설**　• 고수량 : 매년 1~2회
> • 풍수량 : 95일
> • 평수량 : 185일
> • 저수량 : 275일
> • 갈수량 : 355일

11 그림과 같은 유황곡선을 가진 수력지점에서 최대사용수량 0[C]로 1년간 계속 발전하는 데 필요한 저수지의 용량은? [2021년 1회 기사]

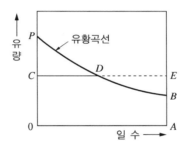

① 면적 $0CPBA$　　　　　　　② 면적 $0CDBA$

③ 면적 DEB　　　　　　　　④ 면적 PCD

> **해설**　DEB 면적만큼 유량을 공급해 주어야 한다.

12 어떤 발전소의 유효낙차가 100[m]이고, 최대사용수량이 10[m³/s]일 경우 이 발전소의 이론적인 출력은 몇 [kW]인가? [2016년 1회 산업기사 / 2020년 3회 산업기사]

① 4,900　　　　　　　　　　　② 9,800

③ 10,000　　　　　　　　　　④ 14,700

> **해설**　$P = 9.8QH = 9.8 \times 10 \times 100 = 9,800 \, [\text{kW}]$

13 유효낙차 50[m], 최대사용수량 20[m³/s], 수차효율 87[%], 발전기효율 97[%]인 수력발전소의 최대출력은 몇 [kW]인가? [2015년 3회 산업기사]

① 7,570 ② 8,070
③ 8,270 ④ 8,570

해설　$P = 9.8QH\eta_t\eta_G = 9.8 \times 20 \times 50 \times 0.87 \times 0.97 = 8,270[\text{kW}]$

14 유효낙차 100[m], 최대사용수량 20[m³/s]인 발전소의 최대출력은 약 몇 [kW]인가?(단, 수차 및 발전기의 합성효율은 85[%]라 한다) [2016년 2회 기사]

① 14,160 ② 16,660
③ 21,990 ④ 33,320

해설　$P = 9.8QH\eta[\text{kW}] = 9.8 \times 20 \times 100 \times 0.85 = 16,660[\text{kW}]$

15 총낙차 300[m], 사용수량 20[m³/s]인 수력발전소의 발전기 출력은 약 몇 [kW]인가?(단, 수차 및 발전기 효율은 각각 90[%], 98[%]라 하고, 손실낙차는 총낙차의 6[%]라고 한다) [2019년 1회 기사]

① 48,750 ② 51,860
③ 54,170 ④ 54,970

해설　$P = 9.8QH\eta = 9.8 \times 20 \times (300 \times 0.94) \times 0.9 \times 0.98 = 48,749.9[\text{kW}]$

16 발전용량 9,800[kW]의 수력발전소 최대사용수량이 10[m³/sec]일 때, 유효낙차는 몇 [m]인가?

[2018년 2회 기사]

① 100   ② 125

③ 150   ④ 175

해설
$$P = 9.8QH \rightarrow H = \frac{P}{9.8Q} = \frac{9,800}{9.8 \times 10} = 100[m]$$

17 유효낙차 100[m], 최대유량 20[m³/s]의 수차가 있다. 낙차가 81[m]로 감소하면 유량[m³/s]은?(단, 수차에서 발생되는 손실 등은 무시하며 수차 효율은 일정하다)

[2021년 3회 기사]

① 15   ② 18

③ 24   ④ 30

해설
$$\frac{Q_2}{Q_1} = \left(\frac{H_2}{H_1}\right)^{\frac{1}{2}}$$
$$Q_2 = Q_1\left(\frac{H_2}{H_1}\right)^{\frac{1}{2}} = 20 \times \left(\frac{81}{100}\right)^{\frac{1}{2}} = 18[m^3/s]$$

18 유효낙차 100[m], 최대사용수량 20[m³/s], 수차효율 70[%]인 수력발전소의 연간 발전 전력량은 약 몇 [kWh]인가?(단, 발전기의 효율은 85[%]라고 한다)

[2019년 2회 기사]

① 2.5×10^7 ② 5×10^7

③ 10×10^7 ④ 20×10^7

해설
$$W = P \cdot t = 9.8QH\eta t = 9.8 \times 20 \times 100 \times 0.7 \times 0.85 \times 365 \times 24 ≒ 10 \times 10^7 [kWh]$$

19 유역면적 80[km²], 유효낙차 30[m], 연간 강우량 1,500[mm]의 수력발전소에서 그 강우량의 70[%]만 이용하면 연간 발전 전력량은 몇 [kWh]인가?(단, 종합효율은 80[%]이다)

[2015년 1회 산업기사]

① 5.49×10^7

② 1.98×10^7

③ 5.49×10^6

④ 1.98×10^6

해설 **수력발전소 전력량**

$P = 9.8QH\eta_t\eta_G$[kW]

여기서, η_t : 수차효율

η_G : 발전기 효율

$Q = \dfrac{V \times 강우량}{3,600 \times t} = \dfrac{8 \times 10^7 \times 1.5}{3,600 \times t}$: 유량

연간 발생 전력량

$W = Pt$

$= 9.8 \times \dfrac{8 \times 10^7 \times 1.5}{3,600 \times t} \times 30 \times 0.7 \times 0.8 \times t$

$\fallingdotseq 5.49 \times 10^6$ [kWh]

20 양수량 Q[m³/s], 총양정 H[m], 펌프효율 η인 경우 양수펌프용 전동기의 출력 P[kW]는? (단, k는 상수이다)

[2016년 3회 산업기사]

① $k\dfrac{Q^2H^2}{\eta}$

② $k\dfrac{Q^2H}{\eta}$

③ $k\dfrac{QH^2}{\eta}$

④ $k\dfrac{QH}{\eta}$

해설 발전기는 효율을 곱하고, 전동기는 효율을 나눈다.

21 출력 20[kW]의 전동기로서 총양정 10[m], 펌프효율 0.75일 때 양수량은 몇 [m³/min]인가?

[2014년 2회 산업기사]

① 9.18
② 9.85
③ 10.31
④ 11.02

해설 펌프용 전동기의 출력 $P = \dfrac{QH}{6.12\eta}$ 에서

$$Q = \frac{6.12\eta}{H} P = \frac{6.12 \times 0.75}{10} \times 20 = 9.18 [\text{m}^3/\text{min}]$$

22 낙차 350[m], 회전수 600[rpm]인 수차를 325[m]의 낙차에서 사용할 때의 회전수는 약 몇 [rpm]인가?

[2015년 1회 산업기사]

① 500
② 560
③ 580
④ 600

해설 **낙차변화와 유량, 회전수, 출력 관계**

$$\frac{Q_2}{Q_1} = \frac{N_2}{N_1} = \left(\frac{H_2}{H_1}\right)^{\frac{1}{2}}, \quad \frac{P_2}{P_1} = \left(\frac{H_2}{H_1}\right)^{\frac{3}{2}}$$

$$\frac{N_2}{600} = \left(\frac{325}{350}\right)^{\frac{1}{2}} \text{에서 회전수 } N_2 = 600 \times \left(\frac{325}{350}\right)^{\frac{1}{2}} = 578.2 = 580[\text{rpm}]$$

23 유효낙차가 40[%] 저하되면 수차의 효율이 20[%] 저하된다고 할 경우 이때의 출력은 원래의 약 몇 [%]인가?(단, 안내날개의 열림은 불변인 것으로 한다)

[2018년 2회 산업기사]

① 37.2
② 48.0
③ 52.7
④ 63.7

해설 $P \propto QH\eta$에서 낙차에 의한 수차의 특성변화에서 $P \propto H^{\frac{3}{2}} \times \eta$

$$P = (0.6^{\frac{3}{2}} \times 0.8) \times 100 = 37.18 = 37.2[\%]$$

24 수차의 특유속도 N_S를 나타내는 계산식으로 옳은 것은?(단, 유효낙차 : H[m], 수차의 출력 : P[kW], 수차의 정격 회전수 : N[rpm]이라 한다) [2018년 1회 산업기사]

① $N_S = \dfrac{NP^{\frac{1}{2}}}{H^{\frac{5}{4}}}$

② $N_S = \dfrac{H^{\frac{5}{4}}}{NP}$

③ $N_S = \dfrac{HP^{\frac{1}{4}}}{N^{\frac{5}{4}}}$

④ $N_S = \dfrac{NP^2}{H^{\frac{5}{4}}}$

해설 수차의 특유속도

$$N_s = \frac{NP^{\frac{1}{2}}}{H^{\frac{5}{4}}}$$

25 유효낙차 90[m], 출력 104,500[kW], 비속도(특유속도) 210[m·kW]인 수차의 회전속도는 약 몇 [rpm]인가? [2022년 1회 기사]

① 150

② 180

③ 210

④ 240

해설

$$N_s = N \cdot \frac{P^{\frac{1}{2}}}{H^{\frac{5}{4}}} \, [\text{m·kW}]$$

$$N = \frac{N_s H^{\frac{5}{4}}}{P^{\frac{1}{2}}} = \frac{210 \times 90^{\frac{5}{4}}}{104,500^{\frac{1}{2}}} ≒ 180.08[\text{rpm}]$$

26 프란시스수차의 특유속도[m · kW]의 한계를 나타내는 식은?(단, H[m]는 유효낙차이다)

[2020년 3회 기사]

① $\dfrac{13,000}{H+50}+10$ ② $\dfrac{13,000}{H+50}+30$

③ $\dfrac{20,000}{H+20}+10$ ④ $\dfrac{20,000}{H+20}+30$

해설   펠턴수차 $12 \leq N_s \leq 23$

프란시스수차 $N_s = \dfrac{20,000}{H+20}+30$, $N_s = \dfrac{13,000}{H+20}+50$

사류수차 $N_s = \dfrac{20,000}{H+20}+40$

카플란, 프로펠러수차 $N_s = \dfrac{20,000}{H+20}+50$

27 반동수차의 일종으로 주요 부분은 러너, 안내날개, 스피드링 및 흡출관 등으로 되어 있으며 50~500[m] 정도의 중낙차 발전소에 사용되는 수차는?

[2020년 1, 2회 산업기사]

① 카플란수차   ② 프란시스수차

③ 펠턴수차   ④ 튜블러수차

해설   프란시스수차는 전용 낙차 범위 50~530[m]

(펠턴수차 200~1,800[m] 튜블러수차 5~15[m]로 조력발전소용, 카플란수차 저낙차용)

정답   26 ④   27 ②

28 수차의 특유속도 크기를 바르게 나열한 것은? [2014년 3회 산업기사]

① 펠턴수차 < 카플란수차 < 프란시스수차
② 펠턴수차 < 프란시스수차 < 카플란수차
③ 프란시스수차 < 카플란수차 < 펠턴수차
④ 카플란수차 < 펠턴수차 < 프란시스수차

해설

특유속도(1분간 회전수) $n_s = \dfrac{NP^{\frac{1}{2}}}{H^{\frac{5}{4}}}$[rpm]

수차의 종류	특유속도 범위
펠턴	12~23
프란시스	65~350
사류	150~250
카플란 및 프로펠러	350~800

29 수력발전소에서 사용되는 수차 중 15[m] 이하의 저낙차에 적합하여 조력발전용으로 알맞은 수차는? [2017년 2회 기사]

① 카플란수차   ② 펠턴수차
③ 프란시스수차   ④ 튜블러수차

해설   • 댐식 : 카플란수차, 프로펠러수차 – 저낙차, 프란시스수차 – 중낙차, 펠턴수차 – 고낙차
      • 조력발전 : 튜블러수차(5~15[m], 수차의 종류 중 가장 저낙차로 이용)

30 취수구에 제수문을 설치하는 목적은? [2014년 2회 산업기사 / 2016년 3회 산업기사 / 2017년 1회 산업기사]

① 모래를 배제한다.
② 홍수위를 낮춘다.
③ 유량을 조절한다.
④ 낙차를 높인다.

해설   **제수문의 설치 목적** : 취수구에 설치하고 유입되는 물을 막아 취수량을 조절한다.

28 ②   29 ④   30 ③   **정답**

31 조압수조의 설치 목적은? [2015년 1회 기사]

① 조속기의 보호　　　　　② 수차의 보호
③ 여수의 처리　　　　　　④ 수압관의 보호

> **해설**　• 조압수조(Surge Tank)는 수압(수격작용)을 완화시켜 수압철관을 보호하기 위한 장치이다.
> • 목적 : 수압철관 보호, 수격작용 방지, 유량 조절

32 수조에 대한 설명 중 틀린 것은? [2014년 3회 기사]

① 수로 내의 수위의 이상 상승을 방지한다.
② 수로식 발전소의 수로 처음 부분과 수압관 아랫부분에 설치한다.
③ 수로에서 유입하는 물 속의 토사를 침전시켜서 배사문으로 배사하고 부유물을 제거한다.
④ 상수조는 최대사용수량의 1~2분 정도의 조정용량을 가질 필요가 있다.

> **해설**　• 댐식 발전소 : 취수구 → 수압관 → 발전설비 → 방수로 → 방수구
> • 수로식 발전소 : 취수댐 → 취수구 → 수로 → 침사지 → 수로 → 수조 → 수압관로 → 발전설비 → 방수로 → 방수구

33 수차의 조속기가 너무 예민하면 어떤 현상이 발생되는가? [2013년 1회 기사]

① 전압변동이 작게 된다.
② 수압상승률이 크게 된다.
③ 속도변동률이 작게 된다.
④ 탈조를 일으키게 된다.

> **해설**　• 조속기가 예민한 경우 : 난조가 발생하고 심하면 탈조를 일으킨다.
> • 방지법 : 발전기의 관성모멘트를 크게 하거나 제동권선 사용한다.

34 수력발전소에서 흡출관을 사용하는 목적은? [2016년 2회 기사 / 2019년 3회 기사]

① 압력을 줄인다.
② 유효낙차를 늘린다.
③ 속도 변동률을 작게 한다.
④ 물의 유선을 일정하게 한다.

해설 **흡출관** : 낙차를 인위적으로 늘리는 데 사용되는 관

35 댐의 부속설비가 아닌 것은? [2016년 3회 기사 / 2020년 1, 2회 기사]

① 수 로 ② 수 조
③ 취수구 ④ 흡출관

해설 34번 해설 참조

36 수차의 캐비테이션 방지책으로 틀린 것은? [2019년 1회 기사 / 2022년 2회 기사]

① 흡출수두를 증대시킨다.
② 과부하 운전을 가능한 한 피한다.
③ 수차의 비속도를 너무 크게 잡지 않는다.
④ 침식에 강한 금속재료로 러너를 제작한다.

해설 • 캐비테이션 : 수차를 돌리고 나온 물이 흡출관을 통과할 때 흡출관의 중심부에 진공상태를 형성하는 현상이다.
• 방지방법 : 흡출수두를 낮춘다.

CHAPTER 12 화력발전

- 기력발전
- 내연력발전 : 디젤기관차와 구조가 비슷
- 가스터빈발전 : 첨두부하 시 사용

1. 기력발전

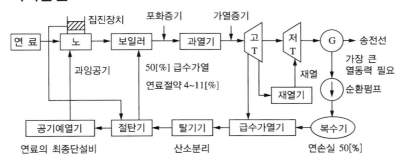

※ 급수가열기만 존재 : 재생사이클

재열기만 존재 : 재열사이클 (재열기 → 증기를 다시 가열)

재열기, 급수가열기 모두 존재 : 재열재생사이클

(1) 증기의 성질

① 임계점

ㄱ 임계압력 : $225.65[\text{kg/cm}^2]$ → 임계온도에서 액화하는 데 필요한 압력

ㄴ 임계온도 : $374.15[\text{℃}]$ → 아무리 큰 압력을 가해도 액화되지 않는 최저온도

② 엔탈피(i) : 단위무게 물 또는 증기가 보유하는 전열량[kcal/kg]

③ 엔트로피(S) : 기준상태 $T_0[\text{K}]$에서 아연상태 $T_0[\text{K}]$에 이르는 사이에 물체에 일어난 열량의 변화를 그때의 절대온도로 나눈 것

$$ds = \frac{di(Q)}{dT}[\text{kcal/kg} \cdot \text{K}]$$

$$H = 860\eta PT = Cm(T-t)$$

※ $1[\text{BTU}] = 0.252[\text{kcal}]$, $1[\text{kWh}] = 860[\text{kcal}]$

④ 증기 : 습증기 → 건조포화증기 → 과열증기

(2) 연 료

① 고체연료 : 석탄, 무연탄, 역청탄 발열량(5,000~5,500[kcal])

ㄱ 연소방식·미분탄 연소방식(연료를 잘게 쪼개서 사용) : 먼지제거 → 집진장치
- 전기식 집진장치 : 코트렐 집진장치
- 기계식 집진장치 : 사이클론 집진장치

ㄴ 공기과잉률 $= \dfrac{\text{실제공기량}}{\text{이론공기량}}$

② 액체연료 : 중유(9,500~10,000[kcal])

(3) 노 : 공급된 연료와 공기를 혼합, 완전연소시키는 장치

① 노의 종류

ㄱ 벽돌벽

ㄴ 공랭벽

ㄷ 수랭벽 : 흡수 열량이 가장 크다.

(4) 보일러 급수영향

① 스케일 : 열통과율 저하의 원인

② 포밍 : 보일러 표면에 거품이 일어나는 현상

③ 프라이밍 : 부하가 갑자기 증가하여 압력이 떨어졌을 때 일어나는 보일러 물의 비등현상

④ 캐리오버 : 터빈에 장해를 주는 것

※ 위 현상은 급수의 불순물 때문에 일어나는 현상임

※ 탈기기 : 산소와 이산화탄소를 분리시킴

(5) 보일러 종류

① 자연순환식 보일러 : 밀도차를 이용

② 강제순환식 보일러 : 순환펌프를 이용

③ 관류식 보일러 : 드럼

(6) 열사이클의 종류

① 랭킨사이클 : 기력발전에서 가장 기본이 되는 사이클

$$\boxed{\text{등압가열}} \rightarrow \boxed{\text{단열팽창}} \rightarrow \boxed{\text{등압냉각}} \rightarrow \boxed{\text{단열압축}}$$
  (보일러)   (터빈)   (복수기)   (급수펌프)

② 카르노사이클 : 가장 이상적인 사이클

※ $\eta = 1 - \dfrac{Q_2}{Q_1} = 1 - \dfrac{T_2}{T_1} = 1 - \dfrac{(273 + ℃_2)}{(273 + ℃_1)}$

여기서, Q_1 : 공급된 열량[kcal]

Q_2 : 방출된 열량[kcal]

T : 절대온도

$℃_1$: 고온

$℃_2$: 저온

③ 재열사이클 : 터빈 팽창 중단에서 일단 증기를 전부 추출, 재가열하여 터빈에 공급

④ 재생사이클 : 터빈 팽창 중단에서 일단 증기를 일부만 추출, 급수가열기에 공급

⑤ 재생재열사이클 : 대용량 기력발전소에서 가장 많이 사용

2. 발전소의 열효율

$$\eta = \frac{860\,W}{mH} \times 100$$

여기서, W : 전력량[kWh]

m : 질량[kg]

H : 발열량[kcal]

※ 냉각방식 : 수소냉각방식(고속기)

공기냉각방식과 비교하여

• 출력 20~25[%] 증대

• 풍손 $\dfrac{1}{10}$ 감소

• 권선의 수명이 길다.

• 단 점
  - 공기와 혼합 시 폭발 우려가 있다.
  - 냉각수가 많이 들어간다.

핵 / 심 / 예 / 제

01 1[kWh]를 열량으로 환산하면 약 몇 [kcal]인가?　　　　　　　　[2018년 2회 기사]

① 80　　　　　　　　　　　　　　② 256

③ 539　　　　　　　　　　　　　④ 860

> **해설**　$1[\text{kWh}] = 1,000[\text{W}] \times 3,600[\text{sec}] = [\text{W} \cdot \text{sec}] = [\text{J}]$
> $1[\text{cal}] = 0.24[\text{J}]$
> $[\text{cal}] = 0.24 \times 3,600 \times 1,000$
> $\qquad = 864,000[\text{cal}]$
> $\qquad = 864,000 \times 10^{-3}$
> $\qquad \fallingdotseq 864[\text{kcal}]$
> $\therefore$ 약 $860[\text{kcal}]$

02 어떤 화력발전소에서 과열기 출구의 증기압이 169[kg/cm²]이다. 이것은 약 몇 [atm]인가?

[2017년 2회 기사]

① 127.1　　　　　　　　　　　② 163.6

③ 1,650　　　　　　　　　　　④ 12,850

> **해설**　$169[\text{kg/cm}^2] \times \dfrac{1[\text{atm}]}{1.0332[\text{kg/cm}^2]} \fallingdotseq 163.6[\text{atm}]$

03 열의 일당량에 해당되는 단위는?　　　　　　　　　　[2020년 1, 2회 산업기사]

① [kcal/kg]　　　　　　　　　② [kg/cm²]

③ [kcal/cm³]　　　　　　　　　④ [kg · m/kcal]

> **해설**　$W = JQ$
> 여기서, W : 일[kg · m]
> $\qquad\quad Q$: 열량[kcal]
> $\qquad\quad J$: 열의 일당량 = 427[kg · m/kcal]
> $\qquad$ (1[kcal]에 해당하는 일의 양을 열의 일당량이라 부른다)

04 증기의 엔탈피란?

[2017년 3회 기사 / 2019년 2회 산업기사]

① 증기 1[kg]의 잠열

② 증기 1[kg]의 현열

③ 증기 1[kg]의 보유열량

④ 증기 1[kg]의 증발열을 그 온도로 나눈 것

해설 엔탈피는 각 온도에 있어 물 또는 증기의 보유열량의 뜻이다.

05 화력발전소에서 증기 및 급수가 흐르는 순서는?

[2012년 1회 기사 / 2012년 3회 산업기사 / 2018년 3회 산업기사 / 2021년 1회 기사]

① 보일러 → 과열기 → 절탄기 → 터빈 → 복수기

② 보일러 → 절탄기 → 과열기 → 터빈 → 복수기

③ 절탄기 → 보일러 → 과열기 → 터빈 → 복수기

④ 절탄기 → 과열기 → 보일러 → 터빈 → 복수기

해설 **랭킨사이클(Rankine Cycle)**
급수펌프(단열압축) → 보일러(등압가열) → 과열기 → 터빈(단열팽창) → 복수기(등압냉각) → 다시 급수펌프

06 화력발전소의 기본 사이클이다. 그 순서로 옳은 것은?

[2019년 2회 산업기사]

① 급수펌프 → 과열기 → 터빈 → 보일러 → 복수기 → 급수펌프

② 급수펌프 → 보일러 → 과열기 → 터빈 → 복수기 → 급수펌프

③ 보일러 → 급수펌프 → 과열기 → 복수기 → 급수펌프 → 보일러

④ 보일러 → 과열기 → 복수기 → 터빈 → 급수펌프 → 축열기 → 과열기

해설 5번 해설 참조

정답 04 ③ 05 ③ 06 ②

07 보일러에서 흡수열량이 가장 큰 곳은? [2013년 2회 기사 / 2018년 2회 산업기사]

① 절탄기   ② 수냉벽

③ 과열기   ④ 공기예열기

해설
- 절탄기 : 10~15[%]
- 수냉벽 : 40~50[%]
- 과열기 : 15~20[%]
- 공기예열기 : 5~10[%]

08 보일러 급수 중의 염류 등이 굳어서 내벽에 부착되어 보일러 열전도와 물의 순환을 방해하며 내면의 수관벽을 과열시켜 파열을 일으키게 하는 원인이 되는 것은? [2015년 1회 기사]

① 스케일   ② 부 식

③ 포 밍   ④ 캐리오버

해설
- 포밍 : 물속의 기름류, 부유물 등으로 인하여 수면에 다량의 거품이 발생하는 현상
- 캐리오버 : 보일러수 속의 용해 고형물이 증기에 섞여 보일러 밖으로 튀어 나가는 현상

09 화력발전소에서 탈기기의 설치 목적으로 가장 타당한 것은?

[2013년 1회 산업기사 / 2020년 3회 산업기사]

① 급수 중의 용해 산소의 분리

② 급수의 습증기 건조

③ 연료 중의 공기 제거

④ 염류 및 부유물질 제거

해설 급수 중에 용해되어 있는 산소는 증기계통, 급수계통 등을 부식시킨다. 탈기기는 용해 산소를 분리한다.

10 보일러 급수 중에 포함되어 있는 산소 등에 의한 보일러 배관의 부식을 방지할 목적으로 사용되는 장치는?

[2014년 3회 산업기사 / 2018년 1회 산업기사]

① 공기예열기　　　　　　　　　② 탈기기
③ 급수가열기　　　　　　　　　④ 수위경보기

해설　급수 중에 용해되어 있는 산소는 증기계통, 급수계통 등을 부식시킨다. 탈기기는 용해 산소를 분리한다.

11 화력발전소에서 가장 큰 손실은?

[2018년 1회 산업기사 / 2018년 2회 기사]

① 소내용 동력
② 복수기의 방열손
③ 연돌 배출가스 손실
④ 터빈 및 발전기의 손실

해설　복수기는 응축기의 일종으로 공급되는 냉각수에 의해 흘러오는 증기의 증발열을 빼앗아 증기를 물로 환원시키는 작용으로 손실이 가장 크다.

12 우리나라의 화력발전소에서 가장 많이 사용되고 있는 복수기는?

[2017년 3회 산업기사]

① 분사 복수기　　　　　　　　　② 방사 복수기
③ 표면 복수기　　　　　　　　　④ 증발 복수기

해설　화력(기력)발전소는 현재 표면 복수기를 많이 사용하고 있다.

정답　10 ②　11 ②　12 ③

13 보일러에서 절탄기의 용도는? [2013년 3회 기사 / 2014년 2회 기사 / 2019년 2회 산업기사 / 2020년 1, 2회 기사]

① 증기를 과열한다.

② 공기를 예열한다.

③ 보일러 급수를 데운다.

④ 석탄을 건조한다.

> **해설** **보일러의 부속 설비**
> • 과열기 : 건조포화증기를 과열증기로 변환하여 터빈에 공급
> • 재열기 : 터빈 내에서의 증기를 뽑아내어 다시 가열하는 장치
> • 절탄기 : 배기가스의 여열을 이용하여 보일러 급수 예열
> • 공기예열기 : 절탄기를 통과한 여열공기를 예열한다(연도의 맨 끝에 위치).

14 배기가스의 여열을 이용해서 보일러에 공급되는 급수를 예열함으로써 연료 소비량을 줄이거나 증발량을 증가시키기 위해서 설치하는 여열회수장치는? [2022년 2회 기사]

① 과열기 　　　　　　　② 공기예열기

③ 절탄기 　　　　　　　④ 재열기

> **해설** 13번 해설 참조

15 고압 수전설비를 구성하는 기기로 볼 수 없는 것은? [2016년 3회 산업기사]

① 변압기 　　　　　　　② 변류기

③ 복수기 　　　　　　　④ 과전류계전기

> **해설** 복수기는 화력발전에서 증기를 물로 환원하며, 손실이 가장 크다.

16 화력발전소에서 재열기의 사용 목적은?

[2014년 1회 기사 / 2014년 2회 기사 / 2016년 1회 기사 / 2018년 3회 기사]

① 공기를 가열한다.   ② 급수를 가열한다.

③ 증기를 가열한다.   ④ 석탄을 건조한다.

해설   **보일러의 부속 설비**
- 과열기 : 건조포화증기를 과열증기로 변환하여 터빈에 공급
- 재열기 : 터빈 내에서의 증기를 뽑아내어 다시 가열하는 장치
- 절탄기 : 배기가스의 여열을 이용하여 보일러 급수 예열
- 공기예열기 : 절탄기를 통과한 여열공기를 예열한다(연도의 맨 끝에 위치).

17 터빈발전기의 냉각방식에 있어서 수소냉각방식을 채택하는 이유가 아닌 것은?

[2016년 2회 산업기사]

① 코로나에 의한 손실이 적다.

② 수소압력의 변화로 출력을 변화시킬 수 있다.

③ 수소의 열전도율이 커서 발전기 내 온도상승이 저하한다.

④ 수소 부족 시 공기와 혼합사용이 가능하므로 경제적이다.

해설   **수소냉각방식(고속기)**
공기냉각방식과 비교하여
- 출력 20~25[%] 증대
- 풍손 $\frac{1}{10}$ 감소
- 권선의 수명이 길다.
- 단점 : 공기와 혼합 시 폭발이 우려되고 냉각수가 많이 들어간다.

18 터빈(Turbine)의 임계속도란?

[2019년 2회 기사]

① 비상조속기를 동작시키는 회전수

② 회전자의 고유 진동수와 일치하는 위험 회전수

③ 부하를 급히 차단하였을 때의 순간 최대 회전수

④ 부하 차단 후 자동적으로 정정된 회전수

해설   회전자의 고유 진동수와 일치하는 회전수로 공진이 발생되는 지점의 회전속도를 임계속도라 한다.
터빈속도가 변화할 때 임계속도에 도달되면 공진의 발생으로 진동이 급격히 증가. 안정된 운전을
위하여 임계속도 범위는 정격속도에서 상하 15~20[%] 이상 이격시킨다.

19 그림과 같은 열사이클은? [2016년 2회 산업기사]

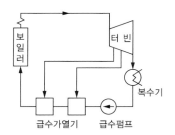

① 재생사이클   ② 재열사이클

③ 카르노사이클   ④ 재생재열사이클

> **해설** 재열기가 있으면 재열사이클, 급수가열기가 있으면 재생사이클, 재열기와 급수가열기가 모두 존재하면 재생재열사이클(대용량에 사용)이다.

20 증기터빈 내에서 팽창 도중에 있는 증기를 일부 추기하여 그것이 갖는 열을 급수가열에 이용하는 열사이클은? [2021년 2회 기사]

① 랭킨사이클   ② 카르노사이클

③ 재생사이클   ④ 재열사이클

> **해설** **열사이클의 종류**
> - 랭킨사이클 : 가장 간단한 이론 사이클이다.
> - 재생사이클 : 급수가열기를 이용하여 증기 일부분을 추출한 후 급수를 가열한다.
> - 재열사이클 : 재열기를 이용하여 증기 전부를 추출한 후 증기를 가열한다.
> - 재생재열사이클 : 고압고온을 채용한 기력발전소에서 채용하고 가장 열효율이 좋다.

21 고압고온을 채용한 기력발전소에서 채용되는 열사이클로 그림과 같은 장치선도의 열사이클은?

[2012년 2회 기사]

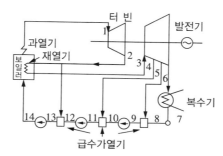

① 랭킨사이클   ② 재생사이클

③ 재열사이클   ④ 재열재생사이클

> **해설**
> - 재생사이클 : 단열팽창 도중 증기의 일부를 추기하여 보일러 급수를 가열하여 복수 열손실을 회수하는 사이클로서 급수가열기가 있는 시스템
> - 재열사이클 : 고압 터빈을 돌리고 나온 증기를 전부 추출해서 보일러의 재열기로 증기를 다시 최초의 과열증기온도 부근까지 가열시켜서 터빈 저압단에 공급하는 것으로 재열기가 있는 시스템
> - 재열재생사이클 : 재생사이클과 재열사이클의 결합

22 일반적으로 화력발전소에서 적용하고 있는 열사이클 중 가장 열효율이 좋은 것은?

[2015년 3회 기사]

① 재생사이클   ② 랭킨사이클

③ 재열사이클   ④ 재생재열사이클

> **해설** 21번 해설 참조

23 어떤 화력발전소의 증기조건이 고온원 540[℃], 저온원 30[℃]일 때 이 온도 간에서 움직이는 카르노 사이클의 이론 열효율[%]은?

[2017년 1회 기사]

① 85.2   ② 80.5

③ 75.3   ④ 62.7

> **해설**
> $$\eta = 1 - \frac{Q_2}{Q_1} = 1 - \frac{T_2}{T_1} = \left(1 - \frac{273+30}{273+540}\right) \times 100 ≒ 62.7[\%]$$

24 증기사이클에 대한 설명 중 틀린 것은?　　　　　　　　　[2020년 4회 기사]

① 랭킨사이클의 열효율은 초기 온도 및 초기 압력이 높을수록 효율이 크다.

② 재열사이클은 저압 터빈에서 증기가 포화상태에 가까워졌을 때 증기를 다시 가열하여 고압 터빈으로 보낸다.

③ 재생사이클은 증기 원동기 내에서 증기의 팽창 도중에서 증기를 추출하여 급수를 예열한다.

④ 재열재생사이클은 재생사이클과 재열사이클을 조합하여 병용하는 방식이다.

> **해설**
> • 재생사이클 : 단열팽창 도중 증기의 일부를 추기하여 보일러 급수를 가열하여 복수 열손실을 회수하는 사이클로서 급수가열기가 있는 시스템
> • 재열사이클 : 고압 터빈을 돌리고 나온 증기를 전부 추출해서 보일러의 재열기로 증기를 다시 최초의 과열증기온도 부근까지 가열시켜서 터빈 저압단에 공급하는 것으로 재열기가 있는 시스템
> • 재열재생사이클 : 재생사이클과 재열사이클의 결합

25 기력발전소의 열사이클 과정 중 단열팽창 과정에서 물 또는 증기의 상태변화로 옳은 것은?　　　　　　　　　[2017년 2회 산업기사]

① 습증기 → 포화액

② 포화액 → 압축액

③ 과열증기 → 습증기

④ 압축액 → 포화액 → 포화증기

> **해설**
> ③ 과열증기 → 습증기(복수기 : 등압냉각)
> ① 습증기 → 포화액(보일러 : 등압가열)
> ② 포화액 → 압축액(터빈 : 단열팽창)
> ④ 압축액 → 포화액 → 포화증기(급수펌프 : 단열압축)

26 ㉠~㉣의 괄호 안에 들어갈 알맞은 내용은?

[2013년 3회 산업기사 / 2020번 3회 산업기사]

> "화력발전소의 (㉠)은 발생 (㉡)을 열량으로 환산한 값과 이것을 발생하기 위하여 소비된 (㉢)의 보유열량 (㉣)를 말한다."

① ㉠ 손실률, ㉡ 발열량, ㉢ 물, ㉣ 차
② ㉠ 열효율, ㉡ 전력량, ㉢ 연료, ㉣ 비
③ ㉠ 발전량, ㉡ 증기량, ㉢ 연료, ㉣ 결과
④ ㉠ 연료 소비율, ㉡ 증기량, ㉢ 물, ㉣ 차

해설 화력발전소의 효율 $\eta = \dfrac{860Pt}{mH}$ [%]

여기서, H : 발열량
m : 연료 소비량
Pt[W] : 변압기 출력

27 발전기 출력 P_G[kW], 연료 소비량 B[kg], 연료의 발열량 H[kcal/kg]일 때 이 화력발전의 열효율은 몇 [%]인가?

[2013년 1회 기사 / 2015년 1회 기사]

① $\dfrac{980P_G}{H \cdot B} \times 100$

② $\dfrac{980HB}{P_G} \times 100$

③ $\dfrac{860HB}{P_G} \times 100$

④ $\dfrac{860P_G}{H \cdot B} \times 100$

해설 입력이 열량이므로 출력을 열량으로 환산하여 계산한다.
$1[\text{kWh}] = 860[\text{kcal}]$에서 $860P_G$가 된다.

$\eta = \dfrac{860P_G}{H \cdot B} \times 100$

여기서, H : 발열량
B : 연료 소비량
P_G : 변압기 출력

28 연료의 발열량이 430[kcal/kg]일 때, 화력발전소의 열효율[%]은?(단, 발전기 출력은 P_G [kW], 시간당 연료의 소비량은 B[kg/h]이다) 　　　　　　　　[2021년 1회 기사]

① $\dfrac{P_G}{B} \times 100$

② $\sqrt{2} \times \dfrac{P_G}{B} \times 100$

③ $\sqrt{3} \times \dfrac{P_G}{B} \times 100$

④ $2 \times \dfrac{P_G}{B} \times 100$

해설　$y = \dfrac{860W}{MH} = \dfrac{860Pt}{m430} = \dfrac{2Pt}{m} = \dfrac{2P_G}{B} \times 100$

29 화력발전소에서 석탄 1kg]으로 발생할 수 있는 전력량은 약 몇 [kWh]인가?(단, 석탄의 발열량은 5,000[kcal/kg], 발전소의 효율은 40[%]이다) 　　　　　　　　[2016년 1회 산업기사]

① 2.0

② 2.3

③ 4.7

④ 5.8

해설　$\eta = \dfrac{860W}{mH} \times 100$, 　$W = \dfrac{\eta mH}{860} = \dfrac{0.4 \times 1 \times 5,000}{860} \fallingdotseq 2.33\,[\mathrm{kWh}]$

30 최대출력 350[MW], 평균부하율 80[%]로 운전되고 있는 화력발전소의 10일간 중유소비량이 1.6×10^7[L]라고 하면 발전단에서의 열효율은 몇 [%]인가?(단, 중유의 열량은 10,000[kcal/L]이다) 　　　　　　　　[2016년 3회 산업기사]

① 35.3

② 36.1

③ 37.8

④ 39.2

해설　$\eta = \dfrac{860W}{mH} \times 100 = \dfrac{860 \times 350 \times 10^3 \times 10 \times 24}{1.6 \times 10^7 \times 10,000} \times 100 \times 0.8 \fallingdotseq 36.1\,[\%]$

31 어느 화력발전소에서 40,000[kWh]를 발전하는 데 발열량 860[kcal/kg]의 석탄이 60톤 사용된다. 이 발전소의 열효율[%]은 약 얼마인가? [2021년 3회 기사]

① 56.7

② 66.7

③ 76.7

④ 86.7

해설

$$\eta = \frac{860\omega}{mH} \times 100 = \frac{860 \times 40,000}{60 \times 10^3 \times 860} \times 100 ≒ 66.67[\%]$$

32 어느 발전소에서 40,000[kWh]를 발전하는 데 발열량 5,000[kcal/kg]의 석탄을 20톤 사용하였다. 이 화력발전소의 열효율[%]은 약 얼마인가? [2022년 1회 기사]

① 27.5

② 30.4

③ 34.4

④ 38.5

해설

$$\eta = \frac{860 W}{mH} \times 100 = \frac{860 \times 40,000}{20 \times 10^3 \times 5,000} \times 100 = 34.4[\%]$$

33 증기터빈 출력을 P[kW], 증기량을 W[t/h], 초압 및 배기의 증기, 엔탈피를 각각 i_0, i_1 [kcal/kg]이라 하면 터빈의 효율 η_T[%]는? [2020년 1, 2회 기사]

① $\dfrac{860P \times 10^3}{W(i_0 - i_1)} \times 100$

② $\dfrac{860P \times 10^3}{W(i_1 - i_0)} \times 100$

③ $\dfrac{860P}{W(i_0 - i_1) \times 10^3} \times 100$

④ $\dfrac{860P}{W(i_1 - i_0) \times 10^3} \times 100$

해설

$$\eta_T = \frac{860P}{W(i_0 - i_1) \times 10^3} \times 100$$

여기서, P : 출력[kW]

W : 발생증기량([t/h], 10^3[kg/h])

i_0, i : 증기엔탈피[kcal/kg]

(1) 핵연료

저농축 우라늄, 고농축 우라늄, 천연 우라늄, 플루토늄

(2) 제어재

① 핵분열 시 연쇄반응 제어, 중성자수를 조절(중성자 흡수 단면적이 커야 한다)
② 재료 : 카드뮴(cd), 하프늄(hf), 붕소(B)

(3) 감속재

① 핵분열 시 연쇄반응을 제어, 고속중성자를 열중성자로 감속(중성자 흡수 단면적이 작아야 한다)
② 재료 : 경수(H_2O), 중수(D_2O), 흑연(C), 산화베릴륨(Be)

(4) 냉각재

① 핵분열 시 발산되는 열에너지를 노 외부로 인출, 열교환기로 운반
② 재료 : 경수(H_2O), 중수(D_2O), 헬륨(He), 탄산가스(CO_2)(중성자 흡수 단면적이 작아야 한다)

(5) 반사재

① 핵분열 시 반사되는 열에너지가 노 외부로 인출되는 것을 막아 차폐연료 소요량 감소
② 재료 : 경수(H_2O), 중수(D_2O), 흑연(C), 산화베릴륨(Be)(중성자 흡수 단면적이 작아야 한다)

(6) 차폐재

① γ선이나 중성자가 노 외부로 인출되는 것을 차폐
② 재료 : 콘크리트, 물, 납 등

1. 경수형 원자로(L.W.R)

(1) 연료 : 저농축우라늄, 경수냉각, 경수감속

   ① 가압수형 원자로(P.W.R)

      ㉠ 방사능을 띤 증기가 터빈 측에 유입되지 않는다.

      ㉡ 계통이 복잡하다.

      ㉢ 용기 및 배관이 두꺼워진다.

      ㉣ 안전성이 좋다.

   ② 비등수형 원자로(B.W.R)

      ㉠ 증기가 직접 터빈에 들어가기 때문에 누출에 적절히 방지해야 한다.

      ㉡ 소내용 동력은 적어도 된다.

      ㉢ 노 내의 물의 압력이 높지 않다.

      ㉣ 노심 및 압력용기가 커진다.

      ㉤ 열교환기가 필요 없다.

2. 중수형 원자로(H.W.R)

(1) 연료 : 천연우라늄, 중수냉각, 중수감속

3. 가스냉각형 원자로(H.T.G.R, G.C.R)

(1) 연료 : 천연우라늄

(2) 감속재, 반사재 : 흑연

(3) 냉각재 : 탄산가스

4. 고속 증식로(F.B.R)

증식비 1 이상, 나트륨 냉각로

01 원자력발전소와 화력발전소의 특성을 비교한 것 중 틀린 것은? [2015년 1회 산업기사]

① 원자력발전소는 화력발전소의 보일러 대신 원자로와 열교환기를 사용한다.
② 원자력발전소의 건설비는 화력발전소에 비해 싸다.
③ 동일 출력일 경우 원자력발전소의 터빈이나 복수기가 화력발전소에 비하여 대형이다.
④ 원자력발전소는 방사능에 대한 차폐 시설물의 투자가 필요하다.

해설 원자력발전소의 건설비는 화력발전소에 비해 비싸다.

02 원자력 발전의 특징이 아닌 것은? [2018년 3회 산업기사]

① 건설비와 연료비가 높다.
② 설비는 국내 관련 사업을 발전시킨다.
③ 수송 및 저장이 용이하여 비용이 절감된다.
④ 방사선 측정기, 폐기물 처리 장치 등이 필요하다.

해설 원자력발전소의 건설비는 화력발전소에 비해 비싸지만 연료비는 싸다.
※ 수송 및 저장이 용이하여 비용이 절감되는 것은 연료에 대한 사항으로 ③에서 대상물을 정확히
지칭해주지 않아 답이 달리 해석될 수 있으므로 ③ 또한 답으로 인정

03 기저(基底)부하용으로 사용하기 적합한 발전방식은? [2012년 2회 기사]

① 석탄 화력　　　　　　　　　② 저수지식 수력
③ 양수식 수력　　　　　　　　④ 원자력

해설 **발전설비별 운전 방식**
• 기저부하 운전 : 원자력, 대용량 화력
• 중간부하 운전 : 복합화력, 중용량 이하 화력
• 첨두부하 운전 : 양수식, 가스터빈

04 다음 (㉮), (㉯), (㉰)에 들어갈 내용으로 옳은 것은?　　　　[2017년 1회 기사]

> 원자력이란 일반적으로 무거운 원자핵이 핵분열하여 가벼운 핵으로 바뀌면서 발생하는 핵분열에너지를 이용하는 것이고, (㉮)발전은 가벼운 원자핵을(과) (㉯)하여 무거운 핵으로 바꾸면서 (㉰) 전후의 질량결손에 해당하는 방출에너지를 이용하는 방식이다.

① ㉮ 원자핵융합　　㉯ 융합　　㉰ 결합
② ㉮ 핵결합　　㉯ 반응　　㉰ 융합
③ ㉮ 핵융합　　㉯ 융합　　㉰ 핵반응
④ ㉮ 핵반응　　㉯ 반응　　㉰ 결합

해설　**암기법 : 양사이드에 핵폭탄**

05 원자로에 사용되는 감속재가 구비하여야 할 조건으로 틀린 것은?　　　　[2012년 2회 기사]

① 중성자 에너지를 빨리 감속시킬 수 있을 것
② 불필요한 중성자 흡수가 적을 것
③ 원자의 질량이 클 것
④ 감속능 및 감속비가 클 것

해설　감속재는 고속의 중성자를 열중성자로 바꾸는 것으로 중성자 흡수가 적고 감속되는 정도가 큰 것이 좋으며 일반적으로 중수, 경수, 산화베릴륨, 흑연 등이 사용된다.

06 원자로의 감속재에 대한 설명으로 틀린 것은?　　　　[2017년 3회 기사]

① 감속능력이 클 것
② 원자질량이 클 것
③ 사용재료로 경수를 사용
④ 고속중성자를 열중성자로 바꾸는 작용

해설　감속재는 고속의 중성자를 열중성자로 바꾸는 것으로 중성자 흡수가 적고 감속되는 정도가 큰 것이 좋으며 일반적으로 중수, 경수, 산화베릴륨, 흑연 등이 사용된다.

정답　04 ③　05 ③　06 ②

07 원자로 내에서 발생한 열에너지를 외부로 끄집어내기 위한 열매체를 무엇이라고 하는가?

[2014년 2회 산업기사]

① 반사체   ② 감속재
③ 냉각재   ④ 제어봉

해설
- 냉각재 : 원자로 내에서 발생한 열에너지를 외부로 끄집어내기 위한 재료
- 반사재 : 중성자를 잘 산란시키는 재료
- 감속재 : 원자로 내의 중성자수를 적당하게 유지하는 재료
- 제어재(제어봉) : 중성자를 조절하여 원자로의 출력을 조정하는 재료

08 원자로의 냉각재가 갖추어야 할 조건이 아닌 것은?

[2015년 1회 기사]

① 열용량이 적을 것
② 중성자의 흡수가 적을 것
③ 열전도율 및 열전달 계수가 클 것
④ 방사능을 띠기 어려울 것

해설 **냉각재의 구비조건**
- 중성자의 흡수가 적을 것
- 열용량이 클 것
- 비열과 열전도율이 클 것
- 녹는점이 낮을 것
- 끓는점이 높을 것

09 경수감속 냉각형 원자로에 속하는 것은?

[2017년 2회 산업기사]

① 고속증식로

② 열중성자로

③ 비등수형 원자로

④ 흑연감속 가스 냉각로

해설 비등수형 원자로(B.W.R)는 가압수형 원자로(P.W.R)와 마찬가지로 저농축 우라늄을 연료로 사용하고 감속재와 냉각재로서는 경수를 사용한다.

10 원자로에서 중성자가 원자로 외부로 유출되어 인체에 위험을 주는 것을 방지하고 방열의 효과를 주기 위한 것은?

[2019년 3회 기사]

① 제어재

② 차폐재

③ 반사체

④ 구조재

해설 γ선이나 중성자가 노 외부로 인출되는 것을 차폐하여 인체에 위험을 주는 것을 방지하는 것은 차폐재이다.

11 원자력발전소에서 비등수형 원자로에 대한 설명으로 틀린 것은?

[2014년 1회 기사]

① 연료로 농축우라늄을 사용한다.

② 감속재로 헬륨 액체 금속을 사용한다.

③ 냉각재로 경수를 사용한다.

④ 물을 원자로 내에서 직접 비등시킨다.

해설 9번 해설 참조

정답 09 ③ 10 ② 11 ②

12 비등수형 원자로의 특색이 아닌 것은?   [2016년 1회 기사]

① 열교환기가 필요하다.
② 기포에 의한 자기 제어성이 있다.
③ 방사능 때문에 증기는 완전히 기수분리를 해야 한다.
④ 순환펌프로서는 급수펌프뿐이므로 펌프동력이 작다.

> **해설** **가압수형 원자로(P.W.R)**
> • 방사능을 띤 증기가 터빈 측에 유입되지 않는다.
> • 계통이 복잡하다.
> • 용기 및 배관이 두꺼워진다.
> • 안전성이 좋다.
> **비등수형 원자로(B.W.R)**
> • 증기가 직접 터빈에 들어가기 때문에 누출에 적절히 방지해야 한다.
> • 소내용 동력은 작아도 된다.
> • 노 내의 물의 압력이 높지 않다.
> • 노심 및 압력용기가 커진다.
> • 열교환기가 필요 없다.

13 원자력발전소에서 비등수형 원자로에 대한 설명으로 틀린 것은?   [2020년 4회 기사]

① 연료로 농축 우라늄을 사용한다.
② 냉각재로 경수를 사용한다.
③ 물을 원자로 내에서 직접 비등시킨다.
④ 가압수형 원자로에 비해 노심의 출력밀도가 높다.

> **해설** 12번 해설 참조

14 비등수형 원자로의 특징에 대한 설명으로 틀린 것은?

[2021년 2회 기사]

① 증기 발생기가 필요하다.

② 저농축 우라늄을 원료로 사용한다.

③ 노심에서 비등을 일으킨 증기가 직접 터빈에 공급되는 방식이다.

④ 가압수형 원자로에 비해 출력밀도가 낮다.

해설 **비등수형 원자로**

- 증기 발생기가 필요 없다.
- 증기가 직접 터빈에 들어가기 때문에 누출에 적절히 방지해야 한다.
- 소내용 동력은 작아도 된다.
- 노 내의 물의 압력이 높지 않다.
- 노심 및 압력용기가 커진다.
- 열교환기가 필요 없다.

15 증식비가 1보다 큰 원자로는?

[2017년 1회 기사]

① 경수로

② 흑연로

③ 중수로

④ 고속증식로

해설 증식비가 1보다 큰 원자로는 고속증식로이다.

정답 14 ① 15 ④

전기공사기사 · 산업기사 기본서 시리즈

전기공사

기사 · 산업기사 필기

SERIES **2**

전력공학

최근 기출복원문제

전기공사
기사 · 산업기사
필기 SERIES ❷
전력공학

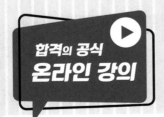

합격의 공식
온라인 강의

잠깐!

혼자 공부하기 힘드시다면 방법이 있습니다.
SD에듀의 동영상강의를 이용하시면 됩니다.
www.sdedu.co.kr → 회원가입(로그인) → 강의 살펴보기

01 송전선로의 송전특성이 아닌 것은?

① 단거리 송전선로에서는 누설컨덕턴스, 정전용량을 무시해도 된다.
② 중거리 송전선로는 T회로, π회로 해석을 사용한다.
③ 100[km]가 넘는 송전선로는 근사계산식을 사용한다.
④ 장거리 송전선로의 해석은 특성임피던스와 전파정수를 사용한다.

02 어떤 건물에서 총설비부하용량이 850[kW], 수용률이 60[%]이면 변압기용량은 최소 몇 [kVA]로 하여야 하는가?(단, 설비부하의 종합역률은 0.75이다)

① 740
② 680
③ 650
④ 500

03 원자로에 사용되는 감속재가 구비하여야 할 조건으로 틀린 것은?

① 중성자 에너지를 빨리 감속시킬 수 있을 것
② 불필요한 중성자 흡수가 적을 것
③ 원자의 질량이 클 것
④ 감속능 및 감속비가 클 것

04 ACSR은 동일한 길이에서 동일한 전기저항을 갖는 경동연선에 비하여 어떠한가?

① 바깥지름은 크고 중량은 작다.
② 바깥지름은 작고 중량은 크다.
③ 바깥지름과 중량이 모두 크다.
④ 바깥지름과 중량이 모두 작다.

05 송전계통의 안정도 증진방법으로 틀린 것은?

① 직렬리액턴스를 작게 한다.
② 중간조상방식을 채용한다.
③ 계통을 연계한다.
④ 원동기의 조속기 작동을 느리게 한다.

06 그림과 같은 66[kV] 선로의 송전전력이 20,000[kW], 역률이 0.8[lag]일 때 a상에 완전 지락 사고가 발생하였다. 지락계전기 DG에 흐르는 전류는 약 몇 [A]인가?(단, 부하의 정상, 역상임 피던스 및 기타 정수는 무시한다)

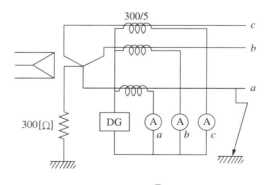

① 2.1
② 2.9
③ 3.7
④ 5.5

07 다음 중 송전선의 1선 지락 시 선로에 흐르는 전류를 바르게 나타낸 것은?

① 영상전류만 흐른다.
② 영상전류 및 정상전류만 흐른다.
③ 영상전류 및 역상전류만 흐른다.
④ 영상전류, 정상전류 및 역상전류가 흐른다.

08 송전선로의 코로나 방지에 가장 효과적인 방법은?

① 전선의 높이를 가급적 낮게 한다.
② 코로나 임계전압을 낮게 한다.
③ 선로의 절연을 강화한다.
④ 복도체를 사용한다.

09 송전선로에서 매설지선을 사용하는 주된 목적은?

① 코로나 전압을 저감시키기 위하여
② 뇌해를 방지하기 위하여
③ 탑각 접지저항을 줄여서 역섬락을 방지하기 위하여
④ 인축의 감전사고를 막기 위하여

10 다음 중 부하전류의 차단능력이 없는 것은?

① 부하개폐기(LBS)
② 유입차단기(OCB)
③ 진공차단기(VCB)
④ 단로기(DS)

11 고압 배전선로의 선간전압을 3,300[V]에서 5,700[V]로 승압하는 경우, 같은 전선으로 전력손실을 같게 한다면 약 몇 배의 전력[kW]을 공급할 수 있는가?

① 1
② 2
③ 3
④ 4

12 소호원리에 따른 차단기의 종류 중에서 소호실에서 아크에 의한 절연유 분해가스의 흡부력(吸付力)을 이용하여 차단하는 것은?

① 유입차단기
② 기중차단기
③ 자기차단기
④ 가스차단기

13 초고압 장거리 송전선로에 접속되는 1차 변전소에 병렬리액터를 설치하는 목적은?

① 페란티 효과 방지
② 코로나손실 경감
③ 전압강하 경감
④ 선로손실 경감

14 유량의 크기를 구분할 때 갈수량이란?

① 하천의 수위 중에서 1년을 통하여 355일간 이보다 내려가지 않는 수위
② 하천의 수위 중에서 1년을 통하여 275일간 이보다 내려가지 않는 수위
③ 하천의 수위 중에서 1년을 통하여 185일간 이보다 내려가지 않는 수위
④ 하천의 수위 중에서 1년을 통하여 95일간 이보다 내려가지 않는 수위

15 전력계통에서 무효전력을 조정하는 조상설비 중 전력용 콘덴서를 동기조상기와 비교할 때 옳은 것은?

① 전력손실이 크다.
② 지상 무효전력분을 공급할 수 있다.
③ 전압조정을 계단적으로만 할 수 있다.
④ 송전선로를 시송전할 때 선로를 충전할 수 있다.

16 화력발전소에서 석탄 1[kg]으로 발생할 수 있는 전력량은 약 몇 [kWh]인가?(단, 석탄의 발열량은 5,000[kcal/kg], 발전소의 효율은 40[%]이다)

① 2.0   ② 2.3

③ 4.7   ④ 5.8

17 선로, 기기 등의 절연수준 저감 및 전력용 변압기의 단절연을 모두 행할 수 있는 중성점접지방식은?

① 직접접지방식

② 소호리액터접지방식

③ 고저항접지방식

④ 비접지방식

18 주상변압기의 고압 측 및 저압 측에 설치되는 보호장치가 아닌 것은?

① 피뢰기

② 1차 컷아웃 스위치

③ 캐치홀더

④ 케이블헤드

19 전압 V_1[kV]에 대한 %리액턴스값이 X_{p1}이고, 전압 V_2[kV]에 대한 %리액턴스값이 X_{p2}일 때, 이들 사이의 관계로 옳은 것은?

① $X_{p1} = \dfrac{V_1^2}{V_2} X_{p2}$

② $X_{p1} = \dfrac{V_2}{V_1^2} X_{p2}$

③ $X_{p1} = \left(\dfrac{V_2}{V_1}\right)^2 X_{p2}$

④ $X_{p1} = \left(\dfrac{V_1}{V_2}\right)^2 X_{p2}$

20 정정된 값 이상의 전류가 흘러 보호계전기가 동작할 때 동작전류가 낮은 구간에서는 동작전류의 증가에 따라 동작시간이 짧아지고, 그 이상이면 동작전류의 크기에 관계없이 일정한 시간에서 동작하는 특성을 무슨 특성이라 하는가?

① 정한시 특성
② 반한시 특성
③ 순시 특성
④ 반한시성 정한시 특성

01 열의 일당량에 해당되는 단위는?

① $[kcal/kg]$

② $[kg/cm^2]$

③ $[kcal/cm^3]$

④ $[kg \cdot m/kcal]$

02 전력계통의 전압을 조정하는 가장 보편적인 방법은?

① 발전기의 유효전력 조정

② 부하의 유효전력 조정

③ 계통의 주파수 조정

④ 계통의 무효전력 조정

03 연가의 효과로 볼 수 없는 것은?

① 선로정수의 평형

② 대지정전용량의 감소

③ 통신선의 유도장해의 감소

④ 직렬공진의 방지

04 모선 보호에 사용되는 계전방식이 아닌 것은?

① 선택접지 계전방식

② 방향거리 계전방식

③ 위상 비교방식

④ 전류차동 보호방식

05 전압 66,000[V], 주파수 60[Hz], 길이 15[km], 심선 1선당 작용 정전용량 0.3587[μF/km]인 한 선당 지중전선로의 3상 무부하 충전전류는 약 몇 [A]인가?(단, 정전용량 이외의 선로정수는 무시한다)

① 62.5

② 68.2

③ 73.6

④ 77.3

06 케이블 단선사고에 의한 고장점까지의 거리를 정전용량측정법으로 구하는 경우, 건전상의 정전용량이 C, 고장점까지의 정전용량이 C_x, 케이블의 길이가 l일 때 고장점까지의 거리를 나타내는 식으로 알맞은 것은?

① $\dfrac{C}{C_x}l$

② $\dfrac{2C_x}{C}l$

③ $\dfrac{C_x}{C}l$

④ $\dfrac{C_x}{2C}l$

07 전력계통에서 내부이상전압의 크기가 가장 큰 경우는?

① 유도성 소전류 차단 시

② 수차발전기의 부하 차단 시

③ 무부하선로 충전전류 차단 시

④ 송전선로의 부하차단기 투입 시

08 가공 송전선로를 가선할 때에는 하중조건과 온도조건을 고려하여 적당한 이도(Dip)를 주도록 하여야 한다. 이도에 대한 설명으로 옳은 것은?

① 이도의 대소는 지지물의 높이를 좌우한다.

② 전선을 가선할 때 전선을 팽팽하게 하는 것을 이도가 크다고 한다.

③ 이도가 작으면 전선이 좌우로 크게 흔들려서 다른 상의 전선에 접촉하여 위험하게 된다.

④ 이도가 작으면 이에 비례하여 전선의 장력이 증가되며, 너무 작으면 전선 상호 간이 꼬이게 된다.

09 취수구에 제수문을 설치하는 목적은?

① 모래를 배제한다.　　　　　　② 홍수위를 낮춘다.
③ 유량을 조절한다.　　　　　　④ 낙차를 높인다.

10 3상 3선식 송전선에서 1선의 저항이 15[Ω], 리액턴스는 20[Ω]이고 수전단의 선간전압은 30[kV], 부하역률이 0.8인 경우 전압강하율을 10[%]라 하면 이 송전선로로는 몇 [kW]까지 수전할 수 있는가?

① 2,500[kW]　　　　　　② 2,750[kW]
③ 3,000[kW]　　　　　　④ 3,250[kW]

11 가공 왕복선 배치에서 지름이 d[m]이고 선간거리가 D[m]인 선로 한 가닥의 작용인덕턴스는 몇 [mH/km]인가?(단, 선로의 투자율은 1이라 한다)

① $0.5 + 0.4605\log_{10}\dfrac{D}{d}$　　　　　② $0.05 + 0.4605\log_{10}\dfrac{D}{d}$

③ $0.5 + 0.4605\log_{10}\dfrac{2D}{d}$　　　　　④ $0.05 + 0.4605\log_{10}\dfrac{2D}{d}$

12 원자력 발전소에서 필요하지 않은 것은?

① 감속재　　　　　　② FD fan(강제 통풍기)
③ 냉각재　　　　　　④ 핵연료

13 6.6[kV], 60[Hz], 3상 3선식 비접지식에서 선로의 길이가 10[km]이고, 1선의 대지정전용량이 0.005[μF/km]일 때 1선 지락 시의 고장전류 I_g[A]의 범위로 옳은 것은?

① $I_g < 1$　　　　　　② $1 \le I_g < 2$
③ $2 \le I_g < 3$　　　　　④ $3 \le I_g < 4$

14 단도체 방식과 비교하여 복도체 방식의 송전선로를 설명한 것으로 옳지 않은 것은?

① 전선의 인덕턴스가 감소하고, 정전용량이 증가된다.
② 선로의 송전용량이 증가된다.
③ 계통의 안정도를 증진시킨다.
④ 전선 표면의 전위경도가 저감되어 코로나 임계전압을 낮출 수 있다.

15 코로나 현상에 대한 설명이 아닌 것은?

① 전선을 부식시킨다.
② 코로나 현상은 전력의 손실을 일으킨다.
③ 코로나 방전에 의하여 전파 장해가 일어난다.
④ 코로나 손실은 전원주파수의 $\frac{2}{3}$ 제곱에 비례한다.

16 3상 송배전 선로의 공칭전압이란?

① 그 전선로를 대표하는 최고전압
② 그 전선로를 대표하는 평균전압
③ 그 전선로를 대표하는 선간전압
④ 그 전선로를 대표하는 상전압

17 송전계통의 중성점을 직접 접지하는 목적과 관계없는 것은?

① 고장전류 크기의 억제
② 이상전압 발생의 방지
③ 보호 계전기의 신속 정확한 동작
④ 전선로 및 기기의 절연레벨을 경감

18 선로 길이 100[km], 송전단 전압 154[kV], 수전단 전압 140[kV]의 3상 3선식 정전압 송전선에서 선로정수는 저항 0.315[Ω/km], 리액턴스 1.035[Ω/km]라고 할 때 수전단 3상 전력 원선도의 반지름을 [MVA] 단위로 표시하면 약 얼마인가?

① 200[MVA]

② 300[MVA]

③ 450[MVA]

④ 600[MVA]

19 22.9[kV-Y] 배전선로의 보호 협조기기가 아닌 것은?

① 컷아웃 스위치

② 인터럽터 스위치

③ 리클로저

④ 섹셔널라이저

20 플리커 예방을 위한 수용가 측의 대책이 아닌 것은?

① 공급전압을 승압한다.

② 전원계통에 리액터분을 보상한다.

③ 전압강하를 보상한다.

④ 부하의 무효전력 변동분을 흡수한다.

01 배전선로용 퓨즈(Power Fuse)는 주로 어떤 전류의 차단을 목적으로 사용하는가?

① 충전전류

② 단락전류

③ 부하전류

④ 과도전류

02 단락전류를 제한하기 위하여 사용되는 것은?

① 한류리액터

② 사이리스터

③ 현수애자

④ 직렬콘덴서

03 어느 화력발전소에서 40,000[kWh]를 발전하는 데 발열량 860[kcal/kg]의 석탄이 60톤 사용된다. 이 발전소의 열효율[%]은 약 얼마인가?

① 56.7

② 66.7

③ 76.7

④ 86.7

04 동일한 부하전력에 대하여 전압을 2배로 승압하면 전압강하, 전압강하율, 전력손실률은 각각 어떻게 되는지 순서대로 나열한 것은?

① $\frac{1}{2}$, $\frac{1}{2}$, $\frac{1}{2}$

② $\frac{1}{2}$, $\frac{1}{2}$, $\frac{1}{4}$

③ $\frac{1}{2}$, $\frac{1}{4}$, $\frac{1}{4}$

④ $\frac{1}{4}$, $\frac{1}{4}$, $\frac{1}{4}$

05 전력선 a의 충전전압을 E, 통신선 b의 대지정전용량을 C_b, $a-b$ 사이의 상호정전용량을 C_{ab}라고 하면 통신선 b의 정전유도전압 E_s는?

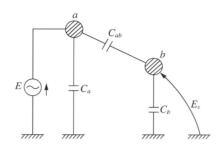

① $\dfrac{C_{ab} + C_b}{C_b} \times E$

② $\dfrac{C_{ab} + C_b}{C_{ab}} \times E$

③ $\dfrac{C_b}{C_{ab} + C_b} \times E$

④ $\dfrac{C_{ab}}{C_{ab} + C_b} \times E$

06 3ϕ3W식 송전단 선간전압이 154[kV] 전선로에서 각 선간의 정전용량이 각각 $C_a = 0.031$ [μF], $C_b = 0.03$ [μF], $C_c = 0.032$ [μF]일 때, 변압기의 중성점 잔류전압은 계통 상전압의 약 몇 [%] 정도 되는가?

① 1.9

② 2.8

③ 3.3

④ 5.5

07 전력선측의 유도장해 방지 대책이 아닌 것은?

① 전력선과 통신선의 이격거리를 증대한다.

② 전력선의 연가를 충분히 한다.

③ 배류코일을 설치한다.

④ 차폐선을 설치한다.

08 피뢰기의 정격전압이란?

① 상용주파수의 방전개시전압
② 속류를 차단할 수 있는 최고의 교류전압
③ 방전을 개시할 때 단자전압의 순시값
④ 충격방전전류를 통하고 있을 때 단자전압

09 송전단 전압 161[kV], 수전단 전압 155[kV], 상차각 40°, 리액턴스가 49.8[Ω]일 때 선로손실을 무시한다면 전송전력은 약 몇 [MW]인가?

① 289
③ 373
② 322
④ 869

10 화력발전소에서 재열기의 사용 목적은?

① 공기를 가열한다.
③ 증기를 가열한다.
② 급수를 가열한다.
④ 석탄을 건조한다.

11 유효낙차가 40[%] 저하되면 수차의 효율이 20[%] 저하된다고 할 경우 이때의 출력은 원래의 약 몇 [%]인가?(단, 안내날개의 열림은 불변인 것으로 한다)

① 37.2
③ 52.7
② 48.0
④ 63.7

12 그림과 같은 전력계통의 154[kV] 송전선로에서 고장 지락 임피던스 Z_{gf}를 통해서 1선 지락 고장이 발생되었을 때 고장점에서 본 영상 %임피던스는?(단, 그림에 표시한 임피던스는 모두 동일 용량, 100[MVA] 기준으로 환산한 %임피던스임)

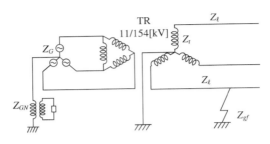

① $Z_0 = Z_l + Z_t + Z_G$

② $Z_0 = Z_l + Z_t + Z_{gf}$

③ $Z_0 = Z_l + Z_t + 3Z_{gf}$

④ $Z_0 = Z_l + Z_t + Z_{gf} + Z_G + Z_{GN}$

13 송전선로의 보호를 위한 것이 아닌 것은?

① 과전류 계전방식
② 방향 계전방식
③ 평행 계전방식
④ 전류 차동 보호방식

14 중성점 직접접지방식에 대한 설명으로 틀린 것은?

① 계통의 과도안정도가 나쁘다.
② 변압기의 단절연(段絶緣)이 가능하다.
③ 1선 지락 시 건전상의 전압은 거의 상승하지 않는다.
④ 1선 지락전류가 적어 차단기의 차단능력이 감소된다.

15 송전선로의 고장전류의 계산에 영상임피던스가 필요한 경우는?

① 3상 단락
② 3선 단선
③ 1선 지락
④ 선간 단락

16 전력계통에 과도안정도 향상대책과 관련 없는 것은?

① 빠른 고장 제거
② 속응여자시스템 사용
③ 큰 임피던스의 변압기 사용
④ 병렬 송전선로의 추가 건설

17 초고압 송전계통에 단권 변압기가 사용되는데 그 이유로 볼 수 없는 것은?

① 효율이 높다.
② 단락전류가 작다.
③ 전압변동률이 작다.
④ 자로가 단축되어 재료를 절약할 수 있다.

18 다음 중 개폐서지의 이상전압을 감쇄할 목적으로 설치하는 것은?

① 단로기
② 차단기
③ 리액터
④ 개폐저항기

19 전력설비의 수용률을 나타낸 것으로 옳은 것은?

① 수용률 $= \dfrac{\text{평균전력[kW]}}{\text{부하설비용량[kW]}} \times 100[\%]$

② 수용률 $= \dfrac{\text{부하설비용량[kW]}}{\text{평균전력[kW]}} \times 100[\%]$

③ 수용률 $= \dfrac{\text{최대수용전력[kW]}}{\text{부하설비용량[kW]}} \times 100[\%]$

④ 수용률 $= \dfrac{\text{부하설비용량[kW]}}{\text{최대수용전력[kW]}} \times 100[\%]$

20 단도체 방식과 비교하여 복도체 방식의 송전선로를 설명한 것으로 옳지 않은 것은?

① 전선의 인덕턴스가 감소하고, 정전용량이 증가된다.
② 선로의 송전용량이 증가된다.
③ 계통의 안정도를 증진시킨다.
④ 전선 표면의 전위경도가 저감되어 코로나 임계전압을 낮출 수 있다.

01 송전단 전압 161[kV], 수전단 전압 155[kV], 상차각 40°, 리액턴스가 49.8[Ω]일 때 선로손실을 무시한다면 전송전력은 약 몇 [MW]인가?

① 289

② 322

③ 373

④ 869

02 고압 배전선로의 중간에 승압기를 설치하는 주목적은?

① 부하의 불평형 방지

② 말단의 전압강하 방지

③ 전력손실의 감소

④ 역률 개선

03 일반적으로 부하의 역률을 저하시키는 원인은?

① 전등의 과부하

② 선로의 충전전류

③ 유도전동기의 경부하 운전

④ 동기전동기의 중부하 운전

04 전등만으로 구성된 수용가를 두 군으로 나누어 각 군에 변압기 1대씩을 설치하고 각 군의 수용가의 설비용량을 각각 30[kW], 50[kW]라 한다. 각 수용가의 수용률을 0.6, 수용가 간의 부등률을 1.2, 변압기군의 부등률을 1.30이라고 하면 고압 간선에 대한 최대부하는 몇 [kW]인가?

① 15

② 23

③ 31

④ 36

05 송전선로에 가공지선을 설치하는 목적은?

① 코로나 방지
② 뇌에 대한 차폐
③ 선로정수의 평형
④ 철탑지지

06 중성점 직접접지방식에서 변압기에 단절연이 가능한 이유는 무엇인가?

① 지락 전류가 저역률이다.
② 고장 전류가 크다.
③ 중성점의 전위가 낮다.
④ 보호계전기 동작이 확실하다.

07 154[kV] 송전선로의 전압을 345[kV]로 승압하고 같은 손실률로 송전한다고 가정하면 송전전력은 승압 전의 약 몇 배 정도인가?

① 2
② 3
③ 4
④ 5

08 최근에 우리나라에서 많이 채용되고 있는 가스절연개폐설비(GIS)의 특징으로 틀린 것은?

① 대기 절연을 이용한 것에 비해 현저하게 소형화할 수 있으나 비교적 고가이다.
② 소음이 적고 충전부가 완전한 밀폐형으로 되어 있기 때문에 안정성이 높다.
③ 가스 압력에 대한 엄중 감시가 필요하며 내부 점검 및 부품 교환이 번거롭다.
④ 한랭지, 산악 지방에서도 액화 방지 및 산화 방지 대책이 필요 없다.

09 차단기가 전류를 차단할 때 재점호가 일어나기 쉬운 차단전류는?

① 동상전류
② 지상전류
③ 진상전류
④ 단락전류

10 피뢰기가 그 역할을 잘하기 위하여 구비되어야 할 조건으로 틀린 것은?

① 속류를 차단할 것
② 내구력이 높을 것
③ 충격방전 개시전압이 낮을 것
④ 제한전압은 피뢰기의 정격전압과 같게 할 것

11 지중전선로에서 케이블 고장점 검출방법이 아닌 것은?

① 메거에 의한 측정법
② 머레이 루프시험에 의한 방법
③ 수색코일에 의한 방법
④ 펄스에 의한 측정법

12 ACSR은 동일한 길이에서 동일한 전기저항을 갖는 경동연선에 비하여 어떠한가?

① 바깥지름은 크고 중량은 작다.
② 바깥지름은 작고 중량은 크다.
③ 바깥지름과 중량이 모두 크다.
④ 바깥지름과 중량이 모두 작다.

13 유효접지계통에서 피뢰기의 정격전압을 결정하는 데 가장 중요한 요소는?

① 선로 애자련의 충격섬락전압
② 내부이상전압 중 과도이상전압의 크기
③ 유도뢰의 전압의 크기
④ 1선 지락고장 시 건전상의 대지전위

14 화력발전소에서 재열기의 사용 목적은?

① 공기를 가열한다.　　　　　　　② 급수를 가열한다.

③ 증기를 가열한다.　　　　　　　④ 석탄을 건조한다.

15 수차의 특유속도 크기를 바르게 나열한 것은?

① 펠턴수차 < 카플란수차 < 프란시스수차

② 펠턴수차 < 프란시스수차 < 카플란수차

③ 프란시스수차 < 카플란수차 < 펠턴수차

④ 카플란수차 < 펠턴수차 < 프란시스수차

16 부하전류 및 단락전류를 모두 개폐할 수 있는 스위치는?

① 단로기　　　　　　　　　　　　② 차단기

③ 선로개폐기　　　　　　　　　　④ 전력퓨즈

17 그림과 같이 부하가 균일한 밀도로 도중에서 분기되어 선로전류가 송전단에 이를수록 직선적으로 증가할 경우 선로의 전압강하는 이 송전단전류와 같은 전류의 부하가 선로의 말단에만 집중되어 있을 경우의 전압강하보다 어떻게 되는가?(단, 부하역률은 모두 같다고 한다)

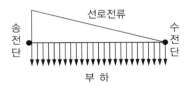

① $\dfrac{1}{3}$　　　　　　　　　　　② $\dfrac{1}{2}$

③ 1　　　　　　　　　　　　　　④ 2

18 단상 2선식 교류 배전선로가 있다. 전선의 1가닥 저항이 0.15[Ω]이고, 리액턴스는 0.25[Ω]이다. 부하는 순저항부하이고 100[V], 3[kW]이다. 급전점의 전압[V]은 약 얼마인가?

① 105 ② 110

③ 115 ④ 124

19 그림과 같은 단거리 배전선로의 송전단 전압 6,600[V], 역률은 0.9이고, 수전단 전압 6,100[V], 역률 0.8일 때 회로에 흐르는 전류 I[A]는?(단, E_s 및 E_r은 송·수전단 대지전압이며, $r = 20[\Omega]$, $x = 10[\Omega]$이다)

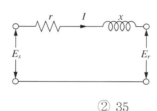

① 20 ② 35

③ 53 ④ 65

20 전력원선도에서 구할 수 없는 것은?

① 송·수전할 수 있는 최대전력
② 필요한 전력을 보내기 위한 송·수전단 전압 간의 상차각
③ 선로 손실과 송전 효율
④ 과도극한전력

01 다음 중 원자로 냉각재의 구비 조건으로 적절하지 않은 것은?

① 비열이 클 것
② 중성자 흡수가 많을 것
③ 열전도도가 클 것
④ 유도 방사능이 적을 것

02 증기사이클에 대한 설명 중 틀린 것은?

① 랭킨사이클의 열효율은 초기 온도 및 초기 압력이 높을수록 효율이 크다.
② 재열사이클은 저압 터빈에서 증기가 포화상태에 가까워졌을 때 증기를 다시 가열하여 고압 터빈으로 보낸다.
③ 재생사이클은 증기 원동기 내에서 증기의 팽창 도중에서 증기를 추출하여 급수를 예열한다.
④ 재열재생사이클은 재생사이클과 재열사이클을 조합하여 병용하는 방식이다.

03 어느 화력발전소에서 40,000[kWh]를 발전하는 데 발열량 860[kcal/kg]의 석탄이 60톤 사용된다. 이 발전소의 열효율[%]은 약 얼마인가?

① 56.7
② 66.7
③ 76.7
④ 86.7

04 유효낙차 100[m], 최대유량 20[m³/s]의 수차가 있다. 낙차가 81[m]로 감소하면 유량[m³/s]은?(단, 수차에서 발생되는 손실 등은 무시하며 수차 효율은 일정하다)

① 15
② 18
③ 24
④ 30

05 전력 계통 주파수가 기준값보다 증가하는 경우 어떻게 하는 것이 타당한가?

① 발전출력[kW]을 증가시켜야 한다.
② 발전출력[kW]을 감소시켜야 한다.
③ 무효전력[kVar]을 증가시켜야 한다.
④ 무효전력[kVar]을 감소시켜야 한다.

06 전력용 퓨즈의 설명으로 옳지 않은 것은?

① 소형으로 큰 차단용량을 갖는다.
② 가격이 싸고 유지 보수가 간단하다.
③ 밀폐형 퓨즈는 차단 시에 소음이 없다.
④ 과도전류에 의해 쉽게 용단되지 않는다.

07 유효낙차 50[m]에서 출력 7,500[kW] 되는 수차가 있다. 유효낙차가 2.5[m]만큼 저하되면 출력은 약 몇 [kW]로 되는가?(단, 수차의 수구 개도는 일정하며, 효율의 변화는 무시한다)

① 6,650
② 6,755
③ 6,850
④ 6,945

08 전력설비의 수용률을 나타낸 것으로 옳은 것은?

① 수용률 $= \dfrac{\text{평균전력[kW]}}{\text{부하설비용량[kW]}} \times 100[\%]$

② 수용률 $= \dfrac{\text{부하설비용량[kW]}}{\text{평균전력[kW]}} \times 100[\%]$

③ 수용률 $= \dfrac{\text{최대수용전력[kW]}}{\text{부하설비용량[kW]}} \times 100[\%]$

④ 수용률 $= \dfrac{\text{부하설비용량[kW]}}{\text{최대수용전력[kW]}} \times 100[\%]$

09 변전소에서 수용가로 공급되는 전력을 차단하고 소내 기기를 점검할 경우, 차단기와 단로기의 개폐 조작 방법으로 옳은 것은?

① 점검 시에는 차단기로 부하회로를 끊고 난 다음에 단로기를 열어야 하며, 점검 후에는 단로기를 넣은 후 차단기를 넣어야 한다.

② 점검 시에는 단로기를 열고 난 후 차단기를 열어야 하며, 점검 후에는 단로기를 넣고 난 다음에 차단기로 부하회로를 연결하여야 한다.

③ 점검 시에는 차단기로 부하회로를 끊고 단로기를 열어야 하며, 점검 후에는 차단기로 부하회로를 연결한 후 단로기를 넣어야 한다.

④ 점검 시에는 단로기를 열고 난 후 차단기를 열어야 하며, 점검이 끝난 경우에는 차단기를 부하에 연결한 다음에 단로기를 넣어야 한다.

10 차단기가 전류를 차단할 때 재점호가 일어나기 쉬운 차단전류는?

① 동상전류

② 지상전류

③ 진상전류

④ 단락전류

11 6.6[kV] 고압 배전 선로(비접지 선로)에서 지락 보호를 위하여 특별히 필요하지 않은 것은?

① DG

② CT

③ ZCT

④ GPT

12 그림에서 A점의 차단기 용량으로 가장 적당한 것은?

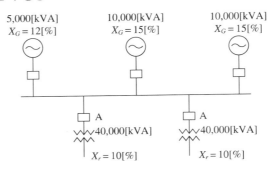

① 50[MVA]

③ 150[MVA]

② 100[MVA]

④ 200[MVA]

13 전력계통에서 안정도의 종류에 속하지 않는 것은?

① 상태안정도

③ 과도안정도

② 정태안정도

④ 동태안정도

14 30,000[kW]의 전력을 51[km] 떨어진 지점에 송전하는 데 필요한 전압은 약 몇 [kV]인가?(단, Still의 식에 의하여 산정한다)

① 22

③ 66

② 33

④ 100

15 일반회로 정수가 A, B, C, D이고 송전단 전압이 E_S인 경우 무부하 시 수전단 전압은?

① $\dfrac{E_S}{A}$

③ $\dfrac{A}{C}E_S$

② $\dfrac{E_S}{B}$

④ $\dfrac{C}{A}E_S$

16 선간거리를 D, 전선의 반지름을 r이라 할 때 송전선의 정전용량은?

① $\log_{10}\dfrac{D}{r}$에 비례한다.

② $\log_{10}\dfrac{r}{D}$에 비례한다.

③ $\log_{10}\dfrac{D}{r}$에 반비례한다.

④ $\log_{10}\dfrac{r}{D}$에 반비례한다.

17 전선로에 댐퍼(Damper)를 사용하는 목적은?

① 전선의 진동 방지
② 전력손실 격감
③ 낙뢰의 내습 방지
④ 많은 전력을 보내기 위하여

18 그림과 같이 각 도체와 연피 간의 정전용량이 C_0, 각 도체 간의 정전용량이 C_m인 3심 케이블의 도체 1조당 작용 정전용량은?

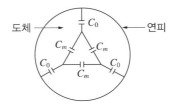

① $C_0 + C_m$

② $3C_0 + 3C_m$

③ $3C_0 + C_m$

④ $C_0 + 3C_m$

19 리액터의 종류와 그 목적이 틀린 것을 찾으시오.

① 병렬 리액터 : 페란티현상 방지
② 병렬 콘덴서 : 송전단의 역률개선
③ 직렬 리액터 : 제5고조파 제거
④ 직렬 콘덴서 : 전압강하 방지

20 변전소, 발전소 등에 설치하는 피뢰기에 대한 설명 중 틀린 것은?

① 정격전압은 상용주파 정현파전압의 최고한도를 규정한 순시값이다.
② 피뢰기의 직렬갭은 일반적으로 저항으로 되어 있다.
③ 방전전류는 뇌충격전류의 파고값으로 표시한다.
④ 속류란 방전현상이 실질적으로 끝난 후에도 전력계통에서 피뢰기에 공급되어 흐르는 전류를 말한다.

01 조상설비가 있는 1차 변전소에서 주변압기로 주로 사용되는 변압기는?

① 승압용 변압기
② 단권 변압기
③ 단상 변압기
④ 3권선 변압기

02 송전계통의 중성점을 접지하는 목적으로 틀린 것은?

① 지락고장 시 전선로의 대지 전위상승을 억제하고 전선로와 기기의 절연을 경감시킨다.
② 소호리액터 접지방식에서는 1선 지락 시 지락점 아크를 빨리 소멸시킨다.
③ 차단기의 차단용량을 증대시킨다.
④ 지락고장에 대한 계전기의 동작을 확실하게 한다.

03 3ϕ 송전선로에서 평형 3상일 경우 중성점의 전위는 얼마인가?

① 1
② 0
③ ∞
④ 송전전압과 같다.

04 66[kV], 60[Hz] 3상 3선식 선로에서 중성점을 소호리액터접지하여 완전 공진상태로 되었을 때 중섬점에 흐르는 전류는 몇 [A]인가?(단, 소호리액터를 포함한 영상회로의 등가저항은 200[Ω], 중성점 잔류전압은 4,400[V]라고 한다)

① 11
② 22
③ 33
④ 44

05 주파수 60[Hz], 정전용량 $\dfrac{1}{6\pi}$[μF]의 콘덴서를 △ 결선해서 3상 전압 20,000[V]를 가했을 때의 충전용량은 몇 [kVA]인가?

① 12   ② 24
③ 48   ④ 50

06 전력용 퓨즈의 설명으로 옳지 않은 것은?

① 소형으로 큰 차단용량을 갖는다.
② 가격이 싸고 유지 보수가 간단하다.
③ 밀폐형 퓨즈는 차단 시에 소음이 없다.
④ 과도전류에 의해 쉽게 용단되지 않는다.

07 변전소에서 수용가로 공급되는 전력을 차단하고 소내 기기를 점검할 경우, 차단기와 단로기의 개폐 조작 방법으로 옳은 것은?

① 점검 시에는 차단기로 부하회로를 끊고 난 다음에 단로기를 열어야 하며, 점검 후에는 단로기를 넣은 후 차단기를 넣어야 한다.
② 점검 시에는 단로기를 열고 난 후 차단기를 열어야 하며, 점검 후에는 단로기를 넣고 난 다음에 차단기로 부하회로를 연결하여야 한다.
③ 점검 시에는 차단기로 부하회로를 끊고 단로기를 열어야 하며, 점검 후에는 차단기로 부하회로를 연결한 후 단로기를 넣어야 한다.
④ 점검 시에는 단로기를 열고 난 후 차단기를 열어야 하며, 점검이 끝난 경우에는 차단기를 부하에 연결한 다음에 단로기를 넣어야 한다.

08 송전선에 코로나가 발생하면 전선이 부식된다. 무엇에 의하여 부식되는가?

① 산 소   ② 오 존
③ 수 소   ④ 질 소

09 총낙차 300[m], 사용수량 20[m³/s]인 수력발전소의 발전기 출력은 약 몇 [kW]인가?(단, 수차 및 발전기 효율은 각각 90[%], 98[%]라 하고, 손실낙차는 총낙차의 6[%]라고 한다)

① 48,750 　　　　　　　　　② 51,860

③ 54,170 　　　　　　　　　④ 54,970

10 송전선에 복도체를 사용할 때의 설명으로 틀린 것은?

① 코로나 손실이 경감된다.
② 안정도가 상승하고 송전용량이 증가한다.
③ 정전 반발력에 의한 전선의 진동이 감소된다.
④ 전선의 인덕턴스는 감소하고, 정전용량이 증가한다.

11 기력발전소에서 석탄연료 사용 시 집진장치의 효율이 가장 큰 것은?

① 전기식 집진장치 　　　　　② 수세식 집진장치
③ 원심력식 집진장치 　　　　④ 직렬 결합식 집진장치

12 가공지선에 대한 설명 중 틀린 것은?

① 유도뢰 서지에 대하여도 그 가설구간 전체에 사고 방지의 효과가 있다.
② 직격뢰에 대하여 특히 유효하며 탑 상부에 시설하므로 뇌는 주로 가공지선에 내습한다.
③ 송전선의 1선 지락 시 지락전류의 일부가 가공지선에 흘러 차폐작용을 하므로 전자유도장해를 적게 할 수 있다.
④ 가공지선 때문에 송전선로의 대지정전용량이 감소하므로 대지 사이에 방전할 때 유도전압이 특히 커서 차폐효과가 좋다.

13 송전선로에 충전전류가 흐르면 수전단 전압이 송전단 전압보다 높아지는 현상과 이 현상의 발생원인으로 가장 옳은 것은?

① 페란티 효과, 선로의 인덕턴스 때문
② 페란티 효과, 선로의 정전용량 때문
③ 근접 효과, 선로의 인덕턴스 때문
④ 근접 효과, 선로의 정전용량 때문

14 다음 그림에서 송전선로의 건설비와 전압과의 관계를 옳게 나타낸 것은?

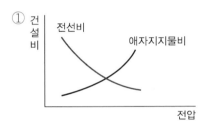
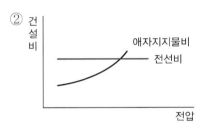
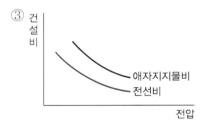
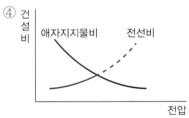

15 피뢰기의 제한전압이란?

① 상용주파 전압에 대한 피뢰기의 충격방전 개시전압
② 충격파 침입 시 피뢰기의 충격방전 개시전압
③ 피뢰기가 충격파 방전 종료 후 언제나 속류를 확실히 차단할 수 있는 상용주파 최대전압
④ 충격파 전류가 흐르고 있을 때의 피뢰기 단자전압

16 저압 네트워크 배전방식의 장점이 아닌 것은?

① 인축의 접지사고가 적어진다.　② 부하 증가 시 적응성이 양호하다.

③ 무정전 공급이 가능하다.　④ 전압변동이 작다.

17 연간 전력량이 E[kWh]이고, 연간 최대전력이 W[kW]인 연부하율은 몇 [%]인가?

① $\dfrac{E}{W} \times 100$

② $\dfrac{W}{E} \times 100$

③ $\dfrac{8,760\,W}{E} \times 100$

④ $\dfrac{E}{8,760\,W} \times 100$

18 전력계통의 전압을 조정하는 가장 보편적인 방법은?

① 발전기의 유효전력 조정　② 부하의 유효전력 조정

③ 계통의 주파수 조정　④ 계통의 무효전력 조정

19 전력계통에서 무효전력을 조정하는 조상설비 중 전력용 콘덴서를 동기조상기와 비교할 때 옳은 것은?

① 전력손실이 크다.

② 지상 무효전력분을 공급할 수 있다.

③ 전압조정을 계단적으로만 할 수 있다.

④ 송전선로를 시송전할 때 선로를 충전할 수 있다.

20 그림과 같은 22[kV] 3상 3선식 전선로의 P점에 단락이 발생하였다면 3상 단락전류는 약 몇 [A]인가?(단, %리액턴스는 8[%]이며, 저항분은 무시한다)

22[kV]
20,000[kVA]

① 6,561

② 8,560

③ 11,364

④ 12,684

01 전력용 퓨즈의 설명으로 옳지 않은 것은?

① 소형으로 큰 차단용량을 갖는다.
② 가격이 싸고 유지 보수가 간단하다.
③ 밀폐형 퓨즈는 차단 시에 소음이 없다.
④ 과도전류에 의해 쉽게 용단되지 않는다.

02 송전단 전압이 66[kV], 수전단 전압이 60[kV]인 송전선로에서 수전단의 부하를 끊을 경우에 수전단 전압이 63[kV]가 되었다면 전압변동률은 몇 [%]가 되는가?

① 4.5
② 4.8
③ 5.0
④ 10.0

03 부하역률이 $\cos\phi$인 배전선로의 저항손실은 같은 크기의 부하전력에서 역률 1일 때 저항손실의 몇 배인가?

① $\cos^2\phi$
② $\cos\phi$
③ $\dfrac{1}{\cos\phi}$
④ $\dfrac{1}{\cos^2\phi}$

04 송전선에 코로나가 발생하면 전선이 부식된다. 무엇에 의하여 부식되는가?

① 산 소
② 오 존
③ 수 소
④ 질 소

05 철탑에서 전선의 오프셋을 주는 이유로 옳은 것은?

① 불평형 전압의 유도 방지

② 상하 전선의 접촉 방지

③ 전선의 진동 방지

④ 지락사고 방지

06 154/22.9[kV], 40[MVA] 3상 변압기의 %리액턴스가 14[%]라면 고압 측으로 환산한 리액턴스는 약 몇 [Ω]인가?

① 95

② 83

③ 75

④ 61

07 다음 중 송전선의 1선 지락 시 선로에 흐르는 전류를 바르게 나타낸 것은?

① 영상전류만 흐른다.

② 영상전류 및 정상전류만 흐른다.

③ 영상전류 및 역상전류만 흐른다.

④ 영상전류, 정상전류 및 역상전류가 흐른다.

08 피뢰기가 그 역할을 잘하기 위하여 구비되어야 할 조건으로 틀린 것은?

① 속류를 차단할 것

② 내구력이 높을 것

③ 충격방전 개시전압이 낮을 것

④ 제한전압은 피뢰기의 정격전압과 같게 할 것

09 초고압용 차단기에서 개폐저항기를 사용하는 이유 중 가장 타당한 것은?

① 차단전류의 역률 개선
② 차단전류 감소
③ 차단속도 증진
④ 개폐서지 이상전압 억제

10 송전계통의 안정도 증진방법에 대한 설명이 아닌 것은?

① 전압변동을 작게 한다.
② 직렬리액턴스를 크게 한다.
③ 고장 시 발전기 입·출력의 불평형을 작게 한다.
④ 고장전류를 줄이고 고장구간을 신속하게 차단한다.

11 전력선 a의 충전전압을 E, 통신선 b의 대지정전용량을 C_b, $a-b$ 사이의 상호정전용량을 C_{ab}라고 하면 통신선 b의 정전유도전압 E_s는?

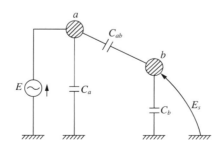

① $\dfrac{C_{ab}+C_b}{C_b} \times E$

② $\dfrac{C_{ab}+C_b}{C_{ab}} \times E$

③ $\dfrac{C_b}{C_{ab}+C_b} \times E$

④ $\dfrac{C_{ab}}{C_{ab}+C_b} \times E$

12 3상 3선식 송전선에서 한 선의 저항이 10[Ω], 리액턴스가 20[Ω]이며, 수전단의 선간전압이 60[kV], 부하역률이 0.8인 경우에 전압강하율이 10[%]라 하면 이 송전선로로는 약 몇 [kW]까지 수전할 수 있는가?

① 10,000

② 12,000

③ 14,400

④ 18,000

13 계기용 변성기 중에서 전압 전류를 동시에 변성하여 전력량을 측정할 목적으로 사용하는 기기의 약호는?

① CT

② MOF

③ PT

④ ZCT

14 1[BTU]는 약 몇 [kcal]인가?

① 0.252

② 0.2389

③ 47.86

④ 71.67

15 전압이 일정값 이하로 되었을 때 동작하는 것으로서 단락 시 고장 검출용으로도 사용되는 계전기는?

① OVR

② OVGR

③ NSR

④ UVR

16 저압뱅킹 배전방식에서 캐스케이딩 현상을 방지하기 위하여 인접 변압기를 연락하는 저압선의 중간에 설치하는 것으로 알맞은 것은?

① 구분 퓨즈

② 리클로저

③ 섹셔널라이저

④ 구분 개폐기

17 송전선로의 단락보호 계전방식이 아닌 것은?

① 과전류 계전방식
② 방향단락 계전방식
③ 거리 계전방식
④ 과전압 계전방식

18 1년 365일 중 185일은 이 양 이하로 내려가지 않는 유량은?

① 평수량
② 풍수량
③ 고수량
④ 저수량

19 주상변압기의 고압 측 및 저압 측에 설치하는 보호 장치가 아닌 것은?

① 피뢰기
② 1차 컷아웃 스위치
③ 캐치홀더
④ 케이블헤드

20 154[kV] 2회선 송전선로에서 송전거리가 154[km]일 때 송전용량계수법에 의하면 송전용량은 몇 [MW]인가?(단, 송전용량계수는 1,300이다)

① 250
② 300
③ 350
④ 400

전기공사기사		2022년 제4회 정답 및 해설							
01	02	03	04	05	06	07	08	09	10
③	②	③	①	④	①	④	④	③	④
11	12	13	14	15	16	17	18	19	20
③	①	①	①	③	②	①	④	③	④

01
- 단거리선로(수[km]) : R, L 적용
  - 집중정수회로, $R > X$
- 중거리선로(수십[km]) : R, L, C 적용
  - 집중정수회로
- 장거리선로(100[km] 이상) : R, L, C, G 적용
  - 분포정수회로, $R < X$

02

$$변압기용량[\text{kVA}] = \frac{개별수용\ 최대전력의\ 합}{역률 \times 부등률} = \frac{설비용량 \times 수용률}{역률 \times 부등률}$$

$$= \frac{850 \times 0.6}{0.75} = 680[\text{kVA}]$$

03 감속재는 고속의 중성자를 열중성자로 바꾸는 것으로 중성자 흡수가 적고 감속되는 정도가 큰 것이 좋으며 일반적으로 중수, 경수, 산화베릴륨, 흑연 등이 사용된다.

04 같은 길이, 같은 저항에서 경동연선과 비교 시 바깥지름은 1:1.25, 중량은 1:0.48이 된다.

05 **안정도 향상대책**
- 발전기
  - 동기리액턴스 감소(단락비 크게, 전압변동률 작게)
  - 속응여자방식 채용
  - 제동권선 설치(난조 방지)
  - 조속기 감도 둔감
- 송전선
  - 리액턴스 감소
  - 복도체(다도체) 채용
  - 병행 2회선 방식
  - 중간조상방식
  - 고속도 재폐로방식 채택 및 고속 차단기 설치

06 a상에 흐르는 전류 : 부하전류와 지락전류
b와 c상에 흐르는 전류 : 부하전류
DG에 흐르는 전류 : 지락전류

$$I_g = \frac{\dfrac{V}{\sqrt{3}}}{R} \times \frac{1}{CT} = \frac{V}{\sqrt{3}\,R} \times \frac{1}{CT} = \frac{66,000}{\sqrt{3} \times 300} \times \frac{5}{300} \fallingdotseq 2.1[\text{A}]$$

07 **고장별 대칭분 및 전류의 크기**

고장종류	대칭분	전류의 크기
1선 지락	정상분, 역상분, 영상분	$I_0 = I_1 = I_2 \neq 0$
선간 단락	정상분, 역상분	$I_1 = -I_2 \neq 0,\ I_0 = 0$
3상 단락	정상분	$I_1 \neq 0,\ I_0 = I_2 = 0$

1선 지락전류 $I_g = 3I_0 = \dfrac{3E_a}{Z_0 + Z_1 + Z_2}$

08 **복도체(다도체) 방식의 주목적 : 코로나 방지**
• 인덕턴스는 감소, 정전용량은 증가
• 같은 단면적의 단도체에 비해 전력용량의 증대
• 코로나의 방지, 코로나 임계전압의 상승
• 송전용량의 증대
• 소도체 충돌 현상(대책 : 스페이서의 설치)
• 단락 시 대전류 등이 흐를 때 소도체 사이에 흡인력이 발생

09 **매설지선** : 탑각의 접지저항값을 낮춰 역섬락을 방지한다.

10 단로기(DS)는 소호기능이 없다. 부하전류나 사고전류를 차단할 수 없다. 무부하상태, 즉 차단기가 열려 있어야만
전로개방 및 모선접속을 변경할 수 있다(인터로크).

11 $P \propto V^2 = \left(\dfrac{5,700}{3,300}\right)^2 \fallingdotseq 3$

12 **차단기 소호매질**
• 공기차단기 : 압축공기
• 가스차단기 : SF_6 가스
• 진공차단기 : 진 공
• 유입차단기 : 절연유
• 자기차단기 : 전자력

13 • 직렬리액터 : 제5고조파의 제거, 콘덴서 용량의 이론상 4[%], 실제 5~6[%]
• 병렬(분로)리액터 : 페란티 효과 방지
• 소호리액터 : 지락 아크의 소호
• 한류리액터 : 단락전류 제한(차단기 용량의 경감)

14 ① 갈수량, ② 저수량, ③ 평수량, ④ 풍수량

15 조상설비의 비교

구 분	진 상	지 상	시충전	조 정	전력손실
콘덴서	○	×	×	단계적	0.3[%] 이하
리액터	×	○	×	단계적	0.6[%] 이하
동기조상기	○	○	○	연속적	1.5~2.5[%]

16 $\eta = \dfrac{860\,W}{mH} \times 100$, $\quad W = \dfrac{\eta mH}{860} = \dfrac{0.4 \times 1 \times 5,000}{860} = 2.33\,[\text{kWh}]$

17 **직접접지(유효접지방식)** : 154[kV], 345[kV], 765[kV]의 송전선로에 사용
  • 장 점
    – 1선 지락고장 시 건전상 전압상승이 거의 없다(대지전압의 1.3배 이하).
    – 계통에 대해 절연레벨을 낮출 수 있다.
    – 지락전류가 크므로 보호계전기 동작이 확실하다.
  • 단 점
    – 1선 지락고장 시 인접 통신선에 대한 유도장해가 크다.
    – 절연수준을 높여야 한다.
    – 과도안정도가 나쁘다.
    – 큰 전류를 차단하므로 차단기 등의 수명이 짧다.
    – 통신유도장해가 최대가 된다.

18 • 주상변압기 주변 기기
    – 1차 측 : COS
    – 2차 측 : 캐치홀더
    – 가공전선 : 피뢰기
  • 케이블헤드(CH) : 케이블에 대한 단말처리가 주목적

19 %리액턴스 $\% X = \dfrac{PX}{10\,V^2}$ 에서 $\% X \propto \dfrac{1}{V^2}$

$X_{p1} : X_{p2} = \dfrac{1}{V_1^2} : \dfrac{1}{V_2^2}$

$\therefore \ X_{p1} = \dfrac{V_2^2}{V_1^2} X_{p2}$

20 **시한 특성**
  • 순한시 계전기 : 최소동작전류 이상의 전류가 흐르면 즉시 동작, 고속도 계전기(0.5~2[Cycle])
  • 정한시 계전기 : 동작전류의 크기에 관계없이 일정시간에 동작
  • 반한시 계전기 : 동작전류가 작을 때는 동작시간이 길고, 동작전류가 클 때는 동작시간이 짧다.
  • 반한시성 정한시 계전기 : 반한시 + 정한시 특성

전기공사기사		2023년 제1회 정답 및 해설							
01	02	03	04	05	06	07	08	09	10
④	④	②	①	④	③	③	①	③	③
11	12	13	14	15	16	17	18	19	20
④	②	①	④	④	③	①	①	②	①

01 $W = JQ$

여기서, W : 일[kg·m]

Q : 열량[kcal]

J : 열의 일당량 = 427[kg·m/kcal]

(1[kcal]에 해당하는 일의 양을 열의 일당량이라 부른다)

02 **전력계통의 조정**

• P–F Control : 유효전력은 주파수로 제어(거버너 밸브를 통해 유효전력을 조정)

• Q–V Control : 무효전력은 전압으로 제어

03 **연가(Transposition)** : 3상 3선식 선로에서 선로정수를 평형시키기 위하여 길이를 3등분하여 각 도체의 배치를 변경하는 것

※ 효과 : 선로정수 평형, 임피던스 평형, 유도장해 감소, 소호리액터 접지 시 직렬공진 방지

04 **모선 보호용 계전기의 종류** : 전류차동 계전방식, 전압차동 계전방식, 위상비교 계전방식, 방향거리 계전방식

05 $I_C = \omega CE = 2\pi \times 60 \times 0.3587 \times 10^{-6} \times 15 \times \left(\dfrac{66,000}{\sqrt{3}} \right) \fallingdotseq 77.3[\text{A}]$

06 $C : C_x = l : L$

$L = \dfrac{C_x l}{C}$

07 개폐 이상전압은 회로의 폐로 때보다 개로할 때가 크며 또한 부하 개로할 때보다 무부하회로를 개로할 때가 더 크다. 개폐 이상전압은 상규 대지전압이 3.5배 이하로서 4배를 넘는 경우는 거의 없다. 앞선 무효분 정전용량에 의한 충전전류를 차단 시 이상전압이 크게 발생된다.

08 이도가 크면 지지물은 높아야 되고 이도가 작으면 지지물은 굵어야 하므로 이도가 나타내는 것은 지지물의 대소관계를 결정한다.

09 **제수문의 설치 목적** : 취수구에 설치하고 유입되는 물을 막아 취수량을 조절한다.

10 수전단 전압에 대한 전압강하율 $\delta = \dfrac{e}{V_r} \times 100 = \dfrac{V_s - V_r}{V_r} \times 100 = \dfrac{P}{V_r^2}(R + X\tan\theta) \times 100$ 에서

수전전력 $P = \dfrac{\delta \times V_r^2}{(R + X\tan\theta) \times 100} \times 10^{-3}\,[\text{kW}]$

$\qquad = \dfrac{10 \times (30 \times 10^3)^2}{\left(15 + 20 \times \dfrac{0.6}{0.8}\right) \times 100} \times 10^{-3} = 3,000\,[\text{kW}]$

11 $L = 0.05 + 0.4605\log_{10}\dfrac{D'}{r}$ 에서($D' = D$)

$L = 0.05 + 0.4605\log_{10}\dfrac{2D}{d}$

12 원자로는 핵연료, 감속재, 냉각재, 반사체, 제어봉, 차폐 재료로 구성되어 있다.

13 $I_g = \sqrt{3}\,\omega CV = \sqrt{3} \times 2\pi \times 60 \times 0.005 \times 10^{-6} \times 10 \times 6,600 = 0.2154\,[\text{A}]$

$\therefore\ I_g < 1$ 이다.

14 **복도체(다도체) 방식의 주목적 : 코로나 방지**
- 인덕턴스는 감소, 정전용량은 증가
- 같은 단면적의 단도체에 비해 전력용량의 증대
- 코로나의 방지, 코로나 임계전압의 상승
- 송전용량의 증대
- 소도체 충돌 현상(대책 : 스페이서의 설치)
- 단락 시 대전류 등이 흐를 때 소도체 사이에 흡인력이 발생

15 **Peek식(코로나 손실)**

$P = \dfrac{241}{\delta}(f + 25)\sqrt{\dfrac{d}{2D}}\,(E - E_0)^2 \times 10^{-5}\,[\text{kW/km/line}]$

16 공칭전압은 그 선로를 대표하는 선로전압이고, 최고전압은 정상운전할 때에 선로에 발생하는 최고의 선간전압을 말한다.

정격전압 = 공칭전압 $\times \dfrac{1.2}{1.1}$

17
- 직접접지(유효접지방식) : 154[kV], 345[kV], 765[kV]의 송전선로에 사용
- 장 점
  - 1선 지락고장 시 건전상 전압상승이 거의 없다(대지전압의 1.3배 이하).
  - 계통에 대해 절연레벨을 낮출 수 있다.
  - 지락전류가 크므로 보호계전기 동작이 확실하다.
- 단 점
  - 1선 지락고장 시 인접 통신선에 대한 유도장해가 크다.
  - 절연수준을 높여야 한다.

‒ 과도안정도가 나쁘다.
‒ 큰 전류를 차단하므로 차단기 등의 수명이 짧다.
‒ 통신유도장해가 최대가 된다.

18 전력 원선도에서 반지름 $\rho = \dfrac{E_s E_r}{B} = \dfrac{E_s E_r}{Z} = \dfrac{154 \times 140}{\sqrt{(0.315 \times 100)^2 + (1.035 \times 100)^2}} \fallingdotseq 199.28[\text{MVA}]$

19 **보호협조의 배열**
• 리클로저(R) ‒ 섹셔널라이저(S) ‒ 전력 퓨즈(F)
• 섹셔널라이저는 고장전류 차단능력이 없으므로 리클로저와 직렬로 조합하여 사용한다.
• 인터럽터 스위치는 고장전류 차단 능력이 없다.

20 **플리커 방지책**
• 수용가 측
‒ 전원계통에 리액터분을 보상
‒ 전압강하를 보상
‒ 부하의 무효전력 변동분을 흡수
• 전력공급 측
‒ 단락용량이 큰 계통에서 공급
‒ 공급전압 승압
‒ 전용변압기로 공급
‒ 단독 공급계통을 구성

전기공사기사		2023년 제2회 정답 및 해설							
01	02	03	04	05	06	07	08	09	10
②	①	②	③	④	①	③	②	②	③
11	12	13	14	15	16	17	18	19	20
①	③	④	④	③	③	②	④	③	④

01 전력 퓨즈(Power Fuse)는 특고압 기기의 단락전류 차단을 목적으로 설치한다.
- 장점 : 소형 및 경량, 차단용량이 큼, 고속 차단, 보수가 간단, 가격이 저렴, 정전용량이 작음
- 단점 : 재투입이 불가능

02 한류리액터는 단락사고 시 단락전류를 제한하여 차단기 용량을 줄인다.

03 $\eta = \dfrac{860\omega}{mH} \times 100 = \dfrac{860 \times 40,000}{60 \times 10^3 \times 860} \times 100 ≒ 66.67[\%]$

04 전압을 n배로 승압 시

항목	송전전력	전압강하	단면적 A	총중량 W	전력손실 P_l	전압강하율 ε
관계	$P \propto V^2$	$e \propto \dfrac{1}{V}$	$[A,\ W,\ P_l,\ \varepsilon] \propto \dfrac{1}{V^2}$			

05 C_a에 충전전압 E가 인가, 정전용량 C_{ab}와 C_b의 직렬회로이므로 전압이 분배된다.

정전유도전압 $E_s = \dfrac{C_{ab}}{C_{ab} + C_b} \times E$

06
$$E_n = \frac{\sqrt{C_a(C_a - C_b) + C_b(C_b - C_c) + C_c(C_c - C_a)}}{C_a + C_b + C_c} \times \frac{V}{\sqrt{3}}$$
$$= \frac{\sqrt{0.031(0.031 - 0.03) + 0.03(0.03 - 0.032) + 0.032(0.032 - 0.031)}}{0.031 + 0.03 + 0.032} \times \frac{154,000}{\sqrt{3}}$$
$$= 1,655.913[\text{V}]$$

$$\frac{E_n}{계통의\ 상전압} = \frac{1,655.913[\text{V}]}{\dfrac{154,000}{\sqrt{3}}} \times 100 = 1.862[\%]$$

07 유도장해 방지 대책
- 전력선 측
  - 상호인덕턴스 감소 : 차폐선을 설치(30~50[%] 경감), 송전선과 통신선 충분한 이격
  - 중성점 접지저항값 증가, 유도전류 감소 : 소호리액터 중성점 접지 채용
  - 고장지속시간 단축 : 고속도 지락보호계전방식 채용
  - 지락전류 감소 : 차폐감수 감소

- 통신선 측
  - 상호인덕턴스 감소 : 연피통신케이블 사용
  - 유도전압 감소 : 성능 우수한 피뢰기 설치
  - 병행길이 단축 : 통신선 도중 중계코일 설치
  - 통신잡음 단축 : 배류코일, 중화코일 등으로 접지

08 정격전압은 속류를 차단할 수 있는 교류의 최댓값에 대한 실횻값이다.

09 $P_s = \dfrac{E_S E_R}{X}\sin\delta = \dfrac{161 \times 155}{49.8}\sin 40° ≒ 322.1[\text{MW}]$

10 **보일러의 부속 설비**
- 과열기 : 건조포화증기를 과열증기로 변환하여 터빈에 공급
- 재열기 : 터빈 내에서의 증기를 뽑아내어 다시 가열하는 장치
- 절탄기 : 배기가스의 여열을 이용하여 보일러 급수 예열
- 공기예열기 : 절탄기를 통과한 여열공기를 예열한다(연도의 맨 끝에 위치).

11 $P \propto QH\eta$에서 낙차에 의한 수차의 특성변화에서 $P \propto H^{\frac{3}{2}} \times \eta$

$P = (0.6^{\frac{3}{2}} \times 0.8) \times 100 = 37.18 ≒ 37.2[\%]$

12 $V = I_g Z_{gf} = 3I_0 Z_{gf} = I_0 3Z_{gf}$

$Z_0 = Z_l + Z_t + 3Z_{gf}$

13 **전류 차동 보호방식** : 모선, 발전기를 보호하는 방식

14 **중성점접지방식**

방 식	보호계전기 동작	지락전류	전위상승	과도 안정도	유도 장해	특 징
직접접지 22.9, 154, 345[kV]	확 실	크다.	1.3배	작다.	크다.	중성점 영전위 단절연 가능
저항접지	↓	↓	$\sqrt{3}$ 배	↓	↓	
비접지 3.3, 6.6[kV]	×	↓	$\sqrt{3}$ 배	↓	↓	저전압 단거리
소호리액터접지 66[kV]	불확실	0	$\sqrt{3}$ 배 이상	크다.	작다.	병렬 공진

15 고장별 대칭분 및 전류의 크기

고장종류	대칭분	전류의 크기
1선 지락	정상분, 역상분, 영상분	$I_0 = I_1 = I_2 \neq 0$
선간 단락	정상분, 역상분	$I_1 = -I_2 \neq 0,\ I_0 = 0$
3상 단락	정상분	$I_1 \neq 0,\ I_0 = I_2 = 0$

1선 지락전류 $I_g = 3I_0 = \dfrac{3E_a}{Z_0 + Z_1 + Z_2}$

16 안정도 향상대책
- 발전기
  - 동기리액턴스 감소(단락비 크게, 전압변압률 작게)
  - 속응여자방식 채용
  - 제동권선 설치(난조 방지)
  - 조속기 감도 둔감
- 송전선
  - 리액턴스 감소
  - 복도체(다도체) 채용
  - 병행 2회선 방식
  - 중간조상방식
  - 고속도 재폐로방식 채택 및 고속 차단기 설치

17 $\uparrow I_s = \dfrac{E}{Z\downarrow}$ (단락전류가 크다, 효율이 높다, 전압변동률이 작다)

18

내부적인 요인	외부적인 요인
개폐서지	뇌서지(직격뢰, 유도뢰)
대책 : 개폐저항기	대책 : 서지흡수기

19 수용률 $= \dfrac{\text{최대수용전력[kW]}}{\text{부하설비용량[kW]}} \times 100[\%]$

20 복도체(다도체) 방식의 주목적 : 코로나 방지
- 인덕턴스는 감소, 정전용량은 증가
- 같은 단면적의 단도체에 비해 전력용량의 증대
- 코로나의 방지, 코로나 임계전압의 상승
- 송전용량의 증대
- 소도체 충돌 현상(대책 : 스페이서의 설치)
- 단락 시 대전류 등이 흐를 때 소도체 사이에 흡인력이 발생

전기공사기사	2023년 제4회 정답 및 해설								
01	02	03	04	05	06	07	08	09	10
②	②	③	③	②	③	④	④	③	④
11	12	13	14	15	16	17	18	19	20
①	①	④	③	②	②	②	②	③	④

01

$$P_s = \frac{E_S E_R}{X}\sin\delta = \frac{161 \times 155}{49.8}\sin 40° ≒ 322.1[\text{MW}]$$

02 고압 배전선로의 길이가 길어서 전압강하가 너무 클 경우 배전선로의 중간에 승압기를 설치하여 2차 측 전압을 높여 줌으로써 말단의 전압강하를 방지한다.

03

$$\downarrow \cos\theta = \frac{P\downarrow}{P_a}$$

P_a가 일정한 상태에서 P(출력)가 감소하면 역률이 저하된다.

04

$$최대부하전력[\text{kW}] = \frac{\dfrac{(30+50)\times 0.6}{1.2}}{1.3} = 30.769$$

05 **이상전압의 방지대책**
- 매설지선 : 역섬락 방지, 철탑 접지저항의 저감
- 가공지선 : 직격뢰 차폐
- 피뢰기 : 이상전압에 대한 기계, 기구 보호

06 **중성점접지방식**

방 식	보호계전기 동작	지락전류	전위상승	과도 안정도	유도 장해	특 징
직접접지 22.9, 154, 345[kV]	확 실	크다.	1.3배	작다.	크다.	중성점 영전위 단절연 가능
저항접지	↓	↓	$\sqrt{3}$ 배	↓	↓	
비접지 3.3, 6.6[kV]	×	↓	$\sqrt{3}$ 배	↓	↓	저전압 단거리
소호리액터접지 66[kV]	불확실	0	$\sqrt{3}$ 배 이상	크다.	작다.	병렬 공진

07

$$P \propto V^2 = \left(\frac{345}{154}\right)^2 ≒ 5$$

08 **GIS(Gas Insulated Switchgear)의 방식**
• 충전부가 대기에 노출되지 않아 기기의 안정성, 신뢰성이 우수하다.
• 감전사고 위험이 작다.
• 소형화가 가능하다.
• 밀폐형이므로 배기소음이 없다.
• 보수, 점검이 용이하다.

09 재점호전류는 커패시터회로의 무부하 충전전류(진상전류)에 의해 발생한다.

10 **피뢰기의 구비조건**
• 속류차단능력이 클 것
• 제한전압이 낮을 것
• 충격방전 개시전압이 낮을 것
• 상용주파 방전 개시전압이 높을 것
• 방전내량이 클 것
• 내구성 및 경제성이 있을 것

11 메거(절연저항계)는 절연저항값을 측정하는 기기이다.

12 같은 길이, 같은 저항에서 경동연선과 비교 시 바깥지름은 1 : 1.25, 중량은 1 : 0.480이 된다.

13 **피뢰기 정격전압**
• 선로단자와 접지단자 간에 인가할 수 있는 상용주파 최대허용전압의 실횻값
• 속류가 차단되는 교류 최고전압(공칭전압=지속성 이상전압=1선 지락고장 시 건전상의 대지전위)

14 **보일러의 부속 설비**
• 과열기 : 건조포화증기를 과열증기로 변환하여 터빈에 공급
• 재열기 : 터빈 내에서의 증기를 뽑아내어 다시 가열하는 장치
• 절탄기 : 배기가스의 여열을 이용하여 보일러 급수 예열
• 공기예열기 : 절탄기를 통과한 여열공기를 예열한다(연도의 맨 끝에 위치).

15 특유속도(1분간 회전수) $n_s = \dfrac{NP^{\frac{1}{2}}}{H^{\frac{5}{4}}}[\mathrm{rpm}]$

수차의 종류	특유속도 범위
펠 턴	12~23
프란시스	65~350
사 류	150~250
카플란 및 프로펠러	350~800

16 ② 차단기 : 부하전류 개폐, 사고전류 차단
① 단로기, ③ 선로개폐기 : 무부하전류 개폐
④ 전력퓨즈 : 단락전류 차단

17 **집중부하와 분산부하**

구 분	전력손실	전압강하
말단집중부하	$I^2 RL$	$I RL$
평등분산부하	$\dfrac{1}{3} I^2 RL$	$\dfrac{1}{2} I RL$

18 $V_s = V_R + 2IR = 100 + 2 \times \dfrac{3,000}{100} \times 0.15 = 109[\text{V}]$

19 $P_l = I^2 R = P_S - P_R$

$I^2 R = V_S I_S \cos\theta_S - V_R I_R \cos\theta_R$(직렬은 전류가 일정)

$IR = V_S \cos\theta_S - V_R \cos\theta_R$

$I = \dfrac{V_S \cos\theta_S - V_R \cos\theta_R}{R} = \dfrac{6,600 \times 0.9 - 6,100 \times 0.8}{20} = 53[\text{A}]$

20 **전력원선도**
• 작성 시 필요한 값 : 송·수전단 전압, 일반회로 정수(A, B, C, D)
• 가로축 : 유효전력, 세로축 : 무효전력
• 구할 수 있는 값 : 최대출력, 조상설비용량, 4단자 정수에 의한 손실, 송·수전 효율 및 전압, 선로의 일반회로 정수
• 구할 수 없는 값 : 과도안정 극한전력, 코로나 손실, 사고값

전기공사산업기사	2023년 제1회 정답 및 해설								
01	02	03	04	05	06	07	08	09	10
②	②	②	②	②	④	④	③	①	③
11	12	13	14	15	16	17	18	19	20
②	④	①	④	①	③	①	④	②	①

01 중성자 흡수 단면적이 큰 것은 제어재이다.

냉각재의 구비조건
- 중성자의 흡수가 적을 것
- 열용량이 클 것
- 비열과 열전도율이 클 것
- 녹는점이 낮을 것
- 끓는점이 높을 것

02
- 재생사이클 : 단열팽창 도중 증기의 일부를 추기하여 보일러 급수를 가열하여 복수 열손실을 회수하는 사이클로서 급수가열기가 있는 시스템
- 재열사이클 : 고압 터빈을 돌리고 나온 증기를 전부 추출해서 보일러의 재열기로 증기를 다시 최초의 과열증기 온도 부근까지 가열시켜서 터빈 저압단에 공급하는 것으로 재열기가 있는 시스템
- 재열재생사이클 : 재생사이클과 재열사이클의 결합

03
$$\eta = \frac{860\omega}{mH} \times 100 = \frac{860 \times 40,000}{60 \times 10^3 \times 860} \times 100 ≒ 66.67[\%]$$

04
$$\frac{Q_2}{Q_1} = \left(\frac{H_2}{H_1}\right)^{\frac{1}{2}}$$

$$Q_2 = Q_1 \left(\frac{H_2}{H_1}\right)^{\frac{1}{2}} = 20 \times \left(\frac{81}{100}\right)^{\frac{1}{2}} = 18[\text{m}^3/\text{s}]$$

05 부하가 증가하면 주파수는 감소하며, 부하가 감소하면 주파수는 증가한다.

06 **전력용 퓨즈 장단점**

장 점	단 점
• 가격이 저렴하다.	• 재투입이 불가능하다.
• 소형·경량이다.	• 과도전류에 용단되기 쉽다.
• 고속차단이다.	• 계전기를 자유로이 조정할 수 없다.
• 보수가 간단하다.	• 한류형은 과전압이 발생된다.
• 차단능력이 크다.	• 고임피던스 접지사고는 보호할 수 없다.

07

$\dfrac{P_2}{P_1} = \left(\dfrac{H_2}{H_1}\right)^{\frac{3}{2}}$ 에서

$P_2 = P_1\left(\dfrac{H_2}{H_1}\right)^{\frac{3}{2}} = 7{,}500\left(\dfrac{47.5}{50}\right)^{\frac{3}{2}} = 6{,}944.59[\text{kW}]$

08

수용률 $= \dfrac{\text{최대수용전력[kW]}}{\text{부하설비용량[kW]}} \times 100[\%]$

09

- 정전 : CB Off → DS Off
- 급전 : DS On → CB On
- ※ 인터로크 : 차단기가 열려 있어야만 단로기 개폐 가능(상대 동작 금지회로)

10

재점호전류는 커패시터회로의 무부하 충전전류(진상전류)에 의해 발생한다.

11

① 방향지락계전기, ② 계기용 변류기, ③ 영상변류기, ④ 영상접지형 변압기
CT 계기용 변류기는 대전류를 소전류로 변류하여 계기 및 계전기에 전원 공급

12

10,000[kVA] 기준용량으로 해석

$X_G = \dfrac{10{,}000}{5{,}000} \times 12 = 24[\%]$

합성 $\%X_G = \dfrac{1}{\dfrac{1}{24} + \dfrac{1}{15} + \dfrac{1}{15}} = 5.71[\%]$

차단기 용량 $P_s = \dfrac{100}{\%Z}P_n = \dfrac{100}{5.71} \times 10{,}000 \times 10^{-3} \fallingdotseq 175.131[\text{MVA}]$

13

- 정태안정도 : 정상운전 시(부하가 서서히 증가할 때 극한전력)
- 동태안정도 : AVR(자동전압조정기) 등 안전하게 운전
- 과도안정도 : 사고 시(부하가 갑자기 사고 시 증가할 때 극한전력)

14

Still 식 $V_s = 5.5\sqrt{0.6l + \dfrac{P}{100}} = 5.5\sqrt{0.6 \times 51 + \dfrac{30{,}000}{100}} = 100[\text{kV}]$

여기서, l : 송전거리[km]
P : 송전전력[kW]

15

$E_S = AE_R + BI_R$에서 무부하 시 $I_R = 0$이므로
$E_S = AE_R$
$\therefore\ E_R = \dfrac{E_S}{A}$

16 $C = \dfrac{0.02413}{\log_{10}\dfrac{D}{r}}$

17 **댐퍼** : 전선의 진동을 흡수하여 단선사고를 방지한다.

18 **3상 3선식** : 전선 1가닥에 대한 작용 정전용량

단도체 $C = C_0 + 3C_m = \dfrac{0.02413}{\log_{10}\dfrac{D}{r}}[\mu\mathrm{F/km}]$

19 **병렬 콘덴서** : 수전단의 역률개선

20 정격전압은 속류를 차단할 수 있는 교류의 최댓값에 대한 실횻값이다.

01	02	03	04	05	06	07	08	09	10
④	③	②	②	②	④	①	②	①	③

11	12	13	14	15	16	17	18	19	20
①	④	②	①	④	①	④	④	③	①

01 **설비용량별 3차 권선(△결선)의 사용방법**
- 345[kV]의 Y-Y-△(345[kV]-154[kV]-23[kV]) : △결선(3차 권선)은 조상설비를 접속하고 변전소 소내 전원용으로 사용한다.
- 154[kV]의 Y-Y-△(154[kV]-23[kV]-6.6[kV]) : △결선(3차 권선)은 외함에 접지하고 부하를 접지하지 않는 안정권선으로 사용한다.

02 **직접접지(유효접지방식)** : 154[kV], 345[kV], 765[kV]의 송전선로에 사용
- 장 점
  - 1선 지락고장 시 건전상 전압상승이 거의 없다(대지전압의 1.3배 이하).
  - 계통에 대해 절연레벨을 낮출 수 있다.
  - 지락전류가 크므로 보호계전기 동작이 확실하다.
- 단 점
  - 1선 지락고장 시 인접 통신선에 대한 유도장해가 크다.
  - 절연수준을 높여야 한다.
  - 과도안정도가 나쁘다.
  - 큰 전류를 차단하므로 차단기 등의 수명이 짧다.
  - 통신유도장해가 최대가 된다.

03 $V_n = V_a + a^2 V_b + a V_c = 0$(3$\phi$ 평형일 경우, 중성점 전압, 전류는 0이다)

04 공진상태이므로 $I = \dfrac{V}{R} = \dfrac{4,400}{200} = 22[\text{A}]$

05 $Q_c = 3\omega C E^2 = 3 \times 2\pi \times 60 \times \dfrac{1}{6\pi} \times 10^{-6} \times 20,000^2 \times 10^{-3} = 24[\text{kVA}]$

06 **전력용 퓨즈 장단점**

장 점	단 점
• 가격이 저렴하다.	• 재투입이 불가능하다.
• 소형 · 경량이다.	• 과도전류에 용단되기 쉽다.
• 고속차단이다.	• 계전기를 자유로이 조정할 수 없다.
• 보수가 간단하다.	• 한류형은 과전압이 발생된다.
• 차단능력이 크다.	• 고임피던스 접지사고는 보호할 수 없다.

07 • 정전 : CB Off → DS Off
   • 급전 : DS On → CB On
   ※ 인터로크 : 차단기가 열려 있어야만 단로기 개폐 가능(상대 동작 금지회로)

08 **코로나** : 전선로 주변의 전위경도가 상승해서 공기의 부분적인 절연파괴가 일어나는 현상으로 빛과 소리를 동반한다.
   • 코로나의 영향
   　 − 통신선의 유도 장해가 발생한다.
   　 − 코로나 손실 발생 → 송전손실 → 송전효율 저하
   　 − 코로나 잡음 및 소음이 발생한다.
   　 − 전선이 부식된다(원인 : 오존(O_3)).
   　 − 소호 리액터의 소호 능력이 저하된다.
   　 − 진행파의 파고값은 감소한다.
   • 코로나의 대책
   　 − 코로나 임계전압을 크게 한다.
   　 − 전위경도를 작게 한다.
   　 − 전선의 지름을 크게 한다.
   　 − 복도체(다도체) 방식 및 가선금구의 개량을 채용한다.

09 $P = 9.8QH\eta = 9.8 \times 20 \times (300 \times 0.94) \times 0.9 \times 0.98 = 48,749.9 [\text{kW}]$

10 **복도체(다도체) 방식의 주목적** : 코로나 방지
   • 인덕턴스는 감소, 정전용량은 증가
   • 같은 단면적의 단도체에 비해 전력용량의 증대
   • 코로나의 방지, 코로나 임계전압의 상승
   • 송전용량의 증대
   • 소도체 충돌 현상(대책 : 스페이서의 설치)
   • 단락 시 대전류 등이 흐를 때 소도체 사이에 흡인력이 발생

11 **집진장치**
   • 전기식 집진장치 : 코트렐 집진장치
   • 기계식 집진장치 : 사이클론 집진장치
   효율이 좋은 것은 전기식 집진장치인 코트렐 집진장치이다.

12 • 가공지선의 설치목적 : 직격뢰 차폐, 유도뢰 차폐, 통신선에 대한 전기유도장해 경감
   • 매설지선 : 철탑의 접지저항을 줄여 역섬락 방지

13 **페란티 현상** : 선로의 충전전류 때문에 무부하 시 송전단 전압보다 수전단 전압(앞선 충전전류)이 커지는 현상이다. 방지법으로는 분로리액터 설치 및 동기조상기의 지상용량을 공급한다.

14 일정 $P = V\uparrow I\downarrow$(애자지지물 비용↑, 전선비용↓)
   일정 $P = V\downarrow I\uparrow$(애자지지물 비용↓, 전선비용↑)

15 **제한전압** : 피뢰기 동작 중에 계속해서 걸리고 있는 단자전압의 파고값

16 **저압 네트워크방식**
- 무정전 공급방식으로 공급신뢰도가 가장 좋다.
- 공급신뢰도가 가장 좋고 변전소의 수를 줄일 수 있다.
- 전압강하, 전력손실이 적다.
- 부하 증가 시 대응이 우수하다.
- 설비비가 고가이다.
- 인축의 접지사고가 있을 수 있다.
- 고장 시 고장전류가 역류할 수 있다.
- 대책 : 네트워크 프로텍터(저압용 차단기, 저압용 퓨즈, 전력방향 계전기)

17 $$연부하율 = \frac{연간전력량/(365 \times 24)}{연간최대전력} \times 100$$
$$= \frac{E}{8,760\,W} \times 100\,[\%]$$

18 **전력계통의 조정**
- P-F Control : 유효전력은 주파수로 제어(거버너 밸브를 통해 유효전력을 조정)
- Q-V Control : 무효전력은 전압으로 제어

19 **조상설비의 비교**

구 분	진 상	지 상	시충전	조 정	전력손실
콘덴서	○	×	×	단계적	0.3[%] 이하
리액터	×	○	×	단계적	0.6[%] 이하
동기조상기	○	○	○	연속적	1.5~2.5[%]

20 $$I_S = \frac{100}{\%Z} \frac{P[\text{kVA}]}{\sqrt{3} \times V[\text{kV}]} = \frac{100}{8} \times \frac{20,000}{\sqrt{3} \times 22} ≒ 6,561\,[\text{A}]$$

전기공사산업기사	2023년 제4회 정답 및 해설								
01	02	03	04	05	06	07	08	09	10
④	③	④	②	②	②	④	④	④	②
11	12	13	14	15	16	17	18	19	20
④	③	②	①	④	①	④	①	④	④

01 전력용 퓨즈 장단점

장 점	단 점
• 가격이 저렴하다.	• 재투입이 불가능하다.
• 소형 · 경량이다.	• 과도전류에 용단되기 쉽다.
• 고속차단이다.	• 계전기를 자유로이 조정할 수 없다.
• 보수가 간단하다.	• 한류형은 과전압이 발생된다.
• 차단능력이 크다.	• 고임피던스 접지사고는 보호할 수 없다.

02 전압변동률 $\delta = \dfrac{V_{R1} - V_{R2}}{V_{R2}} \times 100$

$\dfrac{63 - 60}{60} \times 100 = 5[\%]$

여기서, V_{R1} : 무부하 시 수전단 전압

V_{R2} : 수전단 전압

03
• 전력손실 $P_L = 3I^2 R = \dfrac{P^2 R}{V^2 \cos^2 \theta} = \dfrac{P^2 \rho l}{V^2 \cos^2 \theta \, A}[\text{W}]$

여기서, P : 부하전력 ρ : 고유저항

    l : 배전거리 A : 전선의 단면적

    V : 수전전압 $\cos \theta$: 부하역률

• 경감방법 : 배전전압 승압, 역률 개선, 저항 감소, 부하의 불평형 방지

04 **코로나** : 전선로 주변의 전위경도가 상승해서 공기의 부분적인 절연파괴가 일어나는 현상으로 빛과 소리를 동반한다.

• 코로나의 영향

 – 통신선의 유도 장해가 발생한다.

 – 코로나 손실 발생 → 송전손실 → 송전효율 저하

 – 코로나 잡음 및 소음이 발생한다.

 – 전선이 부식된다(원인 : 오존(O_3)).

 – 소호 리액터의 소호 능력이 저하된다.

 – 진행파의 파고값은 감소한다.

• 코로나의 대책

 – 코로나 임계전압을 크게 한다.

 – 전위경도를 작게 한다.

 – 전선의 지름을 크게 한다.

 – 복도체(다도체) 방식 및 가선금구의 개량을 채용한다.

05　오프셋

전선의 도약에 의한 송전 상하선 혼촉(단락)을 방지하기 위해 전선 배열을 위·아래 전선 간에 수평간격을 두어 설치 → 쌓였던 눈이 떨어지는 경우 상하로 흔들림

06
$$\%X = \frac{PX}{10V^2} \text{ 에서 } X = \frac{10V^2 \cdot \%X}{P} = \frac{10 \times 154^2 \times 14}{40 \times 10^3} \approx 83[\,\Omega\,]$$

07　고장별 대칭분 및 전류의 크기

고장종류	대칭분	전류의 크기
1선 지락	정상분, 역상분, 영상분	$I_0 = I_1 = I_2 \neq 0$
선간 단락	정상분, 역상분	$I_1 = -I_2 \neq 0,\ I_0 = 0$
3상 단락	정상분	$I_1 \neq 0,\ I_0 = I_2 = 0$

1선 지락전류 $I_g = 3I_0 = \dfrac{3E_a}{Z_0 + Z_1 + Z_2}$

08　피뢰기의 구비조건
- 속류차단능력이 클 것
- 제한전압이 낮을 것
- 충격방전 개시전압이 낮을 것
- 상용주파 방전 개시전압이 높을 것
- 방전내량이 클 것
- 내구성 및 경제성이 있을 것

09

내부적인 요인	외부적인 요인
개폐서지	뇌서지(직격뢰, 유도뢰)
대책 : 개폐저항기	대책 : 서지흡수기

10　안정도 향상대책
- 발전기
  - 동기리액턴스 감소(단락비 크게, 전압변동률 작게)
  - 속응여자방식 채용
  - 제동권선 설치(난조 방지)
  - 조속기 감도 둔감
- 송전선
  - 리액턴스 감소
  - 복도체(다도체) 채용
  - 병행 2회선 방식
  - 중간조상방식
  - 고속도 재폐로방식 채택 및 고속 차단기 설치

11 C_a에 충전전압 E가 인가, 정전용량 C_{ab}와 C_b의 직렬회로이므로 전압이 분배된다.

정전유도전압 $E_s = \dfrac{C_{ab}}{C_{ab}+C_b} \times E$

12 $\delta = \dfrac{P}{V^2}(R+X\tan\theta)$에서

$P = \dfrac{\delta V^2}{R+X\tan\theta} = \dfrac{0.1 \times 60,000^2}{10+20 \times \dfrac{0.6}{0.8}} \times 10^{-3} = 14,400[\text{kW}]$

13 MOF 계기용 변압 변류기(전력수급용 계기용 변성기) : 전류, 전압을 변성하여 전력량계에 공급한다.

14 1[BTU] = 0.252[kcal]

15
- 부족전압 계전기(UVR) : 전압이 정정값 이하 시 동작
- 과전압 계전기(OVR) : 전압이 정정값 초과 시 동작

16 저압뱅킹 배선방식은 캐스케이딩 현상의 우려가 있어 고장구간을 축소하기 위하여 변압기 2차 측 저압선의 중간에 구분 퓨즈를 설치한다.

17 선로의 보호계전기
과전류 계전기, 방향단락 계전기, 방향거리 계전기

18
- 고수량 : 매년 1~2회
- 풍수량 : 95일
- 평수량 : 185일
- 저수량 : 275일
- 갈수량 : 355일

19 케이블헤드(CH) : 가공전선과 케이블의 단말(종단) 접속

20 송전용량계수법

$P = k\dfrac{V_r^2}{l}[\text{kW}] = 1,300 \times \dfrac{154^2}{154} \times 2 \times 10^{-3} \fallingdotseq 400.4[\text{MW}]$

여기서, $V_r[\text{kV}]$: 수전단 선간전압
$l[\text{km}]$: 송전거리

합격의 공식
SD에듀
S D E D U

우리는 삶의 모든 측면에서 항상
'내가 가치있는 사람일까?' '내가 무슨 가치가 있을까?'라는
질문을 끊임없이 던지곤 합니다.
하지만 저는 우리가 날 때부터 가치있다 생각합니다.

– 오프라 윈프리 –

좋은 책을 만드는 길, 독자님과 함께하겠습니다.

전력공학

개정 2판 1쇄 발행	2024년 01월 05일 (인쇄 2023년 11월 27일)
초 판 발 행	2022년 01월 05일 (인쇄 2021년 11월 17일)
발 행 인	박영일
책 임 편 집	이해욱
편 저	민병진
편 집 진 행	윤진영 · 김경숙
표 지 디 자 인	권은경 · 길전홍선
편 집 디 자 인	정경일 · 심혜림
발 행 처	(주)시대고시기획
출 판 등 록	제10-1521호
주 소	서울시 마포구 큰우물로 75 [도화동 538 성지 B/D] 9F
전 화	1600-3600
팩 스	02-701-8823
홈 페 이 지	www.sdedu.co.kr
I S B N	979-11-383-6367-9(14560)
	979-11-383-6365-5(세트)
정 가	18,000원

※ 저자와의 협의에 의해 인지를 생략합니다.
※ 이 책은 저작권법의 보호를 받는 저작물이므로 동영상 제작 및 무단전재와 배포를 금합니다.
※ 잘못된 책은 구입하신 서점에서 바꾸어 드립니다.